Bokhandleren i Kabul

ÅSNE SEIERSTAD

Bokhandleren i Kabul

Et familiedrama

CAPPELEN

ÅSNE SEIERSTAD
Tidligere utgitt:

«Med ryggen mot verden». Portretter fra Serbia (Cappelen, 2000)

14. opplag

© J.W. Cappelens Forlag a·s.
Omslagsdesign: Hole design as
Omslagsfoto: Kate Brooks
Satt hos Heien A.s., Oslo
Trykt og bundet hos Rotanor, Skien 2004
ISBN: 82-02-22082-3
ISBN 82-525-4989-6 (Bokklubben Dagens Bøker)

Det må ikke kopieres fra denne bok i strid med åndsverkloven eller
avtaler om kopiering inngått med KOPINOR, Interesseorgan for rettig-
hetshavere til åndsverk. Kopiering i strid med lover eller avtale kan
medføre erstatningsansvar og inndragning, og kan straffes
med bøter eller fengsel.

Til Benedikte - kosen min
påsken -04
xxx mamma xxx

Til mine foreldre

Innhold

Forord

Sultan Khan var en av de første jeg møtte da jeg kom til Kabul i november 2001. Jeg hadde tilbrakt seks uker med kommandantene i Nordalliansen, i ørkenen ved grensen til Tadsjikistan, i Hindu Kush-fjellene, i Panjshirdalen, på steppene nord for Kabul. Jeg hadde fulgt offensivene deres mot Taliban, levd på steingulv, i jordhytter, ved fronten. Reist på lasteplan, i militære kjøretøyer, til hest og til fots.

Da Taliban falt, dro jeg med Nordalliansen til Kabul. I en bokhandel fant jeg en elegant, gråhåret mann. Etter uker blant krutt og grus, der samtalene hadde dreid seg om krigstaktikk og militære framrykk, var det befriende å bla i bøker og prate om litteratur og historie. Sultan Khan hadde hyller bugnende med verker på mange språk, diktsamlinger, afghanske legender, historiebøker, romaner. Han var flink til å selge, da jeg gikk fra butikken etter første besøk, bar jeg med meg sju bøker. Jeg stakk ofte innom når jeg hadde tid til overs, for å se på bøker og for å snakke mer med den interessante bokhandleren, en afghansk patriot, som var blitt skuffet mange ganger over landet sitt.

– Først brente kommunistene bøkene mine, så plyndret mujahedin dem, så brente Taliban dem igjen, fortalte han.

En dag inviterte han meg hjem til et kveldsmåltid. Rundt en overdådig oppdekning på gulvet satt familien hans, den ene av konene, sønnene, søstrene, broren, moren, noen fettere. Sultan fortalte historier, sønnene lo og vitset. Det var en løssluppen tone, og en stor kontrast fra de enkle måltidene med kommandantene i fjellene. Men jeg la raskt merke til at kvinnene sa lite. Sultans vakre tenåringskone satt stille ved døren med babyen sin uten å si et ord. Den andre hustruen hans var ikke til stede denne kvelden. De øvrige kvinnene svarte på spørsmål, tok imot ros for maten, men startet ingen samtaler selv.

Da jeg gikk derfra, sa jeg til meg selv: Dette er Afghanistan. Denne familien hadde det vært spennende å skrive en bok om.

Dagen etter oppsøkte jeg Sultan i bokhandelen og fortalte ham om ideen min.

– Tusen takk, sa han bare.

– Men det betyr at jeg må bo sammen med dere.

– Velkommen.

– Jeg må bli med dere rundt, leve slik dere lever. Med deg, konene dine, søstrene, sønnene.

– Velkommen, sa han igjen.

En tåkete februardag flyttet jeg hjem til familien. Det eneste jeg hadde med, var datamaskinen min, notatblokker, penner, en satellittelefon og det jeg gikk og sto i. Resten hadde forsvunnet på reisen, et sted i Usbekistan. Jeg ble mottatt med åpne armer, og trivdes godt i de afghanske kjolene jeg etter hvert fikk låne.

Jeg fikk en matte på gulvet ved siden av Leila, som var den som hadde fått i oppgave å passe på at jeg hele tiden hadde det bra.

– Du er min lille baby, fortalte nittenåringen meg den første kvelden. – Jeg skal ta meg av deg, forsikret hun og spratt opp hver gang jeg reiste meg.

Alt jeg ba om skulle oppfylles, hadde Sultan befalt familien. At han hadde lagt til at den som ikke respekterte dette, ville bli straffet, fikk jeg vite senere.

Hele dagen ble jeg servert mat og te. Sakte ble jeg innført i familiens liv. De fortalte meg ting når de hadde lyst, ikke når jeg spurte. Det var ikke nødvendigvis når jeg hadde notatblokken klar at de var i humør til å snakke, men kanskje under en tur i basaren, på en buss, eller en sen kveldstime på matten. De fleste svarene kom av seg selv, som svar på spørsmål jeg ikke ville hatt fantasi til å stille.

Jeg har skrevet i en litterær form, men til grunn for det jeg skriver, ligger virkelige historier som jeg har vært med på, eller som jeg har fått fortalt av de som var med. Når jeg skriver hva personene tenker eller føler, er det basert på det de har fortalt meg at de tenkte eller følte i den situasjonen som blir skildret.

Det meste jeg skriver om har jeg vært med på selv, livet i leiligheten, turen til Peshawar, til Lahore, pilegrimsreisen, innkjøpene i basaren, bryllup og bryllupsforberedelser, hammamen, skolen, undervisningsministeriet, jakten på al-Qaida, politistasjonen og fengselet.

Andre ting har jeg ikke opplevd selv, som Jamilas skjebne og Rahimullahs eskapader, eller når Mansur møtte sine venninner i butikken. Det er historier jeg er blitt fortalt i etterkant.

Hele familien var innforstått med at jeg bodde hos dem for å skrive bok. Dersom det var noe de ikke ville jeg skulle skrive om, sa de ifra. Likevel har jeg valgt å anonymisere familien Khan og de andre personene jeg gjengir. Ingen ba meg om det, men jeg følte det var riktig.

11

Dagene mine var som familiens dager, jeg våknet i grålysningen av barnas hyl og mennenes befalinger. Så sto jeg i kø til badet, eller snek meg inn når alle var ferdige. Var jeg heldig, var det varmt vann igjen, men jeg lærte meg fort at en kopp kaldt vann i ansiktet også er oppfriskende. Resten av dagen ble jeg enten hjemme med kvinnene, besøkte slektninger og dro i basaren, eller jeg var med Sultan og sønnene i butikken, rundt i byen, eller på reiser. Om kvelden delte jeg middagen med familien, og drakk grønn te til det var på tide å legge seg.

Jeg var gjest, men ble fort husvarm. Jeg ble tatt fantastisk godt hånd om, familien var sjenerøs og åpen. Vi hadde mange morsomme stunder, men jeg har sjelden vært så sint på noen som i familien Khan, jeg har sjelden kranglet så mye med noen som der. Jeg har aldri hatt så lyst til å slå noen som der.

Det som provoserte meg, var alltid det samme: måten mennene behandlet kvinnene. Mennenes overlegenhet var så innprentet i dem at det sjelden ble stilt spørsmål ved den. I diskusjoner var det for mange helt selvfølgelig at kvinner *er* dummere enn menn, at de *har* mindre hjerne, og ikke *kan* tenke så klart som menn.

Selv ble jeg vel sett på som et slags tvekjønnet vesen. Som vestlig kvinne kunne jeg være både hos kvinnene og mennene. Hadde jeg vært mann, ville jeg aldri kunnet bo i familien slik jeg gjorde, så tett på Sultans kvinner, uten at folk hadde begynt å sladre. Samtidig var det aldri noe hinder for meg å være kvinne, eller tvekjønnet, i mennenes verden. Når festene var oppdelt, med kvinner og menn for seg, var jeg den eneste som kunne sirkulere fritt mellom rommene.

Jeg slapp å forholde meg til de afghanske kvinnenes strenge kleskoder, og jeg kunne gå hvor jeg ville. Likevel iførte jeg meg ofte burkha, rett og slett for å være i fred. Som vestlig kvinne i

Kabuls gater tiltrekker man seg mye uønsket oppmerksomhet. Under burkhaen kunne jeg endelig stirre så mye jeg ville uten at noen stirret tilbake. Jeg kunne observere de andre i familien når vi var ute, uten at all oppmerksomhet ble rettet mot meg. Anonymiteten ble en befrielse, den var det eneste stedet jeg kunne rømme til, for i Kabul finnes det knapt steder der man kan være alene.

Jeg brukte den også for å finne ut mer om hvordan det er å være afghansk kvinne. Hvordan det er å presse seg ned på de tre bakerste, smekkfulle radene reservert for kvinner, når bussen ellers er halvtom. Hvordan det er å krøke seg sammen i bagasjerommet på en drosje fordi det sitter en mann i baksetet. Hvordan det er å bli stirret etter som en høy og attraktiv burkha og få sin første burkhakompliment fra en mann på gaten.

Hvordan jeg etter hvert begynte å hate den. Hvordan den presser rundt hodet og gir hodepine, hvor dårlig man ser ut av trådgitteret. Hvor innelukket den er, hvor lite luft som slipper inn, hvor fort man begynner å svette, hvordan man hele tiden må passe på hvor man tråkker fordi man ikke kan se føttene sine, hvor mye rask den soper opp, hvor skitten den blir, hvor i veien den er. Hvor befriende det var å ta den av når vi kom hjem.

Jeg brukte også burkhaen som sikkerhet. Når jeg reiste med Sultan på den usikre veien til Jalalabad. Når vi måtte overnatte på en skitten grensestasjon. Når vi var ute sent om kvelden. Afghanske kvinner reiser stort sett ikke med et knippe hundredollarsedler og en datamaskin, så de burkhakledte får være i fred for landeveisrøvere.

Det er viktig å understreke at dette er fortellingen om én afghansk familie. Det finnes flere millioner andre. Min familie er ikke engang typisk. Den kommer fra en slags middelklasse, dersom man kan snakke om noe slikt i Afghanistan. Noen hadde utdannelse, flere kunne lese og skrive. De hadde nok penger og sultet ikke.

Dersom jeg skulle bodd hos en helt typisk afghansk familie, ville det blitt hos en familie på landsbygda, en storfamilie der ingen kunne lese og skrive og hver dag var en kamp for å overleve. Jeg valgte ikke min familie fordi den skulle representere alle andre familier, men fordi den inspirerte meg.

Jeg oppholdt meg i Kabul den første våren etter Talibans flukt. I denne våren blafret et skjørt håp. Folk var glade over at Taliban var borte, de trengte ikke lenger frykte for å bli trakassert på gaten av det religiøse politiet, kvinner kunne igjen gå alene i byen, de kunne studere, jentene kunne begynne på skolen. Men våren var også preget av de siste tiårenes skuffelser. Hvorfor skulle det bli bedre nå?

Utover våren, etter hvert som landet holdt seg forholdsvis fredelig, var det en kraftigere optimisme å spore. Folk la planer, stadig flere kvinner lot burkhaene henge hjemme, noen begynte å jobbe, flyktninger vendte tilbake.

Regimet vaklet – som før mellom det tradisjonelle og det moderne, mellom krigsherrer og lokale stammehøvdinger. Midt i kaoset forsøkte lederen, Hamid Karzai å balansere – og stake ut en politisk kurs. Han var populær, men hadde verken hær eller parti – i et land som bugnet av våpen og kjempende fraksjoner.

Forholdene i Kabul var forholdsvis fredelige, til tross for at to ministre ble drept, en ble forsøkt drept, og befolkningen fortsatt ble utsatt for overgrep. Mange satte sin lit til de utenlandske soldatene som patruljerte gatene. – Uten dem blir det borgerkrig igjen, sa folk.

Jeg skrev ned det jeg så og hørte, og har forsøkt å samle inntrykkene i denne fortellingen om en vår i Kabul, om noen som prøver å kaste av seg vinteren og spire – og andre som ser seg dømt til fortsatt å «spise støv», slik Leila ville ha sagt det.

Åsne Seierstad
Oslo, 1. august 2002

Migozarad!
[Det går over]
Graffiti på et tehus i Kabul

Frieriet

Da Sultan Khan syntes tiden var inne til å finne en ny kone, var det ingen som ville hjelpe ham. Først gikk han til moren sin.

– Det får holde med den du har, sa hun.

Så gikk han til den eldste søsteren sin. – Jeg er så glad i din første kone, sa hun. Samme svaret fikk han fra de andre søstrene.

– Det er en skam for Sharifa, sa hans tante.

Sultan trengte hjelp, en frier kan ikke selv be om en pikes hånd. Det er afghansk skikk at en av familiens kvinner skal framføre frieriet og ta piken i nærmere øyesyn, for å se om hun er dyktig, veloppdragen og et egnet koneemne. Men ingen av kvinnene rundt Sultan ville ha noe med frieriet å gjøre.

Sultan hadde sett seg ut tre unge jenter som kunne passe som hans nye kone. De var alle sunne og vakre, og fra hans egen klan. I Sultans familie gifter man seg bare unntaksvis utenfor klanen, det blir ansett som klokest og tryggest å gifte seg med slektninger, aller helst med fettere eller kusiner.

Først forsøkte Sultan 16-åringen Sonya. Hun hadde mørke, mandelformede øyne og skinnende svart hår. Hun var velformet og yppig, og flink til å arbeide, sa man. Familien hennes var fattig og hun var en passe nær slektning. Hennes mors bestemor og Sultans mors bestemor var søstre.

Mens Sultan grunnet på hvordan han skulle be om den utvalgtes hånd uten støtte fra kvinnene i familien, gikk hans første kone lykkelig uvitende om at en jentunge, født samme året hun og Sultan giftet seg, var den som nå opptok mannens tanker. Sharifa begynte å bli gammel, som Sultan selv, noen år over femti. Hun hadde født ham tre sønner og en datter. Det var på tide for en mann i Sultans stilling å finne en ny.

– Gå selv, da, sa broren hans til slutt.

Etter å ha tenkt litt, fant Sultan ut at det var den eneste løsningen, og en morgen gikk han til 16-åringens hus. Foreldrene hennes møtte sin slektning med åpne armer. Sultan ble sett på som en sjenerøs mann, og et besøk fra ham var alltid velkommen. Sonyas mor kokte opp vann og serverte te. De satt på flate puter langs veggene i leirstua, utvekslet høflighetsfraser og hilsninger til Sultan fant tiden inne til å framføre budskapet sitt.

– Jeg har en venn som ønsker å gifte seg med Sonya, sa han til foreldrene.

Det var ikke første gang noen hadde spurt om datterens hånd. Hun var vakker og flittig, men foreldrene syntes ennå hun var for ung. Sonyas far kunne ikke jobbe lenger. Han var blitt lam etter at flere nerver i ryggen ble kuttet over under et knivslagsmål. Den vakre datteren kunne innbringe en høy brudepris, og foreldrene ventet stadig på høyere bud enn dem de hittil hadde fått.

– Han er rik, begynte Sultan. – Han driver i den samme bransjen som meg, han har god utdannelse og tre sønner. Men kona hans begynner å bli gammel.

– Hvordan er tennene hans? spurte foreldrene raskt, og hentydet til vennens alder.

– Omtrent som mine, svarte Sultan. – Døm dem.

Gammel, tenkte foreldrene. Men det var ikke nødvendigvis noen ulempe. Jo eldre mannen var, jo bedre pris ville de få for datteren. Prisen på en brud settes etter alder, skjønnhet og ferdigheter, og etter familiens status.

Da Sultan Khan hadde lagt fram sitt budskap, sa foreldrene som det ble ventet av dem: – Hun er for ung.

Noe annet ville være å selge henne billig til denne rike, ukjente frieren, som Sultan snakket så varmt om. Man skulle ikke vise seg for ivrig. Men de visste at Sultan ville komme igjen, for Sonya var ung og vakker.

Dagen etter kom han tilbake for å gjenta frieriet. Den samme samtalen, det samme svaret. Men nå fikk han også møte Sonya, som han ikke hadde sett siden hun var jentunge.

Hun kysset hånden hans, i respekt for sin eldre slektning, og han velsignet håret hennes med et kyss. Sonya merket den ladde stemningen, og krympet seg under det granskende blikket til onkel Sultan.

– Jeg har funnet en rik mann til deg, hva synes du om det? spurte han. Sonya så ned i gulvet. Å svare ville være brudd på alle normer. En ung jente skal ikke mene noe om en frier.

Den tredje dagen kom Sultan igjen, og denne gangen la han fram frierens bud. En ring, et halsbånd, øreringer og armbånd – alt i rødt gull. Klær så mye hun måtte ønske. 300 kilo ris, 150 kilo matolje, en ku, noen sauer og 15 millioner afghani, rundt 3000 kroner.

Sonyas far var mer enn tilfreds med brudeprisen og spurte om å få treffe den mystiske mannen som tilbød så mye for datteren. Sultan hadde til og med forsikret dem om at mannen tilhørte klanen, uten at de klarte å plassere ham eller erindre at de hadde møtt ham.

– I morgen, sa Sultan, – skal dere får se et bilde av ham.

Dagen etter gikk Sultans tante, etter en liten bestikkelse, med på å avsløre for Sonyas foreldre hvem den virkelige frieren var. Hun tok med bildet – et bilde av Sultan Khan selv, og ga dem hans strenge beskjed om at de hadde en time å bestemme seg på. Dersom de svarte ja, var han svært takknemlig, og dersom de svarte nei, ville det ikke føre til vondt blod mellom dem. Det eneste han ikke ville ha, var evigvarende forhandlinger om kanskje, kanskje ikke.

Foreldrene samtykket før timen var gått. De likte både Sultan Khan, pengene og posisjonen hans. Sonya satt og gråt på loftet. Da mysteriet rundt frieren var oppklart, og foreldrene hadde bestemt seg for å takke ja, kom farens bror opp til henne. – Det er onkel Sultan som er frieren, sa han. – Samtykker du?

Ikke en lyd kom over Sonyas lepper, hun satt med tårer i øynene og hodet bøyd, gjemt bak det lange sjalet.

– Foreldrene dine har godkjent frieren, sa onkelen. – Dette er din eneste mulighet til å si hva du ønsker.

Hun satt som en stein, livredd og lammet. Hun visste at hun ikke ville ha mannen, men hun visste også at hun måtte følge foreldrenes ønske. Hun ville stige flere trinn oppover i det afghanske samfunnet som Sultans kone. Den høye brudeprisen ville løse mange av familiens problemer. Pengene foreldrene fikk, ville hjelpe brødrene til å kjøpe gode koner.

Sonya tidde. Og dermed var hennes skjebne beseglet: Å tie betyr å samtykke. Avtalen ble inngått, bryllupsdatoen satt.

Sultan gikk hjem for å fortelle familien den store nyheten. Han fant sin kone Sharifa, moren og søstrene på gulvet rundt et fat med ris og spinat. Sharifa trodde han spøkte og lo og vitset tilbake. Også moren lo av Sultans spøk. Hun kunne ikke drømme om at han hadde framført et frieri uten hennes samtykke. Søstrene hans satt målløse.

Ingen ville tro ham. Ikke før han viste dem tørkleet og søtsakene en frier får fra brudens foreldre som bevis på forlovelsen. Sharifa gråt i tjue dager. – Hva har jeg gjort galt? For en skam! Hvorfor er du ikke tilfreds med meg?

Sultan ba henne ta seg sammen. Ingen i familien støttet Sultan, ikke engang hans egne sønner. Likevel torde ingen å si noe. Sultans vilje skulle alltid råde.

Sharifa var utrøstelig. Et av de store slagene for henne var at mannen hadde valgt en analfabet, en som ikke engang hadde fullført første klasse. Selv var hun utdannet lærer i persisk. – Hva har hun som jeg ikke har? hulket hun.

Sultan hevet seg over sin kones tårer.

Ingen hadde lyst til å komme til forlovelsesfesten. Men Sharifa måtte tappert bite i seg skammen og pynte seg til selskapet.

– Jeg vil at alle skal se at du samtykker og støtter meg. I framtiden skal vi alle bo sammen, og du må vise at Sonya er velkommen, befalte han. Sharifa hadde alltid føyd sin mann, og nå også i dette, i det verste, å gi ham til en annen. Han krevde til og med at det skulle være Sharifa som satte ringene på Sultan og Sonyas fingre.

Tjue dager etter frieriet fulgte den høytidelige forlovelsesseremonien. Sharifa strammet seg opp og holdt masken. Hennes kvinnelige slektninger gjorde sitt beste for at hun skulle miste den. – Så grusomt for deg, sa de. – Så slemt av ham. Du må ha det forferdelig.

To måneder etter forlovelsen ble det holdt bryllup, på den muslimske nyttårsaften. Men nå nektet Sharifa å komme. – Jeg klarer det ikke, sa hun til mannen.

Kvinnene i familien støttet henne. Ingen kjøpte nye kjoler

til bryllupet, eller sminket seg så mye som et bryllup vanligvis krevde. De hadde enkle frisyrer, og stive smil – i respekt for den avdankede, som ikke lenger skulle dele seng med Sultan Khan. Den var nå forbeholdt den unge, livredde bruden. Men tak skulle de alle dele, til døden skilte dem ad.

Bokbål

En knitrende kald ettermiddag i november 1999 var rundkjø-
ringen ved Charhai-e-Sadarat i Kabul i flere timer opplyst av
et lystig bål. Ungene stimlet sammen rundt flammene, som
flakket over de skitne og lekne ansiktene deres. Gateguttene
tøffet seg om hvem som torde å gå nærmest flammene. De
voksne kastet bare stjålne blikk mot bålet, og gikk hastig forbi.
Det var tryggest slik. For alle kunne se at dette ikke var et bål
som gatevokterne hadde tent for å varme hendene, dette var et
bål i Guds tjeneste.

Dronning Sorayas ermeløse kjole krøllet seg før den ble til
aske. Det samme gjorde hennes hvite, velformede armer, og
hennes alvorlige ansikt. Med henne brant hennes mann, kong
Amanullah, og alle hans medaljer. Hele kongerekken freste på
bålet, sammen med småjenter i afghanske folkedrakter, muja-
hedinsoldater til hest og noen bønder på et marked i Kanda-
har.

Det religiøse politiet gikk samvittighetsfullt til verks i bok-
handelen til Sultan Khan denne novemberdagen. Alle bøker
med bilder av levende vesener, det være seg mennesker eller
dyr, ble skyflet ut av hyllene og slengt på bålet. Gulnede boksi-

der, uskyldige postkort og store, tørre oppslagsverk ble offer for flammene.

Sammen med ungene rundt bålet sto det religiøse politiets fotsoldater med pisker, lange stokker og kalasjnikover. Disse mennene så på alle som elsket bilder, bøker, skulpturer, musikk, dans, film og frie tanker som folkefiender.

Denne dagen brydde de seg bare om bilder. Kjetterske tekster overså de, om de så sto i hyllene rett for øynene på dem. Soldatene var ikke lesekyndige, og kunne ikke skjelne Talibans rettroende lære fra det kjetterske. Men de kunne skjelne bilder fra bokstaver, og levende vesener fra døde ting.

Til slutt var bare asken igjen, den blåste bort og blandet seg med skitt og støv i Kabuls gater og kloakker. Tilbake sto bokhandleren, ribbet for noen av sine kjæreste bøker, med en talibansoldat på hver side, og hutsj – inn i bilen. Soldatene stengte og forseglet butikken, og Sultan ble sendt i fengsel for uislamsk virksomhet.

Heldigvis hadde ikke de bevæpnede tomsingene sett bak hyllene, tenkte Sultan på vei til arresten. I et finurlig system hadde han plassert de mest forbudte bøkene der. Dem tok han bare fram dersom noen spurte spesielt, og dersom han følte han kunne stole på den som spurte.

Sultan hadde ventet på dette. I mange år hadde han solgt ulovlige bøker, bilder og skrifter. Soldatene hadde ofte kommet og truet ham, tatt med seg noen bøker og gått. Han hadde fått trusler fra høyeste hold i Taliban, og til og med blitt innkalt til kulturministeren, i myndighetenes forsøk på å omvende den driftige bokhandleren og få ham over i Talibans tjeneste.

Sultan Khan solgte gjerne noen av Talibans skrifter. Han var en fritenker og mente at alle stemmer burde høres. Men sammen med deres mørke lære ville han også selge historiebøker, vitenskapelige publikasjoner, ideologiske verker om islam, og ikke minst romaner og poesi. Taliban så på debatt som kjetteri, og tvil som synd. Annet enn koranpugging var unødvendig, endog farlig. Da Taliban tok makten i Kabul høsten 1996, ble fagfolk i alle ministerier tatt ut og mullaer satt inn. Alt fra sentralbanken til universitetet ble styrt av mullaene. Deres mål var å gjenskape det samfunnet profeten Muhammad hadde levd i på den arabiske halvøy på 600-tallet. Selv når Taliban forhandlet med utenlandske oljeselskaper, satt mullaer uten teknisk ekspertise ved forhandlingsbordet.

Sultan følte at landet under Taliban ble stadig mørkere, fattigere og mer innelukket. Myndighetene motsatte seg enhver modernisering, de hadde ikke noe ønske verken om å forstå eller å ta til seg ideer om framskritt eller økonomisk utvikling. De skydde vitenskapelig debatt enten den ble ført i den vestlige eller i den muslimske verden. Manifestet deres var først og fremst noen fattige punkter om hvordan folk skulle kle seg eller dekke seg til, hvordan menn skulle respektere bønnetiden, og hvordan kvinnene skulle avsondres fra resten av samfunnet. De var dårlig bevandret i islamsk og afghansk historie. Ikke hadde de noen interesse for den heller.

Sultan Khan satt i bilen mellom de ulærde talibanerne og forbannet at landet hans enten ble styrt av krigere eller av mullaer. Han var selv en troende, men moderat muslim. Han ba til Allah hver morgen, men overhørte som oftest de neste fire bønneropene, med mindre det religiøse politiet dro ham inn i nærmeste moské sammen med andre menn de hadde rasket sammen på gaten. Han respekterte motvillig fasten under ramadan, og spiste ikke mellom soloppgang og solnedgang, i alle fall ikke så noen så det. Han var tro mot sine to koner, oppdro barna sine med hård hånd, og lærte dem opp til å bli gode, gudfryktige muslimer. Han hadde ikke annet enn forakt til overs for Taliban, som han så på som ulærde bondeprester. Talibans ledere kom da også fra de fattigste og mest konservative delene av landet, der lesekyndigheten var lavest.

Det var departementet for fremming av dyd og motarbeiding av synd, bedre kjent som sedelighetsministeriet, som sto bak arrestasjonen. Under avhøret i fengselet strøk Sultan Khan seg over skjegget, som var en korrekt knyttneve langt, slik Taliban krevde. Han rettet på sin *shalwar kameez,* også den etter Talibans standard – kjortelen nedenfor knærne, buksene nedenfor anklene. Han svarte hovmodig: – Dere kan brenne bøkene mine, dere kan forsure livet mitt, dere kan til og med drepe meg, men dere kan aldri tilintetgjøre Afghanistans historie.

Bøkene var Sultans liv. Helt fra han fikk sin første bok på skolen, hadde han vært oppslukt av bøker og historier. Han ble født i en fattig familie, og vokste opp på 50-tallet i landsbyen Deh Khudaidad utenfor Kabul. Verken moren eller faren kunne lese, men de skrapte sammen penger til skolegangen hans. Som eldste sønn var det ham sparepengene skulle brukes på. Søsteren som ble født rett før ham, satte aldri foten innenfor en skole, og har aldri lært å lese eller skrive. I dag kan hun så vidt forstå klokken. Hun skulle likevel bare giftes bort.

Men Sultan, han skulle bli en stor mann. Det første hinderet var skoleveien, lille Sultan nektet å gå til skolen fordi han ikke hadde sko. Moren føyste ham ut døren.

– Jo, det kan du, bare se, sa hun og ga ham et rapp over hodet. Snart hadde han selv tjent penger til sko, under hele skolegangen var Sultan i fullt arbeid. I morgentimene før undervisningen startet og hver ettermiddag, helt til det mørknet, brente han murstein for å tjene penger til familien. Senere tok han seg jobb i en butikk. Han fortalte foreldrene at lønnen bare var halvparten av det den var. Resten sparte han, for å kjøpe bøker.

Allerede som tenåring begynte han som bokselger. Han hadde akkurat kommet inn på ingeniørstudiet, men det var vanskelig å finne læreverkene han trengte. På en reise med onkelen til Teheran, kom han tilfeldigvis over alle titlene han hadde lett etter på et av byens rikholdige bokmarkeder. Han kjøpte med seg flere sett som han solgte til medstudentene i Kabul for dobbelt pris. Bokselgeren var født, og frelst.

Som ingeniør var Sultan bare med på oppføringen av to bygg i Kabul, før bokmanien rev ham ut av konstruksjonsverdenen. Igjen var det bokmarkedene i Teheran som forførte ham. Landsbygutten vandret rundt blant bøkene i den persiske metropolen, mellom gamle og nye, antikvariske og moderne, og kom over bøker han aldri hadde drømt om eksisterte. Han kjøpte kasser på kasser med persisk poesi, kunstbøker, historiebøker, og for forretningens skyld bestselgeren – lærebøker for ingeniører.

Hjemme i Kabul åpnet han sin første, lille bokhandel, blant krydderselgere og kebabsjapper i sentrum av byen. Dette var 70-tallet og samfunnet vaklet mellom det moderne og det tradisjonelle. Den liberale, litt late regenten, Zahir Shah, styrte, og hans halvhjertede forsøk på å modernisere landet utløste skarp kritikk fra religiøst hold. Da et titall mullaer protesterte mot at kvinnene i kongefamilien viste seg offentlig uten slør, ble de kastet i fengsel.

Landets universiteter og læresteder økte betraktelig i antall, og med dem kom studentdemonstrasjonene. De ble slått hardt ned på av myndighetene, og flere ble drept. Selv om det ikke ble holdt frie valg, var dette en tid da det oppsto et vell av partier og politiske grupper, alt fra ekstremt venstrevridde til religiøst fundamentalistiske. Grupperingene kjempet seg i mellom, og den usikre stemningen i landet spredte seg. Økonomien stagnerte etter tre år uten regn, og under en katastrofal hungersnød i 1973, mens Zahir Shah var på legebesøk i Italia, tok kongens fetter – Daoud – makten i et kupp, og avskaffet kongedømmet.

President Daouds regime var mer undertrykkende enn fetterens. Men Sultans bokhandel blomstret. Han solgte bøker og tidsskrifter utgitt av de ulike politiske grupperingene, fra marxister til fundamentalister. Han bodde hjemme hos moren og faren i landsbyen, og syklet inn til salgsboden i Kabul hver morgen og hjem hver kveld. Hans eneste problem var morens stadige mas om at han burde gifte seg. Hun foreslo stadig nye kandidater, en kusine her og en nabojente der. Sultan ville ikke stifte familie ennå. Han hadde flere flørter på gang og ingen hast med å bestemme seg. Han ville være fri til å reise og dro på forretningsreiser til Teheran, Tasjkent og Moskva. I Moskva hadde han en russisk venninne, Ljudmila.

Noen måneder før Sovjetunionen invaderte landet i desember 1979, trådte han feil for første gang. Den beinharde kommunisten Nur Muhammad Taraki styrte i Kabul. President Daoud og hele hans familie, ned til den minste babyen, var blitt drept i et kupp. Fengslene var fullere enn noen gang, titusener politiske opponenter ble arrestert, torturert og henrettet.

Kommunistene ville befeste kontrollen over landet og prøvde å nedkjempe de islamistiske gruppene. *Mujahedin* – de hellige krigerne – startet en væpnet kamp mot regimet, en kamp som senere skulle gå over i en nådeløs geriljakrig mot Sovjetunionen.

Mujahedin representerte et vell av ideologier og retninger. De ulike grupperingene ga ut skrifter til støtte for *jihad* – kampen mot det vantro regimet – og islamisering av landet. Regimet strammet grepet om alle som kunne stå i ledtog med mujahedin, og det var strengt forbudt å trykke eller distribuere deres ideologiske skrifter.

Sultan solgte både mujahedins og kommunistenes skrifter. Dessuten led han av samlemani og kunne ikke la være å kjøpe noen eksemplarer av alle bøker og skrifter han kom over, for så å selge dem til en litt høyere pris. Sultan mente at han burde kunne framskaffe alt folk ville ha. De mest forbudte publikasjonene gjemte han under disken.

Det varte ikke lenge før han ble tystet på. En kunde var blitt arrestert med bøker han hadde kjøpt hos Sultan. Under en razzia fant politiet flere ulovlige skrifter. Det første bokbålet ble tent. Sultan ble tatt inn til harde avhør, banket opp og dømt til ett års fengsel. Han ble satt i avdelingen for politiske fanger, der både penn, papir og bøker var strengt forbudt. I månedsvis stirret Sultan i veggen. Men han klarte å bestikke en av vaktene med matpakkene han mottok fra moren, og fikk smuglet inn bøker hver uke. Innenfor de rå steinveggene økte Sultans interesse for afghansk kultur og litteratur, han fordypet seg i persisk poesi og sitt lands dramatiske historie. Da han kom ut, var han enda mer sikker i sin sak, han ville kjempe for å spre kunnskapen om afghansk kultur og historie. Han fortsatte å selge forbudte skrifter, både fra den islamistiske geriljaen og den kinatro kommunistiske opposisjonen i landet, men han var mer forsiktig enn tidligere.

Myndighetene holdt øye med ham, og fem år senere ble han igjen arrestert. Igjen fikk han anledning til å filosofere over persisk poesi bak murene. Nå var også en ny anklage lagt til: han var *petit-bourgeois*, småborgerlig, et av kommunismens verste skjellsord. Anklagen gikk ut på at han tjente penger etter kapitalistisk mønster.

Dette var på en tid da kommunistregimet i Afghanistan, midt i krigens lidelser, forsøkte å avvikle stammesamfunnet og innføre den glade kommunisme. Forsøkene på å kollektivisere jordbruket førte til store lidelser for befolkningen. Mange fattige bønder nektet å ta imot jorden som var blitt ekspropriert fra rike landeiere, fordi det var i strid med islam å så i stjålet jord. Landsbygda reiste seg i protest, og de kommunistiske samfunnsprosjektene var svært lite vellykkede. Etter hvert ga myndighetene opp, krigen tok all kraft, en krig som etter ti år hadde tatt 1,5 millioner afghanske liv.

Da den «lille, småborgerlige kapitalisten» igjen kom ut av fengselet, var han blitt 35 år. Kabul var nærmest urørt av krigen mot Sovjetunionen, som først og fremst ble utkjempet på landsbygda. Det var de daglige bekymringer som opptok folk. Denne gangen klarte moren å overtale ham til å gifte seg. Hun fant Sharifa, datteren til en general, en vakker og kvikk kvinne. De giftet seg og fikk tre sønner og en datter, ett barn annethvert år.

Sovjetunionen trakk seg ut av Afghanistan i 1989, og folk håpet at det endelig ville bli fred. Men mujahedin la ikke ned våpnene, for regimet i Kabul styrte fremdeles med støtte fra Sovjetunionen. I mai 1992 inntok mujahedin Kabul, og borgerkrigen brøt ut for fullt. Leiligheten familien hadde kjøpt i det sovjetiske boligkomplekset Mikrorayon, befant seg rett ved frontlinjen mellom de stridende partene. Rakettene slo inn i

veggene, kulene splintret vinduene, og tanks rullet over gårds-
plassen. Da de hadde ligget i dekning på gulvet en uke, stilnet
granatregnet noen timer, og Sultan tok med seg familien til
Pakistan.

Mens han var i Pakistan, ble bokhandelen hans plyndret, i
likhet med det offentlige biblioteket. Verdifulle bøker ble solgt
til samlere for småpenger – eller byttet inn i tanks, kuler og
granater. Også Sultan kjøpte opp flere av de stjålne bøkene fra
nasjonalbiblioteket da han kom tilbake fra Pakistan for å se til
butikken. Og han gjorde røverkjøp. For noen titalls dollar
kjøpte han flere hundre år gamle skrifter, blant annet et fem
hundre år gammelt manuskript fra Usbekistan som den usbe-
kiske regjeringen senere tilbød ham 25 000 dollar for å kjøpe
tilbake. Han fant Zahir Shahs personlige utgave av sin egen
yndlingspoet, den episke dikteren Ferdusis store verk, *Shah
Nama*, og kjøpte flere verdifulle bøker til spottpris fra røverne,
som selv ikke engang kunne lese bøkenes titler.

Etter fire års intens bombardering var Kabul blitt en ruin-
haug og hadde mistet 50 000 innbyggere. Da Kabuls innbygge-
re våknet om morgenen 27. september 1996, hadde kampene
stilnet. Kvelden før hadde Ahmed Shah Massoud flyktet med
sine tropper oppover Panjshirdalen. Mens det under borgerkri-
gen landet opptil tusen raketter i den afghanske hovedstaden
hver dag, var det nå dørgende stille.

Fra et trafikkskilt utenfor presidentpalasset hang to menn.
Den største av dem var gjennomtrukket av blod fra hodet til
føttene. Han var kastrert, fingrene var knust, overkroppen og
ansiktet var forslått og han hadde et kulehull i pannen. Den
andre var bare skutt og hengt, og lommene var stappet fulle av
afghani – den lokale valutaen, som et tegn på forakt. Mennene
var den tidligere president Muhammad Najibullah og hans

bror. Najibullah var en forhatt mann, som sjef for det hemmelige politiet da Sovjetunionen invaderte Afghanistan, skal han i løpet av sin tid ved makten ha beordret 80 000 folkefiender henrettet. Fra 1986 til 1992 var han landets president, støttet av russerne. Da mujahedin tok makten, med Burhanuddin Rabbani som president og Massoud som forsvarsminister, ble Najibullah satt i husarrest i FN-bygningen.

Da Taliban tok seg inn i de østlige områdene av Kabul og mujahedin-regjeringen besluttet å flykte, tilbød Massoud sin prominente fange å bli med. Najibullah fryktet for sitt liv utenfor hovedstaden, og valgte å bli igjen hos sikkerhetsvaktene i FN-bygningen. Dessuten tenkte han at han som pasjtuner kunne forhandle med pasjtunerne i Taliban. Tidlig neste morgen var alle sikkerhetsvaktene borte. De hvite flaggene – Talibans hellige farge – vaiet over moskeene.

Kabuls innbyggere samlet seg vantro rundt trafikkskiltet på Ariana-plassen. De så på mennene som hang der og gikk stille hjem. Krigen var over. En ny krig skulle begynne – krigen mot folkets gleder.

Taliban etablerte lov og orden, men satte samtidig inn nådestøtet mot afghansk kunst og kultur. Regimet brente Sultans bøker og møtte opp med økser i Kabul museum, med sin egen kulturminister som vitne.

Det var ikke mye igjen i museet da de kom. Alle løse gjenstander var plyndret under borgerkrigen, potter fra tiden da Aleksander den store erobret landet, sverd som kunne ha vært brukt i kampene mot Djengis Khan og hans mongolske horder, persiske miniatyrmalerier og gullmynter var borte. Det meste befinner seg hos ukjente samlere over hele verden. Få gjenstander ble reddet ut før plyndringen startet for alvor.

Noen enorme skulpturer av Afghanistans konger og prinser sto igjen, sammen med flere tusenår gamle buddhastatuer og veggmalerier. I samme ånd som de kom til Sultans bokhandel, utførte fotsoldatene sitt verk. Museumsvaktene sto og gråt da talibanerne hogg løs på det som var igjen av kunst. De hogg til bare soklene sto igjen, nakne, i hauger av marmorstøv og leirbiter. En halv dag brukte de på å tilintetgjøre tusenår gammel historie. Det eneste som hang igjen etter hærverket, var et ornamentert koransitat på en steintavle som kulturministeren hadde funnet best å la i fred.

Da Talibans kunstbødler forlot den utbombede museumsbygningen, som også hadde ligget ved frontlinjen under borgerkrigen, sto museumsvaktene igjen blant steinbitene. De plukket møysommelig opp bitene og kostet opp steinstøvet. De la bitene i kasser og merket dem. Noen av bitene kunne man se hva hadde forestilt, en hånd var igjen fra en statue, en bølgete hårlokk fra en annen. Kassene ble satt i kjelleren, i håp om at noen en gang kunne restaurere statuene.

Et halvt år før Talibans fall ble også de enorme buddhastatuene i Bamiyan sprengt i luften. Statuene var nærmere to tusen år gamle og Afghanistans største kulturelle arv. Dynamitten var så kraftig at det var ingen biter igjen å samle.

Det var under dette regimet Sultan Khan forsøkte å redde stykker av den afghanske kulturen. Etter bokbrenningen på rundkjøringen slapp han ut av fengselet mot bestikkelser, og samme dag brøt han opp forseglingen på butikken. Han sto og gråt mellom restene av bokskattene. Med en tusj tegnet han store svarte streker og kruseduller over alle levende vesener i bøkene som fotsoldatene hadde oversett. Det var bedre enn at de ble brent. Etter hvert fikk han en bedre idé, han klistret visittkortene sine over bildene. På den måten fikk han dekket bildene slik at de kunne avdekkes igjen, samtidig som han fikk satt sitt eget stempel på verket. Kanskje kunne han en gang ta av kortene.

Men regimet ble stadig mer nådeløst. Etter som årene gikk, ble den puritanske linjen – og målet om å leve opp til reglene fra Muhammads tid – strengere etterfulgt. Igjen ble Sultan innkalt til kulturministeren. – Noen er ute etter deg, sa han. – Og jeg kan ikke beskytte deg.

Det var da, sommeren 2001, at han bestemte seg for å forlate landet. Han søkte visum til Canada for seg, sine to koner, sønnene og datteren. Konene bodde på denne tiden i Pakistan med barna og hatet flyktningtilværelsen. Men Sultan visste at han ikke kunne gi opp bøkene sine. Han eide nå tre bokhandler i Kabul. I den ene styrte de yngre brødrene hans, i den andre eldstesønnen Mansur på seksten, og i den tredje han selv.

Bare en brøkdel av bøkene hans sto framme i hyllene. De fleste, nærmere ti tusen stykker, var gjemt bort på loft rundt omkring i Kabul. Han kunne ikke la boksamlingen, som han hadde bygd opp gjennom over tretti år, gå tapt. Han kunne ikke la Taliban eller andre krigere ødelegge mer av Afghanistans sjel. Dessuten hadde han en hemmelig plan eller drøm for samlingen sin. Når Taliban var borte, og Afghanistan fikk en regjering man kunne stole på, lovte han seg selv å donere hele samlingen til det ribbede offentlige biblioteket i byen, der det en gang hadde stått flere hundre tusen bøker i hyllene. Eller kanskje starte sitt eget bibliotek, med seg selv som verdig bibliotekar, tenkte han.

På grunn av dødstruslene fikk Sultan Khan innvilget visum til Canada for seg og familien. Men han fikk aldri reist. Mens konene hans pakket og forberedte reisen, fant han alle mulige unnskyldninger for å utsette den. Han ventet på noen bøker, bokhandelen var truet, en slektning var død. Det kom alltid noe i veien.

Så kom 11. september. Da det begynte å regne bomber, dro Sultan til konene sine i Pakistan. Han beordret Yunus, en av de yngre, ugifte brødrene, til å bli igjen i Kabul for å ta seg av bokhandlene.

Da Taliban falt, to måneder etter terrorangrepene i USA, var Sultan en av de første på plass i Kabul. Endelig kunne han fylle hyllene med alle bøkene han ønsket. Han kunne selge historiebøkene der bildene var skriblet over med tusj som kuriosa til utlendinger og fjerne visittkortene som var limt over levende vesener. Han kunne igjen vise fram dronning Sorayas hvite armer og kong Amanullahs gullbehengte bryst.

En morgen sto han i butikken med et glass rykende te og så at Kabul ble vekket til live. Mens han la planer om hvordan han skulle fullføre drømmen sin, tenkte han på et sitat av yndlingspoeten Ferdusi. «For å lykkes må du noen ganger være en ulv, noen ganger et lam.» Det var på tide å være ulv, tenkte Sultan.

Forbrytelse og straff

*Fra alle kanter suste steinene mot stolpen, de fleste traff. Kvinnen
skrek ikke, men snart steg et rop opp fra mengden. En kraftig mann
hadde funnet en særlig fin stein, stor og kantete, som han kastet
med all kraft, etter å ha siktet omhyggelig på kroppen hennes. Den
traff henne rett i magen, så voldsomt at ettermiddagens første blod
viste seg gjennom burkhaen. Det var dette som fikk mengden til å
heie. En annen stein av samme størrelse traff kvinnens skulder.
Den brakte både blod og applaus.*

James A. Michener
«Caravans»

I Peshawar sitter Sharifa, den avdankede hustruen, uten ro.
Hun vet at Sultan skal komme en av dagene, men han bryr seg
aldri om å gi nøyaktig beskjed når han reiser fra Kabul, så Sha-
rifa venter ham hjem hver time i dagevis.

Hvert måltid blir tilberedt i tilfelle mannen dukker opp. En
ekstra fet kylling, spinaten han liker så godt, den grønne,
hjemmelagde chilisausen. Rene, nystrøkne klær ligger på sen-
gen. Posten ligger sirlig i en boks.

Timene går. Kyllingen pakkes inn igjen, spinaten kan varmes opp og chilisausen settes inn i skapet. Sharifa feier gulvet, vasker gardinene, tørker det evinnelige støvet. Setter seg ned, sukker, gråter en skvett. Det er ikke det at hun savner ham. Men hun savner livet hun en gang hadde, som kona til en driftig bokhandler, respektert og beleven, som mor til sønnene og døtrene hans. Som den utvalgte.

Iblant hater hun ham for å ha ødelagt livet hennes, for å ha tatt fra henne barna, for å ha skjemt henne ut for all verden.

Det er atten år siden Sultan og Sharifa giftet seg, og to år siden han tok seg en kone nummer to. Sharifa lever som en skilt kvinne, men uten en skilt kvinnes frihet. Fremdeles er det Sultan som bestemmer over henne. Han har bestemt at hun skal bo i Pakistan, slik at hun kan passe huset hans der han oppbevarer de mest dyrebare bøkene sine. Her har han en datamaskin, her har han telefon, herfra kan han sende bokpakker til kunder, og her kan han motta e-post, alt som er umulig i Kabul, der verken post, telefon eller datatjenester fungerer. Hun bor her fordi det er praktisk for Sultan.

Skilsmisse var aldri noe alternativ for Sharifa. Dersom en kvinne krever skilsmisse, har hun knapt noen rettigheter. Barna følger mannen, han kan til og med nekte henne å se dem. Hun blir en skam for familien, ofte utstøtt, og alle eiendeler tilfaller mannen. Sharifa måtte ha flyttet hjem til en av brødrene sine.

Under borgerkrigen tidlig på nittitallet og noen av årene under Taliban, bodde hele familien Khan i Peshawar, i bydelen Hayatabad, der ni av ti innbyggere er afghanere. Men en etter en flyttet de tilbake til Kabul, brødrene, søstrene, Sultan, Sonya, sønnene. Først Mansur på seksten, så Aimal på tolv, og til slutt Eqbal på fjorten. Bare Sharifa og yngstedatteren Shabnam er igjen. De håper at Sultan skal ta dem med tilbake til Kabul, til familien og vennene. Sultan lover det stadig vekk, men det kommer alltid noe i veien. Det falleferdige huset i Peshawar, som skulle gi midlertidig ly mot kulene og granatene i Afghanistan, er blitt hennes fengsel. Hun kan ikke flytte herfra uten tillatelse fra mannen.

Det første året etter Sultans andre bryllup, bodde Sharifa sammen med ham og den nye kona. Sharifa så på Sonya som både dum og lat. Kanskje var hun ikke lat, men Sultan lot henne aldri løfte en finger. Sharifa lagde mat, serverte, vasket, redde sengene. Den første tiden kunne Sultan i dager av gangen låse døren til soverommet, der han stengte seg inne med Sonya, for bare innimellom å bestille te eller vann. Fra rommet kunne Sharifa høre hvisking og latter, iblandet lyder som skar henne i hjertet.

Hun bet sjalusien i seg og framsto som en mønsterkone. Slektningene og venninnene hennes sa til henne at hun burde vunnet førstekoneprisen. Aldri hørte man henne klage over å bli tilsidesatt, krangle med Sonya, eller fremstille henne i et dårlig lys.

Etter at de varmeste hvetebrødsdagene var over, og Sultan forlot soverommet for forretningene sine, ble de to kvinnene gående rundt hverandre. Sonya pudret seg og byttet om på de nye kjolene sine, mens Sharifa prøvde å kvitre som en elskelig hønemor. Hun tok på seg de tyngste oppgavene, og lærte Sonya etter hvert opp i hvordan hun skulle lage Sultans yndlingsretter, hvordan han likte klærne sine, hvor varmt vann han vasket seg i, og andre ting en hustru skal vite om sin mann.

Men skammen, skammen. Selv om det ikke er uvanlig at en mann tar en annen eller til og med en tredje kone, er det likevel ydmykende. Den tilsidesatte hustruen får uansett merkelappen at hun ikke strekker til. Særlig følte Sharifa det slik, i og med at mannen så tydelig viste at han foretrakk den yngste.

Sharifa måtte gi en forklaring på hvorfor mannen hadde tatt en ny kone. Hun måtte finne på noe slik at det ikke var hun, Sharifa, som ikke strakk til, men ytre omstendigheter som hadde danket henne ut.

Hun fortalte til alle som ville høre, at hun hadde fått en polypp i livmoren og blitt operert, og at legen hadde gitt henne beskjed om at dersom hun skulle overleve, kunne hun ikke lenger la mannen ligge med henne. Hun fortalte at det var hun selv som hadde anbefalt Sultan å finne en ny kone, og at det var hun som hadde valgt ut Sonya til ham. Han var jo mann, sa hun.

I Sharifas øyne var denne oppfunnede sykdommen langt mindre skamfull enn at det var hun, moren til hans barn, som ikke lenger var bra nok. Det var nærmest på legens råd at han hadde giftet seg på nytt.

Om Sharifa virkelig ville smøre på, fortalte hun med skinnende øyne at hun elsket Sonya som sin egen søster, og Latifa, barnet hennes, som sin datter.

I motsetning til Sultan, holder mange menn med flere koner en streng balanse i konebruken, en natt hos den ene og en natt hos den andre, tiår igjennom. Konene får gjerne jevnaldrende barn som vokser opp som søsken. Mødrene passer med falkeblikk på at deres barn får nøyaktig den samme oppmerksomheten som den andres, og at de selv får like mye klær og gaver som den andre kona. Mange slike dobbeltkoner hater hverandre så intenst at de ikke engang snakker sammen. Andre innfinner seg med at å ha flere koner er mannens rett, og de kan til og med bli gode venninner. Rivalen har jo som regel blitt arrangert inn i annenkonelivet av sine foreldre, ofte mot sin vilje. Få unge jenter har som ønskedrøm å bli en eldre manns kone nummer to. Mens den første kona fikk ungdommen hans, får hun alderdommen. I noen tilfeller ville ingen av konene egentlig ha mannen, og er glad for å slippe å ha ham på matten sin hver natt.

Sharifas vakre, brune øyne ser tomt rundt seg, de som Sultan en gang sa var Kabuls skjønneste. Nå har de mistet glansen, og tunge øyelokk og bløte rynker kranser dem inn. Den lyse huden har fått pigmentflekker som hun diskré dekker med sminke. Hun har alltid kompensert for de korte beina sine med den hvitaktige huden. Høyde og blek hud er afghanernes viktigste statustegn. Å bevare ungdommen har alltid vært en kamp for Sharifa, hun skjuler at hun faktisk er noen år eldre enn mannen sin. De grå hårene holder hun i sjakk med hjemmefarging, men det triste draget i ansiktet klarer hun ikke fjerne.

Hun går tungt over gulvet. Etter at mannen tok med seg de tre sønnene til Kabul, er det lite å gjøre. Teppene er allerede børstet, maten står klar. Hun skrur på TV-en og ser en amerikansk voldsfilm, en eventyrfilm der sterke, vakre helter slåss mot drager, uhyrer og skjeletter, og til slutt vinner over de onde skapningene. Sharifa følger intenst med selv om dialogen er på engelsk, et språk hun ikke kan. Når filmen er ferdig, tar hun en telefon til svigerinnen. Så reiser hun seg og går bort til vinduet. Når hun står her i husets annen etasje, har hun full oversikt over hva som foregår i bakgårdene under henne. Rundt alle bakgårdene er det mursteinsgjerder i hodehøyde. I likhet med Sharifas er de alle fulle av klær som henger til tørk.

Men i Hayatabad trenger man ikke se for å vite. Med lukkede øyne i sin egen stue vet man at naboen spiller skjærende høy, pakistansk popmusikk, at noen barn hyler og andre leker, at en mor kjefter, at en kvinne banker et teppe, at en annen vasker opp i solen, at naboen brenner maten, at en annen hakker hvitløk.

Det lydene og luktene ikke forteller, tilfører sladderen. Den går som ild i tørt gress i denne bydelen der alle vokter på de andres moral.

Sharifa deler det gamle, falleferdige murhuset og den knøtt-lille bakgården i sement med tre familier. Når Sultan likevel ikke ser ut til å komme, stikker hun ned til nabokonene. Nede sitter alle kvinnene i huset og noen utvalgte fra bakgårdene rundt. Hver torsdag ettermiddag samles de til *nazar*, en religiøs feiring. For å sladre og be.

De knytter sjalene strammere rundt hodet, legger hvert sitt bønneteppe i retning Mekka og bøyer seg, ber, reiser seg, ber, bøyer seg igjen, i alt fire ganger. De fullfører gudspåkallelsen stumt, bare leppene beveger seg. Etter hvert som bønneteppene blir frigjort, fortsetter andre.

I Guds, den Barmhjertiges, den Nåderikes navn
Lovet være Gud, all verdens Herre,
Han, den Barmhjertige, den Nåderike,
Han, Herren over dommens dag.
Deg tilber vi, vi søker hjelp hos Deg.
Led oss på den rette vei!
Deres vei, som Du har beredt glede, ikke deres, som har vakt
Din vrede, eller deres, som har valgt den falske vei.

Den hviskende bønnen avløses, idet den så vidt er fullført, av høye, plaprende stemmer. Kvinnene setter seg på puter langs veggen. Voksduken på gulvet er dekket med kopper og skåler. Nytrukket te med kardemomme settes fram sammen med en tørr pudding av kjekssmuler og sukker. Alle holder hendene opp foran ansiktet og ber en gang til, i et hviskende kor rundt pulverpuddingen: *La Elaha Ellallahu Muhammad-u- Rasoollullah* – Det er ingen annen gud enn Gud og Muhammad er Hans profet.

Når bønnen er ferdig, stryker de hendene over ansiktet. Fra nesen, opp mot pannen, utover og nedover kinnene, mot haken, før hendene ender opp foran leppene, som om de spiser bønnen sin. Fra mor til datter har de lært at det man ber om til nazar, går i oppfyllelse, dersom man fortjener det. Disse bønnene går rett til Allah, som bestemmer om han vil oppfylle dem eller ikke.

Sharifa ber om at Sultan skal ta henne og Shabnam med til Kabul, slik at hun får alle barna sine rundt seg.

Når alle har bedt Allah om å oppfylle deres drømmer, kan det egentlige torsdagsritualet starte. Spise pudding, drikke kardemommete og utveksle siste nytt. Sharifa forteller noen ord om at hun venter Sultan hver time, men ingen hører etter. Det er lenge siden hennes trekantdrama var heteste tema i gate 103 i Hayatabad. Nå er det sekstenårige Saliqa som er sladderens stjerne. Selv er hun innelåst på bakrommet, etter en utilgivelig forbrytelse to dager tidligere. Hun ligger forslått på matten sin, med bloduttredelser i ansiktet og røde, hovne striper på ryggen.

Kvinnene som ikke allerede kjenner alle ingrediensene i historien, lytter storøyd til dem som vet.

Saliqas forbrytelse startet et halvt år tidligere. En ettermiddag kom Sharifas datter, Shabnam, hemmelighetsfull inn til henne med en lapp.

– Jeg lovte å ikke si hvem det er fra, men det er fra en gutt, sa hun, trippende av begeistring og opphisselse over det viktige oppdraget. – Han tør ikke vise seg. Men jeg vet hvem han er.

Shabnam kom stadig med nye lapper fra gutten, lapper fulle av hjerter med piler gjennom, lapper med «I love you» skrevet i kantete gutteskrift, lapper der det står hvor vakker hun er. Saliqa begynte å se den hemmelige brevskriveren i alle gutter hun møtte. Hun passet på hva hun hadde på seg og at håret alltid var blankt og skinnende, og forbannet onkelen for at hun måtte gå med det lange sløret.

En dag sto det på lappen at han ville stå ved en stolpe noen hus bortenfor hjemmet hennes klokken fire, og at han ville ha på seg en rød genser. Saliqa dirret av spenning da hun gikk hjemmefra. Hun hadde pyntet seg ekstra i lyseblå fløyelsdrakt, og smykkene hun elsket, gullfargede armbånd og tunge kjeder. Hun gikk sammen med venninnen, og torde knapt gå forbi den høye, slanke gutten i rød genser. Han sto med ansiktet vendt bort fra dem, og snudde seg ikke.

Etter dette var det hun som tok initiativet i lappeskrivingen. – I morgen må du snu deg, skrev hun og stakk lappen til Shabnam, som var en ivrig og pliktoppfyllende kurer. Men heller ikke denne gangen snudde han seg. Så, tredje dagen, vendte han seg kort. Saliqa følte at hjertet falt ned i magen, hun gikk mekanisk videre. Spenningen var gått over i en forelsket besettelse. Det var ikke det at han var spesielt pen, men det var ham, lappeskriveren. I mange måneder skrev de lapper og sendte hverandre stjålne blikk.

Nye forbrytelser kom raskt til denne første, at hun i det hele tatt hadde mottatt lapper fra en gutt og, Gud forby, hadde svart. Den neste var at hun hadde forelsket seg i en foreldrene ikke hadde valgt. Hun visste de kom til å mislike ham. Han var uten utdannelse, hadde ingen penger, og kom fra en dårlig familie. I Hayatabad er det foreldrenes vilje som gjelder. Da Saliqas søster giftet seg, skjedde det etter en fem år lang kamp mot faren. Hun hadde forelsket seg i en annen enn den foreldrene hadde valgt, og nektet å gi ham opp. Kampen endte med at de to elskende tømte hvert sitt pilleglass og ble sendt i all hast til sykehuset for å pumpes. Først da ga foreldrene etter.

En dag førte tilfeldighetene Saliqa og Nadim sammen. Moren skulle tilbringe helgen hos slektninger i Islamabad, og onkelen skulle være borte hele dagen. Bare kona hans var hjemme. Saliqa fortalte henne at hun skulle besøke en venninne.

– Har du fått lov? spurte onkelens kone. Det var onkelen som var familiens overhode så lenge Saliqas far bodde på et flyktningmottak i Belgia. Han ventet på oppholdstillatelse, slik at han kunne arbeide og sende penger hjem, eller enda bedre, få hele familien over.

– Mamma sa at jeg kunne gå når jeg var ferdig med husarbeidet, løy Saliqa.

Hun gikk ikke til venninnen, hun gikk for å møte Nadim, ansikt til ansikt.

– Vi kan ikke prate her, sier hun raskt når de liksom tilfeldig møtes på et gatehjørne. Han stopper en drosje og dytter henne inn. Saliqa har aldri sittet med en fremmed gutt i en drosje og har hjertet i halsen. De stopper ved en park, en av parkene i Peshawar der menn og kvinner kan gå sammen.

En knapp halvtime sitter de på en benk i parken og prater. Nadim legger store planer for framtiden, han skal kjøpe en butikk eller starte som teppeselger. Saliqa er først og fremst livredd for at noen skal se dem. Mindre enn en time etter at hun gikk hjemmefra, er hun tilbake. Men der er det allerede stor ståhei.

Shabnam hadde nemlig sett at Nadim tok henne med i en drosje og hadde rapportert til Sharifa, som igjen hadde informert onkelens kone.

Tanten slår Saliqa hardt over munnen når hun kommer hjem, låser henne inne på et rom og ringer moren i Islamabad. Når onkelen kommer hjem, går hele familien inn på rommet og krever at hun skal fortelle hva hun har gjort. Onkelen skjelver av sinne når han hører om drosjen, parken og benken. Han finner en sprukken ledning og slår og slår henne over ryggen mens tanten holder henne fast. Han slår henne i ansiktet til hun blør fra nese og munn.

– Hva har dere gjort? Hva har dere gjort? Din hore! roper onkelen. – Du er en skam for familien! En sort plett. En syk grein!

Onkelens stemme gjallet gjennom hele huset, inn gjennom naboenes åpne vinduer. Det tok ikke lang tid før alle visste om Saliqas forbrytelse. Forbrytelsen som førte til at Saliqa nå ligger innelåst og ber til Allah om at Nadim skal fri til henne, at foreldrene vil gi henne lov til å gifte seg, at Nadim skal få jobb i en teppebutikk, og at de kan flytte for seg selv.

– Når hun kunne sitte i en drosje sammen med en gutt, så kan hun sikkert også gjøre andre ting, sier Nasrin, en venninne av tanten, og ser hovent bort på Saliqas mor. Nasrin spiser puddingen i store skjeer, mens hun venter på hva utsagnet hennes skal høste.

– Hun var jo bare i parken, han trengte da ikke slå henne helseløs for det, sier Shirin, som er lege.

– Hadde vi ikke stoppet ham, måtte vi tatt henne med på sykehus, sier Sharifa. – I hele natt lå hun ute i bakgården og ba, fortsetter Sharifa, som i sin søvnløshet hadde fått øye på den ulykkelige piken. – Helt fram til bønneropene lød i morgengryet, lå hun der.

Kvinnene sukker, én hvisker en bønn. De er alle enige om at Saliqa begikk en feil ved å møte Nadim i parken, men uenige om det er en ulydighet eller en stor forbrytelse.

– For en skam, for en skam, klager Saliqas mor. – Hvordan kunne jeg få en slik datter?

Kvinnene diskuterer hva som må gjøres. Dersom han frir til henne, kan skammen glemmes. Men Saliqas mor vil ikke ha Nadim til svigersønn. Han kommer fra en fattig familie, han har aldri studert, og han driver stort sett rundt i gatene. Den eneste jobben han en gang hadde, var på en teppefabrikk, men den mistet han. Dersom Saliqa gifter seg med ham, må hun flytte inn til hans foreldre. De vil aldri få råd til å flytte for seg selv.

– Moren hans er en dårlig husmor, hevder en av kvinnene. – Huset deres er skittent og lurvete. Hun er lat og går hvor hun vil.

En eldre kvinne husker også Nadims bestemor. – Da de bodde i Kabul mottok de hvem som helst, forteller hun og legger hemmelighetsfullt til: – Det var til og med menn som kom til leiligheten hennes når hun var alene. Og de var ikke slektninger.

– Med all respekt for deg, sier en av kvinnene henvendt til Saliqas mor, – må jeg innrømme at jeg alltid har ment at Saliqa er en jåle, alltid sminket, alltid i oppstasede klær. Du burde sett på henne at hun hadde urene tanker.

Ingen sier noe på en stund, som om de er enige samtidig som de lar være å vise det, i medfølelse med Saliqas mor. En kvinne tørker seg om munnen, det er på tide å tenke på middagen. De andre reiser seg, en etter en. Sharifa går opp trappen til sine tre rom. Hun går forbi bakrommet der Saliqa ligger innelåst. Der skal hun være til familien har funnet ut hva slags straff hun skal få.

Sharifa sukker. Hun tenker på straffen hennes svigerinne Jamila fikk.

Jamila var av den beste familie, rik, plettfri og vakker som en blomst. Sharifas bror hadde lagt seg opp penger i Canada, og hadde dermed råd til den atten år gamle skjønnheten. Det var et enestående bryllup, fem hundre gjester, overdådige retter, en strålende vakker brud. Jamila møtte ikke Sharifas bror før bryllupsdagen, alt ble arrangert av foreldrene. Brudgommen, en lang og tynn mann på noen og førti år, kom ens ærend fra Canada for å gifte seg på afghansk vis. Han og Jamila fikk fjorten dager som nygifte før han dro tilbake for å ordne med visum, slik at hun kunne komme etter. I mellomtiden bodde Jamila hos Sharifas to brødre og deres koner. Men visumprosessen tok lengre tid enn ventet.

Etter tre måneder tok de henne. Det var politiet som meldte fra. De hadde sett en mann krype inn vinduet hennes.

Mannen fikk de aldri tak i, men Sharifas brødre fant mobiltelefonen hans på Jamilas rom, som bevis på forholdet. Sharifas familie oppløste ekteskapet umiddelbart og sendte henne hjem til hennes egen familie. Der ble hun låst inne på et rom, mens familien holdt husråd i to døgn.

Etter tre dager kom Jamilas bror hjem til Sharifa og fortalte at søsteren hadde dødd av en vifte som kortsluttet.

Dagen etter var det begravelse. Masse blomster, masse alvorlige ansikter. Moren og søstrene var utrøstelige. Alle sørget over det korte livet Jamila var blitt tildelt.

– Som bryllupet, sa folk. – En strålende begravelse.

Familiens ære var reddet.

Sharifa hadde hatt en video fra bryllupet, men den kom Jamilas bror for å låne. Hun fikk den aldri igjen, ingenting skulle vitne om at det en gang hadde funnet sted et bryllup. Men Sharifa gjemmer på de få bildene hun har. Brudeparet ser stive og alvorlige ut når de skjærer opp kaken. Jamila røper ikke en følelse, og ser nydelig ut i uskyldshvit kjole og slør, med det svarte håret og den røde munnen.

Sharifa sukker. Jamila begikk en stor forbrytelse, men mer av dumhet enn av et ondt hjerte.

– Hun fortjente ikke å dø. Men Allah rår, mumler hun og hvisker en bønn.

Det er én ting hun likevel ikke kan forstå. De to døgnene i familieråd, da Jamilas mor, hennes egen mor, gikk med på å drepe henne. Det var hun, moren, som til slutt sendte de tre sønnene opp for å drepe datteren. Brødrene gikk sammen inn på søsterens rom. De var sammen om å legge en pute over ansiktet hennes, sammen om å presse den ned, hardt, hardere, til kroppen hennes sluknet.

Før de gikk tilbake til moren sin.

Selvmord og sang

En kvinnes lengsel etter kjærlighet er tabu i Afghanistan. Den er forbudt både av klanens strenge æresbegreper og av mullaene. Unge mennesker har ikke rett til å møtes, til å elske, til å velge. Kjærlighet har lite med romantikk å gjøre, tvert imot kan den være en alvorlig forbrytelse, straffet med døden. De udisiplinerte blir kaldblodig drept. Dersom bare en av dem straffes med døden, er det uten unntak kvinnen.

Unge kvinner er først og fremst et bytte- eller salgsobjekt. Giftermål er en kontrakt inngått mellom familier eller innad i familier. Hvilken nytte giftermålet kan ha for klanen, bestemmer alt – følelser blir sjelden tatt i betraktning. Afghanske kvinner har gjennom århundrene måttet finne seg i uretten som begås mot dem. Men det finnes vitnemål fra kvinnene selv gjennom sanger og dikt. Det er sanger det ikke er meningen at noen skal høre, og selv ekkoet forblir i fjellene eller ørkenen.

De protesterer med «selvmord eller sang», skriver den afghanske poeten Sayed Bahoudin Majrouh i en bok om pasjtunske kvinners egne dikt. Ved hjelp av sin svigerinne samlet han inn diktene. Selv ble Majrouh myrdet av fundamentalister i Peshawar i 1988.

Diktene eller rimene lever på folkemunne og blir utvekslet ved brønnen, på vei til åkeren, ved bakerovnen. De handler om forbudt kjærlighet, der den elskede uten unntak er en annen enn den kvinnene er gift med, og om hatet til den ofte langt eldre ektemannen. Men de uttrykker også stolthet over å være kvinne, og motet de viser. Diktene kalles *landay* som betyr kort. De er bare på få linjer, er korte og rytmiske, «som et skrik eller et knivstikk,» skriver Majrouh.

Grusomme mennesker, dere ser at en gamling
er på vei til min seng
Og dere spør hvorfor jeg gråter og river meg i håret.

Å min Gud! Du har igjen sendt meg den mørke natt
Og på nytt skjelver jeg fra hode til tå
fordi jeg må opp i den sengen jeg hater.

Men kvinnene i diktene er også opprørske, de risikerer livet for kjærligheten, i et samfunn der lidenskap er forbudt og straffen er nådeløs.

Gi meg din hånd, min elskede, så gjemmer vi oss i åkeren
For å elske eller for å falle sammen under knivstikkene.

Jeg hopper i elven, men strømmen tar meg ikke med.
Min ektemann er heldig, jeg blir alltid kastet opp på elvebredden.

I morgen tidlig blir jeg drept på grunn av deg.
Si ikke at du ikke elsket meg.

De fleste av skrikene handler om skuffelse og ulevd liv. En

kvinne ber Gud om at hun heller må bli en stein i sitt neste liv, enn en kvinne. Ikke ett av diktene handler om håp, tvert om – det er håpløsheten som hersker, det at de ikke har levd nok, ikke har fått nok ut av sin skjønnhet, sin ungdom, av kjærlighetens gleder.

Jeg var vakker som en rose.
Under deg har jeg blitt gul som en appelsin.

Før kjente jeg ikke lidelsen.
Derfor vokste jeg rett opp, som et grantre.

Diktene er også fulle av sødme. Med en brutal oppriktighet glorifiserer kvinnen kroppen sin, kjødelig kjærlighet og forbuden frukt – som om hun ønsker å sjokkere mennene, provosere deres virilitet.

Legg din munn over min,
Men la min tunge være fri så den kan tale om kjærlighet.

Ta meg først i dine armer, hold meg!
Først etterpå kan du binde deg til mine fløyelslår.

Min munn er din, fortær den, ikke vær redd!
Den er ikke av sukker som kan løses opp og forsvinne.

Min munn, du får den gjerne.
Hvorfor henter du krukken min? Jeg er helt våt.

Jeg kommer til å gjøre deg til aske.
Dersom jeg bare et øyeblikk vender blikket mitt mot deg.

53

Le suicide et le chant. Poésie populaire des femmes pashtounes, av Sayed Bahoudine Majrouh, Gallimard 1994. Diktene er oversatt fra fransk av forfatteren.

Forretningsreisen

Det er ennå kjølig. Solen har sendt sine første stråler ned de bratte, steinete fjellskrentene. Landskapet er støvfarget, brunt som går over i grått. Fjellsidene er bare stein, fra kampesteinene som truer med å utløse knusende ras, til smågrus og leirbiter som knaser under hestehovene. Tistlene mellom steinene skraper opp leggene til smuglere, flyktninger og krigere på rømmen. Et virvar av stier krysses og forsvinner bak steiner og hauger.

Dette er smuglerruten for alt fra våpen og opium til sigaretter og colabokser mellom Afghanistan og Pakistan. Stiene er tråkket opp gjennom århundrer. Dette er stiene Taliban og arabiske al-Qaida-krigere snek seg langs, da de hadde innsett at slaget om Afghanistan var tapt, og de flyktet inn i stammeområdene i Pakistan. Det er disse stiene de bruker når de kommer tilbake for å bekjempe amerikanske soldater – de vantro som har okkupert hellig, muslimsk jord. I områdene langs grensen har verken afghanske eller pakistanske myndigheter kontroll. Pasjtunske stammer kontrollerer hver sine områder på begge sider av grensen. Lovløsheten er, absurd nok, nedfelt i pakistansk lov. På den pakistanske siden har myndighetene rett til å operere på asfalterte veier, og inntil tjue meter fra veien på hver side. Utenfor de tjue meterne hersker stammeloven.

Denne morgenen tar også bokhandler Sultan Khan seg forbi de pakistanske grensevaktene. Mindre enn hundre meter unna står pakistansk politi. Så lenge mennesker, hester og fullastede eseler passerer i god nok avstand fra veien, er det ingenting de kan gjøre.

Men om ikke myndighetene kan kontrollere strømmen, blir mange av de reisende stanset og «skattlagt» av væpnede menn, gjerne vanlige landsbyboere. Sultan har tatt sine forholdsregler. Pengene har Sonya sydd inn i skjorteermene hans, eiendelene bærer han i en skitten sukkersekk. Han har tatt på seg sin eldste *shalwar kameez*.

Som for afghanere flest er grensen over til Pakistan stengt for Sultan. Det hjelper ikke at han har familie, hus og forretninger i landet og at datteren hans går på skolen der – han er ikke velkommen. Pakistan har etter press fra det internasjonale samfunnet stengt grensene, slik at terrorister og talibantilhengere ikke skal kunne gjemme seg bort i landet. Fåfengt nok, terrorister og soldater kommer likevel ikke til grensestasjonene med pass i hånden. De tar de samme stiene som Sultan, når han skal på forretningsreise. Flere tusen mennesker kommer daglig inn i Pakistan fra Afghanistan på denne måten.

Hestene strever seg opp fjellskrenten. Sultan sitter stor og bred på hesteryggen, som er uten sal. Selv i sine eldste klær ser han velkledd ut, skjegget er som alltid nystusset, hans lille *fez* sitter godt på hodet. Selv når han livredd tviholder i tøylene, ser han ut som en distingvert mann som har tatt seg en tur i fjellene for å nyte utsikten. Men han sitter ustøtt. Et skritt feil – og de farer ned i avgrunnen. Selv tramper hesten rolig opp de vante stiene, ubesværet av mannen på ryggen. Sultan har

surret den verdifulle sukkersekken hardt rundt hånden. I den
har han bøker han vil pirattrykke til bokhandelen sin og utkas-
tet til det han håper skal bli sitt livs kontrakt.

Rundt ham går andre afghanere som vil inn i det stengte
landet. Kvinner i burkha sitter sidelengs på hesteryggen på vei
for å besøke slektninger. Blant dem rir studenter som skal til-
bake til universitetet i Peshawar etter å ha feiret *eid*, en religiøs
høytid, hos familien. Kanskje går noen smuglere i følget, kan-
skje noen forretningsfolk. Sultan spør ikke. Han tenker på
kontrakten sin, konsentrerer seg om tøylene og forbanner de
pakistanske myndighetene. Først en dag i bil fra Kabul til gren-
sen, så overnatte på en heslig grensestasjon, deretter en hel dag
på hesteryggen, til fots og i pickup. Langs hovedveien tar turen
fra grensen til Peshawar bare en time. Sultan synes det er ned-
verdigende å bli smuglet inn i Pakistan, å bli behandlet som et
undermenneske. Etter alt pakistanerne gjorde for talibanregi-
met, pengestøtten, våpenstøtten, den politiske støtten, er det
hyklersk plutselig å bli USAs lakeier og stenge grensene for
afghanere nå, mener han.

Pakistan var det eneste landet, ved siden av Saudi-Arabia og
De forente arabiske emirater, som offisielt anerkjente taliban-
regimet. Myndighetene i Pakistan ønsket at pasjtunerne skulle
beholde kontrollen over Afghanistan fordi det er et folk som
finnes på begge sider av grensen, og som Pakistan har reell inn-
flytelse over. Bortimot hele Taliban besto av pasjtunere, som
også er Afghanistans største folkegruppe og utgjør rundt 40
prosent av befolkningen. Lenger nord er tadsjikene den største
folkegruppen. Rundt en fjerdedel av afghanerne er tadsjiker.
Nordalliansen som kjempet bittert mot Taliban, og som etter
11. september fikk amerikanernes støtte, besto først og fremst

av tadsjiker, et folk pakistanerne ser på med stor skepsis. Etter at Taliban falt, og tadsjikene har fått mye makt i regjeringen, mener mange pakistanere at de nå er omgitt av fiender, India i øst, Afghanistan i vest.

Det er imidlertid lite etnisk hat mellom folk flest i Afghanistan. Konfliktene skyldes helst maktkamp mellom ulike krigsherrer som har fått sin egen folkegruppe til å kjempe mot en annen. Tadsjikene er redde for at pasjtunerne skal få for mye makt, i frykt for å bli massakrert dersom det på ny blir krig. Pasjtunerne er redde for tadsjikene av samme grunn. Slik er også forholdet mellom usbeker og hazaraer nordvest i landet. Mange av kampene har også foregått mellom krigsherrer innad i en folkegruppe.

Sultan er lite opptatt av hva slags blod som renner i årene på ham selv og andre. Som mange afghanere er han godt blandet, han har pasjtunsk mor og tadsjikisk far. Den første kona er pasjtun, den andre tadsjik. Formelt er han tadsjik, for etnisk tilhørighet arves fra faren. Han snakker begge folkegruppenes språk, pasjto og dari – en persisk dialekt som tadsjikene snakker. Sultan mener det er på tide at afghanerne legger krigene bak seg og går sammen om å bygge landet. Drømmen er at de en dag skal ta igjen det tapte i forhold til nabolandene. Men det ser mørkt ut. Sultan er skuffet over sine landsmenn. Mens han selv arbeider jevnt og trutt for å utvide forretningen sin, gremmer han seg over dem som bruker sparepengene sine på å reise til Mekka. Rett før turen til Pakistan hadde han en diskusjon med fetteren sin, Wahid, som eier en liten butikk med reservedeler for biler, en butikk han så vidt får til å gå rundt. Da han stakk innom Sultans butikk noen dager tidligere, fortalte han at han nå endelig hadde spart opp nok penger til å fly til Mekka.

– Du tror du får hjelp av å be? hadde Sultan spurt hånlig. – I Koranen står det at vi skal arbeide, at vi selv skal løse problemene våre, at vi skal svette, at vi skal streve. Men vi afghanere, vi er late, vi ber om hjelp i stedet, enten fra Vesten eller fra Allah.

– Men i Koranen står det også at vi skal lovprise Gud, innvendte Wahid.

– Profeten Muhammad ville grått om han hadde hørt alle ropene, skrikene og bønnene i hans navn, fortsatte Sultan. – Det hjelper ikke å slå hodet i bakken for å få dette landet på fote. Alt vi kan, er å rope og be og krige. Men bønnene er ikke verdt noe dersom folk ikke arbeider. Vi kan ikke vente på Guds nåde, ropte Sultan, opphisset av sin egen ordflom. – Vi leter i blinde etter en hellig mann, og så er det blåsebelgen som kan hjelpe oss!

Han visste han hadde provosert fetteren, men for Sultan er arbeid det viktigste i livet. Det forsøker han å lære sønnene sine, det lever han opp til selv. Derfor har han tatt sønnene ut av skolen for å jobbe i butikkene, slik at de kan hjelpe ham med å bygge et bokimperium.

– Men å reise til Mekka er en av Islams fem søyler, hadde fetteren innvendt. For å være en god muslim må man anerkjenne Gud, be, faste, gi almisser og reise til Mekka.

– Det kan være vi alle reiser til Mekka, hadde Sultan til slutt sagt. – Men da skal vi fortjene det, da skal vi reise for å takke, ikke for å be.

Nå er vel Wahid på vei til Mekka, i sine hvite pilegrimsgevanter, tenker Sultan. Han fnyser og stryker svetten av pannen. Solen er på sitt høyeste. Endelig går stien nedover igjen. På en kjerrevei i en liten dal venter flere pickuper. Dette er Khyberpassets drosjer, og eierne lever godt av å frakte de uvelkomne inn i landet.

Her gikk en gang silkeveien, som var handelsruten mellom datidens store sivilisasjoner – Kina og Rom. Silke ble fraktet vestover, mens gull, sølv og ull ble fraktet østover.

Khyberpasset har i over tusen år blitt forsert av uvelkomne. Persere, grekere, mughaler, mongoler, afghanere og briter har forsøkt å erobre India ved å føre hærene sine gjennom passet. I det sjette århundret før Kristus erobret perserkongen Darius store deler av Afghanistan, og marsjerte videre gjennom Khyberpasset til elven Indus. To århundrer senere var det Aleksander den stores generaler som førte styrkene sine gjennom passet, der det på det smaleste ikke kan passere mer enn én fullastet kamel eller to hester ved siden av hverandre. Djengis Khan ødela deler av Silkeveien, mens mer fredelige reisende, som Marco Polo, bare fulgte karavansporene på vei østover.

Siden Darius' tid og fram til britene erobret passet på 1800-tallet, møtte invasjonshærene alltid stor motstand fra de pasjtunske stammene i fjellområdene rundt. Etter at britene trakk seg ut i 1947, er det igjen disse stammene som kontrollerer passet og distriktet fram til Peshawar. Den mektigste er afridi-stammen, som er fryktet for sine krigere.

Fremdeles er våpen det første man møter etter å ha passert grensen. Langs hovedveien på pakistansk side dukker med jevne mellomrom ordene *Khyber Rifles* opp, gravert inn i fjellsiden eller malt på skitne plater i det karrige landskapet. Khyber Rifles er navnet på et riflekompani, men også på stamme-militsen som har ansvar for sikkerheten i området. Militsen har store verdier å beskytte. Landsbyen rett over grensen er kjent for sin smuglerbasar, der hasj og våpen kan kjøpes billig. Her spør ingen om våpentillatelse, men dersom man tar med våpenet inn på pakistansk territorium, risikerer man lange fengselsstraffer. Blant leirhusene står store, glitrende palasser, bygd for svarte penger. Små festninger i stein og pasjtunernes tradisjonelle hus, med høye leirmurer rundt, ligger spredt oppover fjellsiden. Innimellom rager noen vegger av betong i landskapet, det er de såkalte dragetennene som britene satte opp i frykt for en tysk panserinvasjon av India under den annen verdenskrig. Det har vært flere tilfeller der utlendinger er blitt kidnappet i disse uoversiktlige stammeområdene, så myndighetene har innført strenge tiltak. Ikke engang på hovedveien inn til Peshawar, som patruljeres av pakistanske styrker, får utlendinger lov å kjøre uten vakt. Vaktene sitter med ladd våpen hele veien til Peshawar. Uten de rette papirene og en væpnet vakt får utlendinger heller ikke lov å forlate Peshawar og kjøre mot den afghanske grensen.

Etter å ha kjørt i to timer på smale veier, med fjellet på den ene siden og stupet på den andre, er det igjen noen timer på hesteryggen, før Sultan endelig kommer ned på sletta og kan se Peshawar. Han tar en drosje inn til byen, til gate 103 i bydelen Hayatabad.

Det er begynt å mørkne når Sharifa hører slagene på porten. Så kom han likevel. Hun løper ned trappen for å åpne. Der står han, sliten og skitten. Han gir henne sukkersekken som hun bærer opp foran ham.

– Gikk reisen fint?

– Flott natur, svarer Sultan. – Strålende solnedgang.

Mens han vasker seg, forbereder hun kveldsmaten og dekker på duken på gulvet, mellom de myke putene. Sultan kommer ren og i nystrøkne klær tilbake fra baderommet. Han ser misfornøyd ned på glasstallerkenene Sharifa har satt fram.

– Jeg liker ikke glasstallerkener, de ser billige ut, sier han.

– Som noe du har kjøpt i en skitten basar.

Sharifa bytter dem og kommer inn med porselenstallerkener.

– Dette er bedre for meg, maten smaker mer nå, sier han.

Sultan forteller siste nytt fra Kabul, hun fra Hayatabad. Det er flere måneder siden de så hverandre sist. De prater om barna, om slektningene, og planlegger de nærmeste dagene. Hver gang Sultan kommer til Pakistan, må han gjennom flere høflighetsvisitter til de av slektningene som ennå ikke har reist tilbake til Afghanistan. Først må han besøke dem som har hatt dødsfall i familien siden sist. Så den nærmeste slektningen, og utover i slekten, så langt han rekker, avhengig av hvor mange dager han er på besøk.

Sultan akker seg over å måtte besøke alle Sharifas søstre, brødre, svogere, søstrers svigerforeldre, fettere og kusiner. Det er ikke mulig å holde det hemmelig at han er kommet, alle vet alt i denne byen. Dessuten er disse høflighetvisittene det eneste Sharifa har igjen av ekteskapet. At han er vennlig mot slektningene hennes og behandler henne som sin kone når de er på besøk, er det hun kan kreve av ham nå.

Når visittene er ferdig planlagt, har Sharifa igjen å fortelle siste nytt fra underetasjen – Saliqas eskapader.

– Vet du hva en hore er? sier Sultan, der han ligger som en romersk keiser, sidelengs på putene. – Det er det hun er.

Sharifa protesterer, Saliqa har jo ikke engang vært alene med gutten.

– Mentaliteten hennes, mentaliteten, sier Sultan. – Om hun ikke er prostituert nå, så kan hun lett bli det. Når hun har valgt seg denne ubrukelige gutten, som aldri kommer til å få seg en jobb, hvordan skal hun da klare å få tak i penger til det hun ønsker seg, smykker og vakre klær? spør han. – Når en kjele koker uten lokk, kan alt mulig falle ned i den. Skitt, jord, støv, insekter, gamle blader, fortsetter Sultan. – Slik har Saliqas familie levd, uten lokk. All mulig skitt har falt ned hos dem. Faren er fraværende, selv da han bodde sammen med dem, var han aldri hjemme. Nå har han bodd tre år som flyktning i Belgia, og har ennå ikke klart å ordne papirene slik at familien kan komme etter, fnyser Sultan. – En taper han, òg. Fra Saliqa knapt kunne gå, har hun lett etter en gutt å gifte seg med. Tilfeldigvis ble det fattige, ubrukelige Nadim. Men først prøvde hun seg på vår Mansur, husker du det? spør Sultan. Nå har også bokhandleren gitt tapt for sladderens kraft.

– Moren hennes var også med på spillet, minnes Sharifa. – Hun spurte stadig om det ikke var på tide å finne en kone til ham. Jeg svarte alltid at det var altfor tidlig, gutten skulle studere. Minst av alt ønsket jeg meg en innbilsk og ubrukelig kone som Saliqa for Mansur. Da broren din, Yunus, kom til Peshawar, ble han utsatt for de samme spørsmålene, men han ville heller aldri tatt en billig pike som Saliqa.

Saliqas forbrytelse blir diskutert til det ikke er et støvkorn igjen å snu på. Men ekteparet har nok av slektninger de kan løfte teppene av.

– Hvordan går det med kusinen din? ler Sultan høyt.

En av Sharifas kusiner hadde brukt livet sitt på å pleie foreldrene. Da de døde var hun 45 år gammel, og brødrene giftet henne bort til en enkemann som trengte en mor til barna sine. Sultan blir aldri lei av historien.

– Hun forandret seg totalt etter bryllupet. Endelig ble hun kvinne, ler han igjen av kusinen. – Men hun fikk ingen barn, så hun måtte ha mistet den månedlige sykdommen allerede før bryllupet. Det betyr ingen pause det, hver natt! ler han.

– Kanskje det, våger Sharifa seg frampå. – Husker du så tynn og tørr hun så ut før bryllupet, sier hun. – Nå er hun helt forandret, hun er vel våt hele tiden, skratter hun. Sharifa holder seg for munnen og klukker av latter idet hun plumper ut med disse vågale påstandene. Det er som om intimiteten mellom ekteparet er tilbake, der de ligger og slanger seg på gulvmattene, på hver sin side av matrestene på gulvet.

– Husker du tanten din som du sto og så på gjennom nøkkelhullet. Hun ble jo helt krumbøyd etter hvert, mannen likte å gjøre det bakfra, ler Sultan. Den ene historien tar den andre. Som små unger ligger Sultan og Sharifa på gulvet og skoggerler av slektningenes spenstige sexliv.

Afghanistan er uten sex på overflaten. Kvinnene gjemmer seg bak burkhaer, og under burkhaen er klærne store og vide. De har lange bukser under skjørtene, og selv innenfor husets vegger ser man sjelden en utringning. Menn og kvinner som ikke er i familie, skal ikke sitte i samme rom. De skal ikke prate sammen, ikke spise sammen. På landsbygda er selv bryllupsfestene oppdelt, kvinnene danser og fester for seg, det samme gjør mennene. Men under overflaten bobler det. Til tross for at de risikerer dødsstraff, har folk, også i Afghanistan, elskere og elskerinner. I byene finnes det prostituerte som unge gutter og menn går til mens de venter på en brud.

Seksualiteten har sin plass i afghanske myter og historier. Sultan elsker historiene poeten Rumi skrev for åttehundre år siden i verket «Masnavi». Han bruker seksualiteten som et bilde på at man ikke blindt kan følge etter det andre gjør. Han forteller til Sharifa:

– En enke hadde et esel hun var veldig glad i. Det tok henne med dit hun skulle og lød alltid ordre. Eselet fikk god mat og ble behandlet godt. Så begynte dyret å skrante og ble fortere slitent enn før. Ikke hadde det appetitt heller. Enken lurte på hva det feilte, og en natt gikk hun inn til det for å se om det sov. I fjøset fant hun hushjelpen sin liggende i høyet, med eselet over seg. Hver natt gjentok det seg, enken ble nysgjerrig og tenkte at det ville hun også prøve. Hun sendte hushjelpen bort for noen dager og la seg selv i høyet med eselet over seg. Da hushjelpen kom hjem, fant hun enken død. Hun så med forferdelse at enken ikke hadde gjort som henne – tredd en gresskarbit på eselets lem for å gjøre det kortere før hun ga seg hen. Tuppen var mer enn nok.

Etter å ha humret fra seg, reiser Sultan seg fra putene, retter på kjortelen og går inn for å lese e-postene sine. Amerikanske universiteter ber om tidsskrifter fra 70-tallet, forskere spør etter gamle manuskripter, og trykkeriet i Lahore sender en kalkyle over hva det vil koste å trykke postkortene hans etter at papirprisen gikk opp. Postkortene er Sultans beste inntektskilde, han trykker seksti kort for en dollar og selger tre for en dollar. Alt går hans vei, nå som Taliban er borte og han kan selge hva han vil.

Neste dag går med til å lese post, oppsøke bokhandler, gå på postkontoret, sende og motta pakker og til de evinnelige høflighetsvisittene. Først et kondolansebesøk til en kusine fordi mannen hennes døde av kreft, så et hyggeligere besøk til en fetter som er hjemom fra pizzakjøringen i Tyskland. Sultans fetter, Said, var flyingeniør i Ariana Air, Afghanistans en gang så stolte flyselskap. Nå vurderer Said å reise hjem til Kabul med familien, og søke om å få tilbake jobben sin i Ariana. Men han vil spare opp mer penger først. Pizzakjøringen i Tyskland er langt mer innbringende enn jobben som flyingeniør. Dessuten har han ennå ikke funnet noen løsning på problemet han får straks han vender hjem. I Peshawar sitter kona og barna, i Tyskland bor han med kone nummer to. Dersom han flytter hjem til Kabul, må de alle bo sammen. Det gruer han seg til. Den første hustruen har valgt å lukke øynene for den andre. Hun møter henne aldri, og mannen sender penger hjem som han skal. Men dersom de flytter sammen?

Det er slitsomme dager i Peshawar. En slektning er kastet ut av huset han leide, en annen vil ha hjelp til å starte en forretning, en tredje ber om et lån. Sultan gir sjelden bort penger til slektninger. Fordi han har klart seg så bra selv, får han ofte forespørsler om han kan hjelpe når han er ute på høflighetsvisittene. Men Sultan sier stort sett nei, han synes de fleste er late og bør greie seg selv. I alle fall må de vise at de duger til noe før de får penger, og i Sultans øyne er det få som holder mål.

Når ekteparet er ute på visittene sine, er Sharifa den kvikke som holder samtalene i gang. Hun forteller historier, sprer smil og latter. Sultan sitter helst og hører på. Innimellom sier han noe om folks arbeidsmoral eller om forretningene sine. Men når Sultan med ett ord sier at det er på tide å bryte opp, går ekteparet hjem, med Shabnam på slep. De går stille gjennom mørket i Hayatabads sotskitne gater og skritter over søppel mens lungene fylles av bakgatenes stramme luft.

En kveld pynter Sharifa seg ekstra for å besøke noen fjerne slektninger. Slektninger som vanligvis ikke ville kommet med på listen over høflighetsvisitter, selv om de bare bor to kvartaler unna. Sharifa tripper i vei i skyhøye pumps, mens Sultan og Shabnam slentrer etter hånd i hånd.

De blir tatt hjertelig imot. Vertskapet setter fram tørket frukt og nøtter, karameller og te. Først kommer høflighetsfrasene og siste nytt. Barna lytter til foreldrenes prat. Shabnam knekker skallet av pistasjnøttene og kjeder seg.

Et av barna mangler, trettenårige Belqisa. Hun vet godt å holde seg unna, for det er henne besøket dreier seg om.

Sharifa har vært der i samme ærend tidligere, denne gangen er Sultan motvillig med, for å vise alvoret i frieriet. De kommer i Yunus' ærend – Sultans yngste bror. Han la sin elsk på Belqisa allerede da han bodde i Pakistan som flyktning for et par år siden, mens hun bare var et barn. Han har bedt Sharifa om å fri for ham. Selv har han aldri snakket med piken.

Svaret de fikk var alltid det samme, hun er for ung. Derimot ville foreldrene gjerne gi ham eldste datteren, Shirin, på tjue år. Men henne ville ikke Yunus ha, hun var ikke på langt nær så vakker som Belqisa, dessuten var hun for villig, mente han. Når han var på besøk, var hun rundt ham hele tiden. I tillegg hadde han en gang holdt hånden hennes lenge da de andre ikke så det. Det at hun lot ham holde den, mente Yunus var et dårlig tegn, og at hun dermed ikke var noen skikkelig pike.

Men foreldrene håpet i det lengste for sin eldste datter, for Yunus var et godt parti. Da Shirin fikk andre tilbud, gikk de til Sultan og tilbød henne til Yunus for siste gang. Men Yunus ville ikke ha Shirin, han hadde lagt sine øyne på Belqisa, og der hadde de blitt.

Selv om hun alltid ble avslått, gikk Sharifa stadig tilbake for å spørre om Belqisa. Det var ikke utslag av uhøflighet, men tvert imot viste det hvor alvorlig frieriet var ment. Gammel skikk sier at en friers mor skal gå så ofte til den utvalgtes hus at skosålene blir tynne som skallet på en hvitløk. Siden Yunus' mor, Bibi Gul, var i Kabul, hadde svigerinnen Sharifa tatt på seg oppgaven. Hun fortalte om Yunus' fortreffelighet, at han snakket flytende engelsk, at han jobbet sammen med Sultan i bokhandelen, at datteren aldri ville mangle noe. Men Yunus fylte snart tretti år. – For gammel for Belqisa, mente foreldrene.

Belqisas mor var interessert i en annen av ungguttene i familien Khan, Mansur, Sultans seksten år gamle sønn. – Dersom du tilbyr oss Mansur, sier vi ja på flekken, sa hun.

Men nå var det Sharifa som ikke var interessert. Mansur var selv bare noen få år eldre enn Belqisa, og han hadde aldri kastet to blikk på jenta. Sharifa syntes det var altfor tidlig å gifte bort sønnen. Han skulle studere, se verden.

– Dessuten er hun ikke tretten, sa Sharifa til venninnene sine senere. – Jeg er sikker på at hun er minst femten.

Belqisa kommer inn i rommet en liten stund, slik at Sultan også skal få se henne. Hun er høy og tynn og ser eldre ut enn tretten. Hun har på seg en mørkeblå fløyelsdrakt, og setter seg keitet og sjenert ved siden av moren. Belqisa vet godt hva de besøkende vil, og er ubekvem med situasjonen.

– Hun gråter, hun vil ikke, sier de to eldre søstrene hennes til Sultan og Sharifa mens Belqisa sitter der. Belqisa ser ned i gulvet.

Sharifa bare ler. Det er et godt tegn at bruden ikke vil, det viser at hun er ren i hjertet.

Belqisa reiser seg etter noen knappe minutter og går. Moren unnskylder henne med at hun har matematikkprøve dagen etter. Den utvalgte *skal* da heller ikke være til stede når det kjøpslås. Først bare føler partene seg fram, så starter pengediskusjonen. Hvor mye skal foreldrene få, hvor dyr skal festen, kjolen, blomstene være. Alle utgiftene betales av mannens familie. Det at Sultan er kommet, gir diskusjonen tyngde, det er han som har pengene.

Etter at visitten er over, og ingenting er avgjort, går de rolig ut i den svale marskvelden. Det er stille i gatene. – Jeg liker ikke den familien, sier Sultan. – De er grådige.

Det er særlig Belqisas mor han ikke liker. Hun er ektemannens kone nummer to. Da hans første kone ikke fikk barn, giftet han seg på nytt, og den nye hustruen plagde den første så fælt at hun til slutt ikke orket mer og flyttet til sin bror. Det går stygge historier om Belqisas mor. Hun er grisk, sjalu, lite sjenerøs. Hennes eldste datter giftet seg med en av Sultans slektninger, som fortalte at hun var et mareritt gjennom hele bryllupet, at hun klagde over at det ikke var nok mat her, ikke nok pynt der. – Eplet faller aldri langt fra stammen. Som mor så datter, fastslår Sultan.

Men han legger motvillig til at dersom det er henne Yunus vil ha, så får de gjøre sitt beste. – Jeg er dessverre sikker på at de sier ja til slutt, vår familie er for god til å si nei til.

Etter at familiens krav er oppfylt, kan Sultan endelig gjøre det han kom til Pakistan for. Trykke bøker. En tidlig morgen tar han fatt på neste etappe av reisen, Lahore, trykkerienes, bokbindernes og forleggernes by.

Han pakker en liten koffert der han legger seks bøker, en kalender og et klesskift. Pengene bærer han sydd inn i skjorteermene, som alltid når han reiser. Det ser ut til å bli en varm dag. På busstasjonen i Peshawar syder det av mennesker som skal av sted, busselskapene slåss om å overdøve hverandre. – Islamabad, Karachi, Lahore! Ved hver buss står det en mann og roper. Bussene har ingen fast rutetid, men går etter hvert som de fylles opp. Før avreisen, kommer det på menn som selger nøtter, solsikkefrø i små kremmerhus, kjeks og potetgull, aviser og blader. Tiggerne nøyer seg med å stikke hendene inn gjennom de åpne vinduene.

Sultan overser dem. Han følger profeten Muhammads råd om almisser, som han tolker slik: Først skal en sørge for seg selv, så sin nære familie, så andre slektninger, så naboer, og til slutt fattige man ikke kjenner. Det hender han stikker noen afghani til en tigger i Kabul for å bli kvitt ham, men pakistanske tiggere kommer for langt ned på listen. Pakistan får ta seg av sine fattige selv.

Han sitter sammentrengt mellom de andre i bussens baksete. Kofferten har han satt under beina. I den har han sitt livs største prosjekt på en lapp. Han vil trykke Afghanistans nye skolebøker. Landet har knapt noe undervisningsmateriell når skolene åpner denne våren. Bøkene mujahedinregjeringen og Taliban trykte opp kan ikke brukes. Slik lærte barna alfabetet i første klasse: «J for Jihad – vårt mål i verden, I for Israel – vår fiende, K for Kalasjnikov – vi skal seire, M for Mujahedin – våre helter, S for ...»

Selv i mattebøkene var krig det sentrale. Skoleguttene – for Taliban lagde bare bøker for gutter – regnet ikke i epler og kaker, men i kuler og kalasjnikover. En oppgave kunne se slik ut:

«Lille Omar har en kalasjnikov med tre magasiner. I hvert magasin er det tjue kuler. Han bruker to tredjedeler av kulene sine og dreper seksti vantro. Hvor mange vantro dreper han per kule?»

Bøkene fra kommunisttiden kan heller ikke brukes. Der handler regnestykkene om jordfordeling og likhetsidealer. Røde flagg og lykkelige kollektivbønder skulle styre barna inn i kommunismen.

Sultan vil gå tilbake til bøkene fra Zahir Shahs tid, kongen som styrte i førti forholdsvis fredelige år til han ble styrtet i 1973. Han har funnet fram gamle bøker han kan trykke opp på nytt, historier og fabler til persisktimene, mattebøker der en

pluss en er to og historiebøker renset for annet ideologisk inn-
hold enn litt uskyldig nasjonalisme.

Det er UNESCO som skal finansiere landets nye skolebø-
ker. Som en av Kabuls største forleggere, var Sultan i et møte
med dem, og vil etter turen til Lahore komme med sitt tilbud.
På papirlappen i vestlommen har han rablet ned sideantall og
format på 113 skolebøker. Budsjettet er på to millioner dollar.
I Lahore skal han undersøke hvilke trykkerier som kan gi de
beste tilbudene. Deretter reiser han tilbake til Kabul for å
kjempe om den gullkantede kontrakten. Sultan sitter fornøyd
og funderer over hvor store prosenter han kan ta av de to mil-
lionene. Han blir enig med seg selv om ikke å være for grådig.
Dersom han får denne kontrakten, er han sikret arbeid i år
framover – både med opptrykk og med nye bøker, tenker han
mens åkrer og sletter farer forbi langs veien, som ble bygd som
hovedferdselsåre mellom Kabul og Calcutta. Jo nærmere de
kommer Lahore, dess varmere blir det. Sultan svetter i vad-
melsvesten fra den afghanske høysletta. Han stryker hånden
over hodet, der han bare har noen få hårstrå igjen, og tørker
ansiktet med et lommetørkle.

I tillegg til lappen der de 113 skolebøkene er skriblet ned,
har Sultan også med seg bøkene han vil trykke for egen reg-
ning. Etter at journalister, hjelpearbeidere og utenlandske di-
plomater strømmet inn i Afghanistan, er det et godt marked
for engelskspråklige bøker om landet. Sultan importerer ikke
bøkene fra forlag i utlandet, han trykker dem opp selv.

Pakistan er paradiset for pirattrykkere. Her er det ingen
kontroll og få som respekterer royalties og copyright. Det kos-
ter Sultan en dollar å trykke en bok som han kan selge for tjue
eller tretti. Bestselgeren *Taliban* av Ahmed Rashid har Sultan
trykt i flere opplag. Blant de utenlandske soldatene er favorit-

ten My *hidden war*, en bok skrevet av en russisk soldat om den katastrofale okkupasjonen av Afghanistan mellom 1979 og 1989. Det var en helt annen soldatvirkelighet enn den dagens internasjonale fredsstyrker opplever der de patruljerer Kabul, og innimellom stopper opp for å kjøpe postkort og gamle krigsbøker i Sultans bokhandel.

Bussen ruller inn på busstasjonen i Lahore. Varmen slår mot ham. Det kryr av mennesker. Lahore er Pakistans kulturelle og kunstneriske høyborg, en travel, forurenset og forvirrende by. Midt på en slette, uten naturlig forsvar, har byen blitt erobret, ødelagt og gjenoppbygd, erobret, ødelagt og gjenoppbygd. Men mellom erobringene og ødeleggelsene inviterte mange av herskerne ledende poeter og forfattere til byen, som slik ble kunstens og bøkenes by, selv om palassene de ble invitert til, stadig ble jevnet med jorden.

Sultan elsker bokmarkedene i Lahore, her har han gjort flere kupp. Få ting varmer Sultans hjerte mer enn å finne en verdifull bok på en støvete markedsplass og få den med seg for noen småslanter. Sultan mener selv han har verdens største boksamling om Afghanistan, en samling på åtte-ni tusen titler. Han er interessert i alt, gamle myter og historier, eldre poesi, romaner, biografier, nyere politisk litteratur så vel som leksikon og oppslagsverk. Han stråler opp når han ser en bok han ikke har eller kjente til.

Men denne gangen har han ikke tid til å tråle bokmarkeder. Han står opp i morgengryet, tar på sitt rene klesskift, ordner skjegget og setter fezen på hodet. Han står foran en hellig oppgave – å trykke nye lærebøker for afghanske barn. Han drar rett til trykkeriet han bruker mest. Der treffer han Talha. Den unge mannen er tredjegenerasjons trykker og blir bare måtelig interessert i Sultans prosjekt. Det er rett og slett for stort.

· Talha byr Sultan på et glass te med tykk melk, stryker seg over munnen og ser bekymret ut.

– Jeg tar gjerne en del av det, men 113 boktitler! Det ville tatt oss et år å trykke dem.

Sultans frist er to måneder. Mens lyden av maskinene slår gjennom de tynne veggene på de lille kontoret, prøver han å overbevise Talha om å legge alle andre jobber tilside.

– Umulig, sier Talha. Selv om Sultan er en viktig kunde og å trykke skolebøker til afghanske barn visst er en hellig oppgave, har han andre oppdrag å ta vare på. Han gjør likevel et overslag og regner ut at bøkene vil kunne trykkes for ned mot 30 øre per bok. Prisen avhenger av papirkvaliteten, fargekvaliteten og innbindingen. Talha regner på alle kvaliteter og formater, og setter opp en lang liste. Sultans øyne smalner. Han hoderegner i rupi, dollar, dager og uker. Han har løyet litt om tidsfristen, for å få Talha til å sette opp farten, og for å la noen andres bøker ligge.

– Husk, to måneder, sier han. – Dersom du ikke klarer å holde fristen, ødelegger du forretningen min, forstår du?

Etter at de har snakket om skolebøkene, forhandler de om de nye bøkene til Sultans bokhandel. Igjen diskuterer de priser, antall og datoer. Bøkene Sultan har med seg, blir trykt rett fra originalen. Sidene blir tatt fra hverandre og kopiert. Trykkerne preger dem inn på store metallplater. Dersom de skal trykke postkort eller forsider med farger, helles en sinkoppløsning over platene. Så legges de ut i sollyset, der solen får fram den riktige fargen. Når en side har flere farger, må platene legges ut en etter en. Deretter blir platen lagt i en maskin og trykt. Alt blir gjort på gamle, halvautomatiske maskiner. En arbeider mater maskinen med ark, en annen sitter på huk i den andre enden og sorterer det som kommer ut. I bakgrunnen surrer radioen, som sender fra en cricketkamp mellom Pakistan og Sri Lanka. På veggen henger det obligatoriske bildet av Mekka, og i taket vaier en lampe med døde fluer i. Gule strømmer av syre renner ut på gulvet og ned i avløpet.

Etter inspeksjonsrunden setter Talha og Sultan seg ned på gulvet og vurderer bokomslag. Sultan har valgt motiver fra postkortene sine. Han har med noen remser med border han synes er fine, og komponerer sidene. På fem minutter har de laget seks bokomslag.

I et hjørne sitter noen menn og drikker te. De er pakistanske forleggere og trykkere som alle opererer i det samme skyggefulle piratmarkedet som Sultan. De hilser, og praten går om de siste hendelsene i Afghanistan, der Hamid Karzai balanserer mellom de ulike krigsherrene, mens grupper av al-Qaida-soldater har gått til angrep øst i landet. Amerikanske spesialstyrker har kommet afghanerne til unnsetning og driver hulesprengning ved grensen til Pakistan. En av mennene på teppet sier det er synd Taliban ble drevet ut av Afghanistan.

– Vi trenger noen talibanere ved makten her i Pakistan også, for å rense opp, sier han.

– Det kan du si som ikke har følt Taliban på kroppen. Pakistan ville falt sammen dersom Taliban kom til makten, ikke innbill deg noe annet, buldrer Sultan. – Se for deg: Alle reklameplakater må ned, bare i denne gaten er det flere tusen. Alle bøker med bilder blir brent, det samme blir hele Pakistans filmarkiv, musikkarkiv, alle instrumenter blir ødelagt. Du vil aldri kunne høre på musikk mer, aldri danse mer. Alle internettcafeer stenges, TV-en blir svart og inndras, radioen sender bare religiøse programmer. Alle jenter tas ut av skolen, alle kvinner sendes hjem fra jobbene sine. Hva skjer med Pakistan da? Landet ville miste hundretusener av arbeidsplasser og synke ned i dyp depresjon. Og hva vil skje med alle de overflødige menneskene som har mistet jobbene sine når Pakistan ikke lenger er et moderne land? Kanskje de kan bli krigere? spør Sultan opphisset.

Mannen trekker på skuldrene. – Ja, ja, kanskje ikke hele Taliban da, kanskje bare noen av dem.

Talha støttet selv Taliban med å mangfoldiggjøre pamflettene deres. I et par år trykte han også et par av lærebøkene deres i islam. Etter hvert hjalp han dem med å sette opp deres eget trykkeri i Kabul. Han fikk tak i en brukt maskin fra Italia, som han solgte til Taliban for en billig penge. I tillegg skaffet han dem papir og annet teknisk utstyr. I likhet med de fleste pakistanere, syntes han det var betryggende med et pasjtunsk regime i nabolandet.

– Du eier ingen skrupler, du kunne trykket bøker for djevelen, erter Sultan godmodig, nå som han har buldret ut sin avsky for Taliban.

Talha vrir seg litt, men står på sitt. – Taliban er ikke i strid med vår kultur. De respekterer Koranen, Profeten og våre tradisjoner. Jeg ville aldri trykt noe som kolliderte med islam.

– Som hva da? ler Sultan. Talha tenker seg om.

– For eksempel *Sataniske vers*, eller noe annet av Salman Rushdie. Måtte Allah føre noen til gjemmestedet hans.

De andre mennene på teppet får vann på mølla når de snakker om *Sataniske vers*, en bok ingen av dem har lest.

– Han skulle vært drept. Men han klarer alltid å komme seg unna. Alle som trykker bøkene hans eller hjelper ham, skulle også blitt drept, sier Talha. – Jeg ville ikke trykket skriftene om jeg fikk aldri så mye penger. Han har tråkket på Islam.

– Han har såret og hånt oss så dypt, stukket oss med skarpe kniver. De tar ham nok til slutt, fortsetter en av mennene.

Sultan er enig: – Han forsøkte å ødelegge sjelen vår og må stanses før han klarer å få med seg andre. Ikke engang kommunistene forsøkte å ødelegge oss slik, de oppførte seg tross alt med en viss respekt og skitnet ikke til religionen vår. Så kommer dette griseriet fra en som kaller seg muslim!

De sitter alle tause, som om de ikke helt klarer å riste av seg mørket forræderen Rushdie har kastet over dem. – De tar ham nok til slutt, inshallah – om Gud vil, sier Talha.

I dagene som kommer, tråkker Sultan rundt i Lahore til alle mulige trykkerier i bakgårder, kjellere og smug. For å klare den store leveransen, må han fordele den på et titall trykkerier. Han forklarer prosjektet, får inn tilbud, noterer og vurderer. Øynene hans blunker litt ekstra når han hører et godt tilbud, og det rykker lett i overleppen hans. Han fukter leppene med tungen og regner raskt ut fortjenesten i hodet. Etter to uker har han plassert alle lærebøkene. Han lover å sende trykkeriene tilbakemelding.

Så kan han endelig reise tilbake til Kabul. Denne gangen trenger han ikke streve seg over grensen på hesteryggen. Det er bare inn i Pakistan afghanere ikke får komme, ut er det ingen passkontroll og bokhandleren kan fritt forlate Pakistan.

Sultan humper seg oppover de krokete svingene fra Jalalabad til Kabul i en gammel buss. På den ene siden av veien truer svære kampesteiner med å rulle ut av fjellsiden. Et sted ser han to veltede busser og en trailer som har kjørt utfor veien. Flere døde mennesker bæres bort. Blant dem to små gutter. Han ber en bønn for sjelene deres, og en for seg selv.

Det er ikke bare de hyppige ulykkene og steinras som truer på denne veien. Den er kjent som en av Afghanistans mest lovløse. Her har både utenlandske journalister, hjelpearbeidere og lokale afghanere måttet bøte med livet i møtet med banditter. Rett etter at Taliban falt, ble fire journalister myrdet. De ble først mishandlet for så å bli drept med nakkeskudd. Sjåføren overlevde fordi han framsa den islamske trosbekjennelsen. Like etter ble en buss med afghanere stoppet. Alle som hadde klipt skjegget, fikk skåret av ører og nese. Slik viste bandittene hvilket styre de ønsket i landet.

Sultan ber en bønn ved stedet der journalistene ble drept. Han har for sikkerhets skyld beholdt både skjegget og de tradisjonelle klærne. Bare turbanen er byttet ut med en rund liten *fez*.

Han nærmer seg Kabul. Sonya er sikkert sint, tenker han og smiler. Han hadde lovt henne å komme tilbake etter en uke. Han hadde forsøkt å forklare henne at det ikke var mulig å rekke over både Peshawar og Lahore på en uke. Men hun hadde ikke villet forstå. – Da vil jeg ikke drikke melken min, hadde hun sagt. Sultan ler for seg selv. Han gleder seg til å se henne igjen. Sonya liker ikke melk, men Sultan tvinger i henne et glass hver morgen, fordi hun fremdeles ammer Latifa. Dette melkeglasset har blitt utpressingsmetoden hennes.

Hun savner Sultan forferdelig når han er borte. De andre i familien er ikke så hyggelige mot henne når mannen ikke er der. Da er hun ikke lenger husets herskerinne, bare en ungjente som tilfeldigvis har dumpet inn i hjemmet deres. Det er plutselig andre som har makten, som gjør hva de vil når Sultan er borte. – Landsbyjente, kaller de henne. – Dum som et esel!

Men de tør ikke erte henne for mye, for da klager hun til Sultan, og ham vil ingen bli uvenner med.

Sultan savner også Sonya. Som han aldri savnet Sharifa. Noen ganger tenker han at hun er for ung for ham, at hun er som et barn. At han må passe på henne, lure henne til å drikke melk, overraske henne med små gaver.

Han tenker på forskjellen mellom de to konene. Når han er sammen med Sharifa er det hun som passer på alt, husker avtaler, organiserer, legger til rette. Sharifa tenker alltid på Sultan først, hva han trenger eller har lyst på. Sonya gjør gjerne det hun blir bedt om, men kommer sjelden på noe selv.

Det er én ting han ikke kan forsone seg med, og det er at de har helt ulik døgnrytme. Sultan står alltid opp i femtiden for å be til *fajr*, den eneste bønnetiden han respekterer. Mens Sharifa alltid sto opp sammen med ham, kokte vann, lagde te, fant fram rene klær, er Sonya som et barn det er umulig å vekke.

Noen ganger tenker Sultan at det er han som er for gammel for henne, at han ikke er den rette. Men da sier han alltid til seg selv at hun kunne aldri fått noen bedre enn ham. Hun ville aldri fått den levestandarden hun har nå dersom hun hadde tatt en på sin egen alder. Da måtte det blitt en fattig gutt, for alle guttene i landsbyen hennes var fattige. Vi har da en ti-tjue gode år foran oss ennå, tenker Sultan, mens ansiktet hans legger seg i tilfredse folder. Han føler seg heldig og lykkelig.

Sultan ler for seg selv. Det rykker litt i ham. Han nærmer seg Mikrorayon, og den deilige barnekvinnen.

Vil du ha min tristhet?

Gildet er over. På gulvet ligger det fåreknoker og kyllingbein. Klumper med ris er gnidd inn i duken sammen med mørkerøde flekker av chilisaus og dammer av tynn, hvit yoghurt. Brødbiter og appelsinskall ligger strødd, som om de er kastet utover i måltidets finale.

På putene langs veggen sitter tre menn og en kvinne. I kroken ved døren huker to kvinner seg sammen. De har ikke tatt del i måltidet, men stirrer rett framfor seg under sjalene, uten å ta øyekontakt med noen.

De fire langs veggen nyter teen sakte og ettertenksomt, som etter en utmattelse. Det viktigste er avtalt og avgjort. Wakil skal få Shakila, og Rasul skal få Bulbula. Bare brudeprisen og bryllupsdatoen gjenstår.

Over teen og de glaserte mandlene blir det avtalt at Shakila koster hundre dollar, mens Bulbula er gratis. Wakil har pengene klare, han trekker en seddel opp av lommen og gir den til Sultan. Sultan tar imot pengene for søsteren med en arrogant, nærmest uinteressert mine, det var ikke rare prisen han fikk for henne. Rasul på sin side puster lettet ut, det ville tatt ham år å skrape sammen penger nok til både brudepris og bryllupsfest.

Sultan er mellomfornøyd på søstrenes vegne og mener at de

i sin særhet har gått glipp av mange flotte friere, og tapt mange år. Femten år tidligere kunne de fått unge, rike menn.

– De har vært for kresne.

Men det er ikke Sultan, det er kvinnen i høysetet, hans mor Bibi Gul, som har holdt deres skjebne i sin hule hånd. Nå sitter hun fornøyd med beina i kors på gulvet og vagger fra side til side. Gasslampen sender et fredelig skjær over det rynkete ansiktet. Hendene ligger tunge i fanget og hun smiler salig. Det ser ikke lenger ut som om hun lytter til samtalen. Selv ble hun giftet bort som elleveåring, til en mann som var tjue år eldre. Hun ble gitt bort som en del av en ekteskapsavtale mellom to familier. Foreldrene hadde bedt om en av døtrene i en nabofamilie til broren hennes, men naboene ville bare akseptere dersom de fikk Bibi Gul til den eldste, ugifte sønnen på kjøpet. Han hadde sett henne i bakgården.

Et langt ekteskap, tre kriger, fem kupp og tolv barnefødsler senere, har enken endelig gitt fra seg de to nest siste døtrene sine. Hun har holdt på dem lenge, de er begge over tretti, og dermed lite attraktive på ekteskapsmarkedet. Men så får de også velbrukte menn. Han som denne kvelden går ut av døren som Shakilas forlovede, er en femtiårig enkemann med ti barn. Enkemann er også Bulbulas tilkommende, men han har ingen barn.

Bibi Gul har hatt sine grunner til å holde på døtrene så lenge, selv om mange sier hun har gjort dem urett. Hun beskriver den ene, Bulbula, som lite flink og temmelig ubrukelig. Det sier Bibi Gul gjerne høyt, uten blygsel, også når datteren er til stede. Bulbula har en hånd som er stivnet og er lite førlig, og en fot som halter. – Hun kan aldri holde styr på en stor familie, sier moren.

Bulbula ble plutselig syk da hun var seks år, og da hun frisk-net, fikk hun vanskeligheter med å bevege seg. Broren sier det er polio, legen vet ikke, og Bibi Gul tror det er sorg. Hun vet bare at Bulbula fikk sykdommen av tristhet over at faren kom i fengsel. Han ble arrestert og beskyldt for å ha stjålet fra lageret der han jobbet. Bibi Gul hevder han var uskyldig. Han slapp ut etter noen måneder i fengsel, men Bulbula ble aldri bra igjen.

– Hun tok farens straff, sier moren.

Bulbula ble aldri sendt til skolen, for sykdommen gikk også i hodet på henne slik at hun ikke kunne tenke så godt, mente foreldrene. Bulbula ble hengende rundt moren hele barndom-men. Hun slapp å gjøre noe særlig fordi hun var rammet av den mystiske sykdommen. Men dermed var det som livet slapp henne også. Ingen hadde noe med Bulbula å gjøre, ingen lekte med henne, ingen spurte henne om hjelp.

Det er få som i det hele tatt har noe å snakke med Bulbula om. Den tretti år gamle kvinnen har fått en eiendommelig treghet over seg, som om hun sleper seg gjennom livet, eller ut av det. Hun har store, tomme øyne og sitter stort sett med munnen halvåpen, med underleppen hengende ned, som om hun er på vei til å sovne. I beste fall følger Bulbula med i de andres samtaler, i andres liv, men selv det uten særlig entusias-me. Bibi Gul hadde slått seg til ro med at Bulbula ville subbe rundt i leiligheten og sove på matten ved siden av henne res-ten av livet. Men så skjedde det noe som fikk henne til å for-andre mening.

En dag Bibi Gul skulle besøke søsteren sin i landsbyen, tok hun på seg burkhaen, dro med seg Bulbula og praiet en drosje. Vanligvis gikk hun, men hun var blitt så tung de siste årene at hun hadde fått skader i knærne og orket ikke gå de få kilome-terne til landsbyen. Etter sulten i barndommen, fattigdommen og strevet som ung kone, utviklet Bibi Gul en besettelse for mat – hun klarer ikke stoppe å spise før alle fat er tomme.

Sjåføren som stanset for den fete burkhaen og datteren, var deres fjerne slektning, den saktmodige Rasul, som noen år tidligere hadde mistet kona i barselseng.

– Har du funnet noen ny kone? spurte Bibi Gul i drosjen.

– Nei, svarte han.

– Det var synd. Inshallah – dersom Gud vil, finner du snart en ny, sa Bibi Gul, før hun fortalte siste nytt fra sin egen familie, om sønnene, døtrene og barnebarna.

Rasul tok hintet. Noen uker senere kom søsteren hans for å spørre om Bulbulas hånd. Ham kan Bulbula saktens klare å være hustru for, tenkte Bibi Gul.

Hun samtykket uten å nøle, noe som er helt uvanlig. Å gi fra seg datteren med en gang betyr at hun ikke er «verdt» noe, at man er glad for å bli kvitt henne. Ventingen og nølingen øker jentas verdi, guttens familie skal komme mange ganger, be, overtale og ha med gaver. For Bulbula ble det ikke tatt mange skrittene. Og heller ikke ofret gaver.

Mens Bulbula stirrer tomt ut i luften, som om praten ikke angår henne, sitter søsteren Shakila med konsentrert blikk og lytter. De to er så forskjellige som det går an. Shakila er kvikk og høylytt og er familiens midtpunkt. Hun har god appetitt på livet og har blitt fin og fet, slik afghanske kvinner skal være.

Til Shakila har det de siste femten årene kommet en mengde friere. Fra hun var en smekker tenåring, til hun nå sitter ferm i kroken bak ovnen og lytter stumt til moren og brorens kjøpslåing.

Shakila har hatt strenge krav til dem som fridde. Da friernes mødre kom til Bibi Gul for å be om henne, spurte hun ikke, som vanlig er, om han var rik.

– Tillater dere at hun fortsetter studiene sine? var det første spørsmålet.

– Nei, var alltid svaret, og noe giftermål kom ikke på tale. Shakila ville lese og lære, og ingen av frierne så nytten av en utdannet, obsternasig kone. Mange av dem var selv analfabeter. Shakila fullførte studiene og ble lærer i matematikk og biologi. Når nye mødre kom for å be om den flotte Shakila til sønnene sine, spurte Bibi Gul:

– Tillater dere at hun fortsetter å jobbe?

Nei, det ville de ikke, og Shakila ble gående ugift.

Shakila fikk sin første lærerjobb mens krigen mot Sovjetunionen raste. Hver morgen trippet hun i høye hæler og knekorte skjørt, slik åttittallsmoten tilsa, til landsbyen Deh Khudaidad, utenfor Kabul. Der traff verken kuler eller granater. Det eneste som eksploderte i Shakila, var en forelskelse.

Dessverre var Mahmoud allerede gift, i et arrangert og ulykkelig ekteskap. Han var noen år eldre enn henne, og far til tre små barn. Det hadde vært kjærlighet ved første blikk da de to lærerkollegaene møttes. De skjulte følelsene for andre og gjemte seg bort der ingen så dem, eller ringtes og sa hverandre søte ord i røret. De møttes aldri andre steder enn på skolen. Under ett av de hemmelige møtene la de planer om hvordan de skulle få hverandre. Mahmoud skulle ta Shakila som sin andre hustru.

Men Mahmoud kunne ikke bare gå til Shakilas foreldre og spørre om hennes hånd. Han måtte be moren eller søsteren om å gjøre det for seg.

– Det vil de aldri gjøre, sa han. – Og mine foreldre vil aldri si ja, sukket Shakila.

Mahmoud mente at bare Shakila selv kunne få moren hans til å gå til hennes foreldre og be om henne. Han foreslo at hun skulle spille gal og desperat og true med selvmord dersom hun ikke fikk Mahmoud. Hun skulle kaste seg ned foran foreldrenes føtter og si at hun ble fortært av kjærlighet. Da ville foreldrene akseptere ekteskapet. For å redde livene deres.

Men Shakila hadde ikke mot til å hyle og skrike, og Mahmoud torde ikke å be kvinnene i sin familie om å gå til Shakilas hus. Han kunne selvsagt heller aldri nevne Shakila for sin kone. Shakila prøvde forgjeves å ta det opp med moren. Men hver gang trodde Bibi Gul at hun spøkte. Hun valgte i alle fall å ta det som en spøk når Shakila sa hun ville gifte seg med lærerkollegaen med tre barn.

Mahmoud og Shakila gikk rundt hverandre på landsbyskolen og drømte i fire år, til Mahmoud ble forfremmet og skiftet skole. Han kunne ikke la være å ta imot forfremmelsen, og fra nå av hadde de bare kontakt over telefon. Shakila var dypt ulykkelig og lengtet etter sin elskede, men ingen skulle se det på henne. Det var en skam å være forelsket i en man ikke kunne få.

Så kom borgerkrigen, skolen ble stengt, og Shakila flyktet til Pakistan. Etter fire års krig kom Taliban, og selv om rakettene stilnet og det ble fred i Kabul, ble skolen der hun hadde jobbet aldri gjenåpnet. Jenteskolene forble stengt og Shakila mistet over natten muligheten til å søke annen jobb, som alle kvinner i Kabul. Sammen med henne forsvant to tredjedeler av Kabuls lærere. Flere gutteskoler måtte også stenge fordi de hadde hatt kvinnelige lærere. Det fantes ikke nok mannlige, kvalifiserte lærere til å holde dem åpne.

Årene gikk. Mahmouds små livstegn hadde forsvunnet fullstendig da telefonlinjene ble kuttet under borgerkrigen. Shakila satt hjemme med husets kvinner. Hun kunnne ikke jobbe, hun kunne ikke gå ut alene, hun måtte dekke seg til. Livet hadde mistet sin farge for lenge siden. Da hun fylte tretti, sluttet frierne å komme.

En dag, da hun hadde sittet innestengt i Talibans hjemmefengsel i nesten fem år, kom søsteren til hennes fjerne slektning Wakil til Bibi Gul for å be om hennes hånd.

– Kona døde plutselig. Barna trenger en mor. Han er snill. Han har litt penger. Han har aldri vært soldat, han har aldri gjort noe ulovlig, han er ærlig og frisk, sa søsteren. – Hun ble plutselig gal og døde, hvisket hun videre. – Hun lå i ørske og kjente ikke igjen noen av oss. Grusomt for barna ...

Det hastet å finne en ny kone for tibarnsfaren. Nå tok de eldste seg av de yngste, mens huset grodde ned. Bibi Gul sa hun skulle tenke på det og forhørte seg hos venner og slektninger om mannen. Hun fant ut at han var et hardt arbeidende og ærlig menneske.

Dessuten hastet det også for Shakila dersom hun noen gang skulle få egne barn.

– Det sto skrevet i pannen hennes at hun måtte ut av dette huset, fortalte Bibi Gul til alle som ville høre. Siden Taliban likevel ikke tillot kvinner å jobbe, spurte hun ikke om han ville gi henne tillatelse til det.

Hun ba Wakil om å komme selv. Vanligvis blir ekteskap til gjennom foreldrenes samtykke, men siden mannen nærmet seg femti, ville Bibi Gul se ham selv. Wakil var trailersjåfør og stadig på langturer. Han sendte søsteren igjen, så broren, så igjen søsteren, men fant aldri tid til å komme selv, og forlovelsen drøyde.

Så kom 11. september, og Sultan fraktet igjen søstrene og barna sine til Pakistan, i ly for bombene han skjønte ville falle. Da kom Wakil.

– Vi får snakke om det når det blir normale tider, sa Sultan.

Da Taliban var ute av Kabul to måneder senere, vendte Wakil tilbake. Skolene var ennå ikke åpnet, så Bibi Gul tenkte ikke på å spørre om han ville la Shakila jobbe.

Fra kroken bak ovnen følger Shakila med på hvordan skjebnen hennes blir bestemt og bryllupsdatoen satt. De fire på putene avgjør alt, uten at de to nyforlovede parene ennå har vekslet et blikk.

Wakil titter stjålent bort på Shakila, som hele tiden har sittet med blikket rett ut i luften, bort i veggen, ut i intet.

– Jeg er så glad for at jeg har funnet henne, sier han henvendt til Sultan, men med blikket mot sin nyforlovede.

Det er rett før portforbudet, de to mennene tar farvel og haster ut i mørket. Tilbake sitter to bortgiftede kvinner. De stirrer fremdeles ut i rommet. Heller ikke da mennene hilste farvel, så de på dem. Bulbula reiser seg tungt og sukker, det er ikke helt hennes tur ennå. Det kan ta flere år før Rasul får nok penger til å betale for noe bryllup. Det virker som om det er det samme for henne. Hun legger noen flere vedpinner i ovnen. Ingen plager henne med spørsmål, hun bare er der, som alltid, før hun subber ut av stua, til oppvasken og skyllene som det er hennes oppgave å holde styr på.

Shakila rødmer når alle søstrene kaster seg over henne.

– Om tre uker! Du må skynde deg.

– Jeg blir aldri ferdig, klager hun, selv om stoffet til brudekjolen allerede er valgt ut og bare venter på å bli levert hos skredderen. Men så er det alt utstyret, sengetøy, servise. I og med at Wakil er enkemann, har han det meste, men bruden må uansett bringe med seg noe nytt.

Shakila selv er mellomfornøyd. – Han er lav, jeg liker høye

menn, sier hun til søstrene. – Han er skallet, og han kunne godt vært noen år yngre, sier hun og surmuler litt. – Tenk om han viser seg å være en tyrann, tenk om han ikke er snill, tenk om han ikke vil la meg gå ut, undrer hun. Søstrene blir tause og tenker de samme triste tankene. – Tenk om han ikke lar meg besøke dere, tenk om han slår meg.

Shakila og søstrene ser stadig dystrere på giftermålet, inntil Bibi Gul ber dem tie stille. – Han er en god ektemann for deg, Shakila, slår hun fast.

To dager etter at avtalen er inngått, inviterer Shakilas søster, Mariam, til selskap for de forlovede. Mariam er 29 år og gift for andre gang. Hennes første ektemann ble drept under borgerkrigen. Nå er hun høygravid med sitt femte barn.

Mariam har dekket på en lang duk på gulvet i stua. Ved enden sitter Shakila og Wakil. Endelig er verken Sultan eller Bibi Gul rundt dem. Så lenge de eldre i familien ser dem, skal de fremdeles ikke ha nær kontakt, men nå, med bare yngre søsken rundt seg, snakker de sammen med senkede stemmer og enser knapt de andre, som nysgjerrig prøver å få med seg bruddstykker av samtalene.

Det er ingen spesielt kjærlig samtale. Shakila snakker stort sett rett ut i luften. Etter skikk og bruk skal hun ikke ha øyekontakt med forloveden før bryllupet, han ser imidlertid hele tiden på henne.

– Jeg har savnet deg. Jeg kan nesten ikke vente disse femten dagene før jeg får deg, sier han. Shakila rødmer, men holder blikket stivt ut i rommet.

– Jeg fikk ikke sove i hele natt, jeg lå og tenkte på deg, sier han. Ingen reaksjon fra Shakila. – Hm, hva synes du om det? spør han.

Shakila fortsetter bare å spise.

– Tenk når vi blir gift, og du har laget middag til meg når jeg kommer hjem. Du skal alltid være hjemme og vente på meg, drømmer Wakil. – Jeg skal aldri være alene mer.

Shakila tier, før hun tar mot til seg og spør om hun vil få lov til å fortsette å jobbe etter at de gifter seg. Wakil sier ja, men Shakila stoler ikke på ham. Han kan komme til å forandre mening så fort de er gift. Men han forsikrer henne om at dersom det gjør henne lykkelig å arbeide, må hun gjerne det. I tillegg til å ta seg av barna og huset hans.

Han tar av seg lua, den brune pakolen som tilhengerne av Nordalliansens myrdede leder, Ahmed Shah Massoud, bruker.

– Nå ble du stygg, sier Shakila freidig. – Du har jo ikke hår.

Det er Wakils tur til å bli forlegen. Han svarer ikke på fornærmelsen fra sin tilkommende, men fører samtalen inn på tryggere grunn. Shakila har brukt dagen på markedene i Kabul for å kjøpe inn ting hun trenger til bryllupet og gaver til alle slektningene, både hennes og hans. Det er Wakil som skal dele ut gavene, som en gest til hennes familie som gir henne fra seg. Han betaler, og hun kjøper inn. Kopper, kar, bestikk, lakener, håndklær og stoff til kjortler til ham og Rasul. Hun har lovt Rasul, Bulbulas forlovede, at han skal få velge farge. Hun forteller om kjøpet, og han spør om hvilken farge stoffet har.

– Et blått og et brunt, svarer Shakila.

– Hvilket er til meg? spør han.

– Det vet jeg ikke, for Rasul skal velge først.

– Hva, utbryter Wakil, – hvorfor det? Jeg burde velge først, jeg er mannen din!

– Javel, svarer Shakila. – Du skal få velge først. Men de er fine begge to, sier hun og stirrer rett framfor seg.

Wakil tenner en sigarett. – Jeg liker ikke røyk, sier Shakila.

– Jeg liker ikke folk som røyker. Så hvis du røyker, liker jeg ikke deg heller.

Shakila har hevet stemmen, og alle hører fornærmelsene hennes.

– Det er vanskelig å stoppe når jeg først har begynt, sier Wakil fåret.

– Det lukter vondt, fortsetter Shakila.

– Du skal være høflig, sier Wakil. Shakila tier.

– Og du må gå tilslørt. Det er en kvinnes plikt å bære burkha. Du gjør som du vil, men dersom du ikke går med burkha, blir jeg trist. Og vil du ha min tristhet? spør Wakil, nærmest truende.

– Men dersom Kabul forandrer seg, og kvinner begynner å gå med moderne klær, da vil jeg også gjøre det, sier Shakila.

– Du skal ikke gå i moderne klær. Du vil vel ikke ha min tristhet?

Shakila svarer ikke.

Wakil tar opp noen passbilder fra lommeboken, ser lenge på dem og gir et til Shakila. – Dette er til deg, det skal du bevare ved hjertet ditt, sier han. Shakila fortrekker ikke en mine, og tar motvillig imot bildet.

Wakil må gå. Det er rett før portforbudet inntrer. Han spør henne om hvor mange penger hun trenger til resten av innkjøpene sine. Hun svarer. Han teller opp, vurderer, gir henne noen sedler og legger noen tilbake i lommeboken igjen.

– Er dette nok?

Shakila nikker. De tar farvel. Wakil går, Shakila legger seg på de røde putene. Hun puster lettet ut og napper til seg noen lammestykker. Hun har klart testen, hun *skal* virke kald og avvisende inntil de er gift. Det er høflig overfor familien hennes som mister henne.

– Liker du ham? spør Mariam storesøsteren.

– Tja.

– Er du forelsket?

– Hm.

– Hva betyr «hm»?

– Det betyr «hm», svarer Shakila. – Verken ja eller nei. Han kunne jo vært yngre og penere, sier hun og rynker på nesen. Hun ser ut som et skuffet barn, et barn som ikke har fått snakkedukken hun ønsket seg, men en liten filledukke i stedet.

– Nå er jeg bare trist, sier hun. – Jeg angrer meg. Jeg er trist fordi jeg skal forlate familien min. Tenk om han ikke tillater meg å besøke dere. Tenk om han ikke lar meg begynne å jobbe. Nå som jeg kan. Tenk om han stenger meg inne.

Parafinlampen på gulvet freser. Igjen tenker søstrene mørke tanker. Det er like greit å ta dem på forhånd.

Ingen adgang til himmelen

Da Taliban rullet inn i Kabul i september 1996, ble seksten dekreter kringkastet på Radio Sharia. En ny epoke startet.

1. Forbud mot kvinnelig avkleddhet

Det er forbudt for sjåfører å plukke opp kvinner som ikke bruker burkha. Dersom de gjør det, vil sjåføren blir fengslet. Dersom slike kvinner blir observert på gaten, vil husene deres bli oppsøkt og ektemennene deres straffet. Dersom kvinner har på seg stimulerende eller attraktive klær, og de ikke er fulgt av nære mannlige slektninger, kan ikke sjåfører ta dem med i bilen.

2. Forbud mot musikk

Kassetter og musikk er forbudt i butikker, hoteller, kjøretøy og rickshawer. Dersom musikkassetter blir funnet i en butikk, blir butikkeieren fengslet og butikken stengt. Dersom en kassett blir funnet i et kjøretøy, vil dette bli inndratt og sjåføren fengslet.

3. Forbud mot barbering

Enhver som har barbert eller klippet skjegget, skal fengsles inntil skjegget vokser ut til en knyttneves lengde.

4. Påbud om bønn

Bønn skal holdes til faste tider i alle distrikter. Den nøyaktige bønne-tiden vil bli annonsert av ministeriet for fremming av dyd og motar-beiding av synd. Transport skal være strengt forbudt femten minut-ter før bønnetiden. Det er påbudt å gå i moskeen under bønnetiden. Dersom unge menn blir sett i butikkene, vil de umiddelbart bli fengslet.

5. Forbud mot duehold og fuglekamper

Denne hobbyen må stanses. Duer og fugler brukt til spill og kamp skal drepes.

6. Utrydding av narkotika og av misbrukeren

Narkotikamisbrukere vil bli fengslet, og det vil bli foretatt undersø-kelser for å finne selgeren og butikken. Butikken vil bli stengt og begge kriminelle, eieren og brukeren, vil bli fengslet og straffet.

7. Forbud mot drageflyvning

Drageflyvning har unyttige konsekvenser, som veddemål, dødsfall blant barn og fravær fra undervisningen. Butikker som selger dra-ger, vil bli fjernet.

8. Forbud mot avbilding

I kjøretøy, butikker, hus, hoteller og andre steder, skal bilder og portretter fjernes. Innehaverne må ødelegge alle bilder på de nevnte steder. Kjøretøy med bilder av levende vesener vil bli stanset.

9. Forbud mot gambling

Sentrene skal finnes, og gamblerne skal fengsles i en måned.

10. Forbud mot britiske og amerikanske hårfrisyrer
Menn med langt hår vil bli arrestert og tatt med til ministeriet for fremming av dyd og motarbeiding av synd for å klippes. Den kriminelle må betale barbereren.

11. Forbud mot renter på lån, vekslingsgebyr og gebyr på transaksjoner
Disse tre typer av pengeveksling er forbudt i islam. Dersom reglene blir brutt, vil den kriminelle bli fengslet i lang tid.

12. Forbud mot å vaske klær på elvebreddene i byene
Kvinner som forbryter seg mot denne loven, vil bli plukket opp på respektfull islamsk maner og brakt til sine hus der deres ektemenn vil bli hardt straffet.

13. Forbud mot musikk og dans på bryllupsfester
Dersom dette forbudet blir brutt, vil familiens overhode bli arrestert og straffet.

14. Forbud mot å spille på tromme
Dersom noen spiller på tromme, vil det religiøse eldreråd bestemme straffen.

15. Forbud for skreddere mot å sy dameklær og å ta mål av kvinner
Dersom motemagasiner blir funnet i butikken, vil skredderen bli fengslet.

16. Forbud mot hekseri
Alle bøker om emnet vil bli brent, og magikeren vil bli fengslet til han angrer.

I tillegg til de seksten punktene ble det lest opp en egen opp-fordring myntet på Kabuls kvinner:

Kvinner, dere skal ikke gå utenfor hjemmene deres. Dersom dere gjør det, skal dere ikke være som de kvinnene som pleide å gå med moteriktige klær og brukte mye sminke og viste seg fram for enhver mann inntil islam kom til landet.

Islam er en reddende religion og har bestemt at kvinner skal ha en spesiell verdighet: Kvinner skal ikke gjøre det mulig å tiltrekke seg oppmerksomhet fra dårlige mennesker som ser på dem med et ondt øye. Kvinner er ansvarlige for å oppdra og samle sin familie og for å sørge for mat og klær. Dersom kvinner må gå ut av husene sine, må de dekke seg til etter sharialoven. Dersom kvinner går i moteriktige, ornamenterte, trange og sjarmerende klær for å vise seg fram, vil de bli forbannet av islamsk sharia og kan aldri forvente å komme til himmelen. De vil bli truet, etterforsket og hardt straffet av det religiøse politiet, i likhet med de eldre i familien. Det religiøse politiet har plikt og ansvar for å bekjempe disse sosiale problemene og vil fortsette sin innsats til dette onde er utryddet.

Allahu akbar – Gud er stor.

Bølgende, blafrende, buktende

Hun mister henne hele tiden av syne. Den bølgende burkhaen blir hvilken som helst annen bølgende burkha. Himmelblått overalt. Blikket hennes trekkes mot bakken. I gjørma kan hun skjelne de skitne skoene hennes fra de andre skitne skoene. Hun kan se borden på de hvite buksene og skimte kanten av den purpurrøde kjolen over dem. Med blikket mot bakken går hun rundt i basaren, etter den blafrende burkhaen. En høygravid burkha kommer pesende etter. Hun strever med å holde tritt med de to første burkhaenes energiske gange.

Lederburkhaen har stanset ved lakenstoffene. Hun kjenner på dem og vurderer farger gjennom trådgitteret. Hun forhandler med munnen skjult, mens de mørke øynene så vidt kan skimtes som skygger bak nettingen. Burkhaen pruter med veivende hender og nesen stikkende fram fra foldene som et nebb. Hun bestemmer seg til slutt, famler etter vesken, og rekker fram en hånd med noen blå sedler. Lakenselgeren måler opp hvitt lakenstoff med lyseblå blomster. Tøyet forsvinner ned i vesken under burkhaen.

Duften av safran, hvitløk, tørket pepper og nystekte pakkora trenger inn gjennom det stive stoffet og blander seg med svetten, pusten og lukten av sterk såpe. Nylonstoffet er så tett at man kan lukte sin egen pust.

De vaier videre, mot tekannene i aluminium av billigste russiske merke. Kjenner, forhandler, pruter og slår til igjen. Tekannen får også plass under burkhaen, som flommer over kopper og kar, tepper og koster, og blir større og større. Bak den første kommer de to mindre målbevisste burkhaene, som stopper og lukter, kjenner på plastspenner og gullfargede armbånd, før de igjen skuer etter lederburkhaen. Hun har stanset ved en kjerre med hundrevis av bh-er hulter til bulter. De er hvite, lysegule eller rosa, av tvilsomt snitt. Noen er hengt opp på en stang og vifter ublu som flagg i vinden. Burkhaen fingrer med dem og måler med hånden. Hun tar ut begge hendene fra bølgene, sjekker elastikken, drar i skålene, og på øyemål slår hun til på en kraftig, korsettlignende sak.

De går videre og vaier med hodene i alle retninger for å se seg rundt. Burkhakvinner er som hester med skylapper, de kan bare se én vei. Der øyet smalner, går trådgitteret over i tykt stoff, som ikke tillater blikk til siden. Hele hodet må snus. Enda ett av burkhaoppfinnerens små triks: En mann skal kunne vite hvem eller hva hans kone følger med øynene.

Etter litt hodesnurr finner de igjen lederburkhaen i de trange smugene i det indre av basaren. Hun vurderer blondekanter. Tykke, syntetiske blonder, som sovjetiske gardinkanter. Hun bruker lang tid på gardinblondene, dette kjøpet er så viktig at hun til og med vipper forstykket over hodet for å se bedre og trosser den kommende ektemannens påbud om ikke å bli sett, for det er vanskelig å vurdere blonder bak en nettingglugge. Det er bare selgeren i boden som ser ansiktet, som selv i Kabuls kjølige fjelluft er blitt fullt av svetteperler. Shakila bikker på hodet, smiler skjelmsk og ler, hun pruter, ja hun flørter faktisk. Uten den himmelblå ser man hvordan hun leker. Hun har gjort det hele tiden, og selgerne i basaren kan lett tyde en vaiende, nikkende, blafrende burkha. Hun kan flørte med en lillefinger, med en fot, med en håndbevegelse. Shakila svøper blondene rundt ansiktet, og plutselig er de ikke lenger gardinkanter, men blondene til sløret, det siste som gjensto til bryllupskjolen. Selvsagt skal det hvite sløret ha blondekanter. Handelen avgjøres, selgeren måler opp, Shakila smiler, og blondene forsvinner ned i vesken under burkhaen, som vippes ned igjen og faller på plass mot bakken som den skal. Søstrene åler seg videre innover basaren, der smugene blir trangere og trangere.

Det er et virr av stemmer, i en jevn dur. Det er sjelden noen falbyr varene sine. De fleste selgerne virker mer opptatt av å slarve med naboen, eller sitte henslengt på en melsekk eller en teppehaug og følge med på basarens indre liv, enn å rope ut varebeholdningen sin. Kundene kjøper det de skal ha uansett.

Det er som tiden har stått stille i Kabuls basar. Varene er de samme som da Darius av Persia vandret her fem hundre år før Kristus. På store tepper under åpen himmel eller i trange boder ligger herlighetene og nødvendighetene om hverandre, de snus og klemmes av kresne fingre. Pistasjnøtter, tørkede aprikoser og grønne rosiner ligger i store striesekker. På falleferdige kjerrer ligger små gule krysninger av lime og sitron, som har så tynt skall at de spises som de er. Hos en selger spreller og kakler noen høner i sekker. Hos krydderhandleren ligger chili, paprika, karri og ingefær i store hauger. Krydderselgeren er ofte også medisinmann og tilbyr tørkede urter, røtter, frukter og te, som han med en leges presisjon forklarer hvordan skal kurere alt fra de enkleste til mer mystiske sykdommer.

Fersk koriander, hvitløk, lær og kardemomme, alt blander

seg med kloakklukten fra elven, den stinkende og uttørkede åren som deler basaren i to. På broene over elven tilbys tøfler i tykt fåreskinn, bomull i løs vekt, stoffer i et vell av farger og mønstre, kniver, spader og hakker.

Innimellom finnes det varer Darius' tid ikke kjente. Smuglervarer som sigaretter med eksotiske navn som Pleasure, Wave eller Pine og piratprodusert Cola fra Pakistan. Heller ikke smuglerrutene har forandret seg gjennom århundrene, over Khyberpasset fra Pakistan eller over fjellene fra Iran. Noe på eseler, annet på lastebiler. Langs de samme stiene der heroin, opium og hasj smugles ut. Sedlene det betales med er av året, på en lang rekke står pengeselgerne i kjortler og turban med svære bunker av blå afghanisedler, trettifem tusen for en dollar.

En mann selger støvsugere av merket «National». Sidemannen selger støvsugere av merket «Nautionl» til samme pris. Men både originalen og kopien selger dårlig. Med Kabuls ustabile strømforsyning, tyr de fleste til feiekosten.

Skoene vandrer videre i gjørma. Rundt dem går brune sandaler, skitne sko, svarte sko, slitte, en gang pene sko og rosa plastsko med sløyfer. Noen er til og med hvite, en skofarge Taliban forbød fordi flagget deres var hvitt. Taliban forbød også sko med harde hæler. Lyden av kvinnesko kunne virke distraherende på menn. Men det er nye tider, og dersom man kunne klakke i gjørme, ville man hørt opphissende klikk-klakk gjennom hele basaren. Iblant kan man også se malte tånegler under kanten av en burkha, enda et lite frihetstegn. Taliban forbød neglelakk og innførte importforbud. Noen uheldige kvinner fikk kuttet tuppen av en finger eller en tå, fordi de hadde forbrutt seg mot lovverket. Kvinnefrigjøringen denne første våren etter at Taliban rømte fra Kabul, har stort sett holdt seg på sko- og neglelakknivået, og har ikke nådd særlig lenger enn den gjørmete kanten på kvinnenes burkhaer.

Det er ikke det at ingen prøver. Det er dannet flere kvinneforeninger etter at Taliban flyktet. Noen av dem holdt også på under Taliban med å organisere hemmelige skoler for jenter, å lære kvinner om hygiene eller holde alafabetiseringskurs. Den store heltinnen fra talibantiden er Karzais helseminister, Souhaila Sedique, Afghanistans eneste kvinnelige general. Hun opprettholdt medisinundervisningen for kvinner, og klarte å gjenåpne kvinneavdelingen på sykehuset der hun arbeidet etter at den ble stengt av Taliban. Som en av få kvinner i Kabul under Taliban, nektet hun å bære burkha. Hun fortalte hvordan: Da det religiøse politiet kom med stokkene sine og hevet armene for å slå, hevet jeg min for å slå tilbake. Da senket de stokkene og lot meg gå.

Men selv Sohaila gikk sjelden ut mens Taliban styrte. Hun ble kjørt til sykehuset hver morgen, inntullet i et sort sjal, og kjørt tilbake om kvelden. – Afghanske kvinner har mistet sitt mot, sa hun bittert etter Talibans fall.

En kvinneorganisasjon forsøkte å arrangere et demonstrasjonstog allerede uken etter at Taliban flyktet. I pumps og tøfler samlet de seg ved et hushjørne i Mikrorayon for å gå inn til byen. De fleste hadde slengt burkhaen vågalt bak hodet, men demonstrasjonen ble stoppet av myndighetene, med begrunnelsen at de ikke kunne garantere for kvinnenes sikkerhet. Hver gang de prøvde å samle seg, ble de stanset.

Nå er skolene for jentene gjenåpnet, og unge kvinner strømmer til universitetene, noen har også fått tilbake jobbene sine. Det er startet et ukentlig magasin, av og for kvinner, og Hamid

Karzai lar ikke en anledning gå fra seg til å snakke om kvinners rettigheter.

Flere kvinner gjorde seg gjeldende under lovforsamlingen Loya Jirga i juni 2002. De mest frittalende ble gjort til latter av de turbankledde mennene i salen, men de ga seg ikke. En av dem krevde en kvinnelig forsvarsminster, til stor buing. – Det har Frankrike, understreket hun.

Men for de store massene er lite endret. I familiene, i tradisjonene er alt det samme – mennene bestemmer. Bare et fåtall kvinner i Kabul har tatt av seg burkhaen, og de fleste vet heller ikke at deres formødre, afghanske kvinner i forrige århundre, var ukjente med plagget. Det var under regimet til kong Habibullah, som styrte fra 1901 til 1919, at burkhaen ble innført. Han påla de to hundre kvinnene i sitt harem å bære den, så de ikke skulle friste andre menn med sine vakre ansikter når de var utenfor slottets dører. De heldekkende slørene deres var i silke med forseggjorte broderier, og Habibullahs prinsesser hadde til og med burkhaer brodert med gulltråd. Slik ble det et plagg for overklassen, for å skjerme dem mot folkets blikk. På femtitallet var bruken utbredt over hele landet, men fremdeles først og fremst blant de rike.

Tilsløringen hadde også motstandere. I 1959 sjokkerte statsministeren, prins Daoud, da han opptrådte på nasjonaldagen med sin hustru uten burkha. Han hadde overtalt sin bror til å la sin hustru gjøre det samme, og han ba ministrene om å kaste sine koners burkhaer. Allerede dagen etter kunne man se flere kvinner i Kabuls gater i lange kåper, mørke solbriller og en liten hatt. Kvinner som tidligere hadde tråkket rundt fullstendig tilslørt. Som bruken av burkhaen startet i de høyere lag, var det overklassen som kastet den først. Plagget var nå blitt et statussymbol blant de fattige, og mange hushjelper og tjenestepiker tok over sine arbeidsgiveres silkeburkhaer. Først var det bare de herskende pasjtunerne som dekket kvinnene sine til, nå hadde også de andre etniske gruppene begynt å bruke plagget. Men prins Daoud ville ha burkhaene helt bort fra Afghanistan. I 1961 kom en lov som forbød bruken for offentlige ansatte. De ble anbefalt å kle seg på vestlig vis. Det tok flere år før loven ble fulgt, men på 70-tallet var det i Kabul knapt den lærer eller sekretær i det offentlige som ikke gikk i skjørt og bluser, mens mennene gikk i dress. De avkledde kvinnene risikerte imidlertid å bli skutt i leggen eller få sprutet syre i ansiktet av fundamentalister. Da borgerkrigen kom og Kabul fikk et islamistisk styre, dekket stadig flere kvinner seg til. Med Taliban forsvant alle kvinneansikter fra Kabuls gater.

Lederburkhaens sko forsvinner blant andre sko på en av de smale gangbroene over den uttørkede elven. Litt lenger bak er søstrenes sandaler fanget i massen. De må bare følge flokkens bevegelse. Å lete etter hverandres sko er ikke mulig, enda mindre stanse eller snu seg. Burkhaene er inneklemt blant andre burkhaer og menn med varer på hodet, under armen eller på ryggen. De kan ikke lenger se bakken.

Over på den andre siden går tre burkhaer og leter etter hverandre. En med sorte sko, hvite blondebukser og purpurrød kjolekant, en i brune plastsandaler og sort kjolekant, og den siste, smaleste burkhasilhuetten i rosa plastsko, lilla bukse og kjolekant. De finner hverandre og løfter blikkene til rådslagning. Lederburkhaen tar dem med til en butikk. En ordentlig butikk med butikkvinduer og utstilling i utkanten av basaren. Hun skal ha sengeteppe og har falt pladask for et blankt, vattert, rosa teppe som heter *Paris*. Med sengeteppet følger puter med rysjer, hjerter og blomster. Alt ligger brettet sammen i en hendig koffert i stiv, gjennomsiktig plast. «Product of Pakistan» står det på kofferten, under *Paris* og bilde av Eiffeltårnet.

Dette er teppet burkhaen vil ha på sin framtidige ekteseng. En seng hun ennå verken har prøvd eller sett, og som hun, Gud forby, heller ikke må se før bryllupsnatten. Hun pruter. Ekspeditøren vil ha flere millioner afghani for teppet og putene i kofferten.

– En hårreisende sum!

Hun pruter stasen nedover, men selgeren er steil. Hun er på vei til å gå da han endelig gir seg. Den buktende burkhaen får teppet for under en tredel av den opprinnelige prisen, men idet hun gir ham pengene, ombestemmer hun seg. Hun vil ikke ha det babyrosa, men et signalrødt i stedet. Teppeselgeren pakker det inn og stikker til henne en rød leppestift på kjøpet. Siden hun skal gifte seg.

Hun takker søtt og løfter opp sløret, leppestiften må prøves. Shakila har jo nærmest blitt familiær med teppe- og kosmetikkselgeren. Bortsett fra ham er det bare kvinner i butikken, så også Leila og Mariam blir modige, løfter av burkhaen og tre par bleke lepper blir signalrøde. De speiler seg, og ser med grådige øyne på alt det herlige under glassdisken. Shakila leter etter hudblekende krem. Blekhet er en av afghanernes viktigste standarder på skjønnhet. En brud må være blek.

Teppe- og kosmetikkselgeren anbefaler en krem som heter *Perfact*. «Aloe white block cream» står det på pakken, resten er med kinesiske tegn. Shakila prøver litt, og ser ut som om hun har forsøkt å bleke huden med tykk sinkkrem. Huden blir blekere, for en stund. Under kremen ser man den opprinnelige hudfargen, resultatet blir skjoldet brunhvitt.

Vidunderkremen stappes ned i den velfylte vesken. De tre søstrene ler og lover å komme tilbake hver gang de skal gifte seg.

Shakila er fornøyd og vil hjem for å vise fram innkjøpene. De finner en buss og presser seg inn. Opp det bakre stigbrettet og ned på setene bak forhenget. Bussens bakerste rader er avsatt til burkhaer, babyene og bagene deres. Burkhaene blir trukket i alle retninger, henger seg opp og tråkkes på. De må holde dem litt opp når de setter seg, så de skal kunne se seg rundt uten at stoffet trekker hodet nedover og strammer. De trenger seg ned ytterst på hvert sitt sete med posene i fanget og under beina. Det er ikke mange setene som er avsatt til kvinner, og etter som flere kommer på, er burkhaene igjen stengt inne i trengselen av andre burkhaer og burkhaenes kropper og kroppenes armer og handleposer og sko.

Utslitte dumper de tre søstrene og posene deres ut når bussen stanser ved det utbombede hjemmet deres. De flagrer inn i den kjølige leiligheten, trekker burkhaene over hodet, henger dem opp på hver sin spiker, og puster lettet ut. De får tilbake ansiktene sine. Ansiktene burkhaen har stjålet fra dem.

Et tredjeklasses bryllup

Kvelden før dagen. Rommet er stappfullt. Ikke en flik av gulvet er uten en kvinnekropp, som spiser, danser eller prater. Det er hennanatten. I natt skal bruden og brudgommen smøres inn med henna i håndflater og under føttene. Det gir et oransjefarget mønster i hendene, og visstnok et lykkelig ekteskap.

Men bruden og brudgommen er ikke sammen, mennene har sin fest, kvinnene har sin. Alene utfolder kvinnene seg med en voldsom, nesten skremmende kraft. De slår hverandre på rumpa, napper hverandre i brystene og danser for hverandre, med armer som buktende slanger og hofter som arabiske magedanserinner. Småjentene danser som fødte forførerinner og vrikker over gulvet med utfordrende blikk og hevede øyebryn. Selv de gamle kvinnene prøver seg utpå, men ender stort sett dansen halvveis, før den tar av. De får vist at de fremdeles kan, men ikke gidder å fullføre.

Shakila sitter på rommets eneste møbel, en sofa som er brakt inn for anledningen. Hun følger med på avstand, og får verken lov til å danse eller smile. Glede ville såre moren hun forlater – tristesse ville terge den kommende svigermoren. En brud skal ha et likegyldig uttrykk i ansiktet, hun skal ikke virre med hodet og se seg rundt, men holde blikket stivt framfor seg. Shakila klarer jobben med glans, som om hun hele livet har øvd til denne natten. Hun sitter rank som en dronning, og konverserer rolig med den som måtte sitte i sofaen sammen med henne – en ære som går på rundgang. Bare leppene beveger seg når hun svarer på sofagjestens spørsmål.

Fargene på klesdrakten hennes er rødt, grønt, sort og gull. Det ser ut som om hun er drapert i det afghanske flagget, og deretter blitt drysset over med gullstøv. Brystene står ut som fjelltopper, det er tydelig at bh-en hun kjøpte etter øyemål passer. Livet er snørt stramt under kjolen. Hun har smurt tykke lag med «Perfact» i ansiktet, streket opp øynene med kajal, og tatt på den nye, røde leppestiften. Også i utseende er hun den perfekte brud. Bruder skal se kunstige ut, som dokker. Ordet for brud og dokke er det samme – arus.

Utpå kvelden kommer et opptog med tamburiner, trommer og lykter inn porten. Det er kvinnene fra Wakils hus – hans søstre, svigerinner og døtre. De synger ut i den beksvarte natten, mens de klapper og danser:

Vi skal hente denne piken fra sitt hjem og føre henne til vårt
Brud, ikke bøy hodet og gråt bitre tårer
Dette er Guds ønske, takk heller Gud
Å, Muhammad, Guds sendebud, løs hennes problemer
Gjør vanskelige ting lette!

Wakils kvinner danser en sensuell dans med sjal og tørklær som rammer inn ansiktene og kroppene deres. Rommet er fuktig av damp og dufter av søt svette. Selv om alle vinduer er åpne og gardinene blafrer i natten, kan ikke den kjølige vårvinden svale disse kvinnene.

Først når det bæres inn velfylte fat med *pilau* blir det en pause i dansen. Alle setter seg rett ned på gulvet der de sto eller danset. Bare de eldste får sitte på puter langs veggen. Det er Shakilas lillesøster Leila og de yngste kusinene som bærer maten, kokt i svære gryter ute i bakgården. Fat med ris, svære stykker fårekjøtt, auberginer i yoghurtsaus, nudler fylt med spinat og hvitløk og poteter i paprikasaus settes utover gulvet. Kvinnene samler seg i grupper rundt fatene. Med høyrehånden klemmer de risen sammen og stapper den i munnen. Kjøttet og sausen spiser de med biter de river av fra store brødleiver. Alt skjer med høyrehånden. Venstrehånden, den skitne hånden, skal ligge i ro. Nå hører man ikke annet enn kvinner som spiser. Måltidet nytes i taushet. Den eneste gangen de bryter stillheten, er når de nøder hverandre til å spise mer. Det er god skikk å skyve de beste stykkene over til naboen.

Når alle er mette, kan henna-seremonien starte. Det er blitt langt på natt, ingen danser lenger. Noen har sovnet, andre ligger eller sitter rundt Shakila og ser på at Wakils søster stryker den mosegrønne massen utover Shakilas hender og føtter og synger hennasangen. Når Shakilas hender er innsmurt, skal hun lukke dem. Den kommende svigerinnen binder hver neve sammen med tøyremser slik at mønstret dannes, og ruller dem i myke tøystykker, så hun ikke skal skitne til klær og sengetøy. Hun kler av henne til undertøyet, som er lange hvite bomullsbukser og en lang kjortel, og legger henne på en matte midt på gulvet med en stor pute under hodet. Så mates hun med store kjøttstykker, stekt lever og rå løkbåter, som søsteren har tilbredt spesielt til henne som skal forlate familien.

Bibi Gul sitter og ser på datteren. Hun følger med øynene hver bit søstrene putter i munnen hennes. Så begynner hun å gråte. Alle faller inn i gråten, mens de forsikrer hverandre om at Shakila helt sikkert vil få det bra.

Etter at Shakila har spist, legger hun seg tett inntil Bibi Gul. Hun ligger i fosterstilling, med moren rundt seg. Hun har aldri i sitt liv sovet i noe annet rom enn henne. Dette er siste natten i morens favn. Den neste natten blir ektemannens.

Noen timer senere blir hun vekket, og søstrene løser opp tøystykkene rundt hendene. De skraper vekk hennaen, og det har dannet seg et oransje mønster i håndflatene og under føttene. Shakila vasker av seg dokkefjeset fra kvelden før og spiser som vanlig en kraftig frokost. Stekt kjøtt, brød, en søt pudding og te.

Klokken ni er hun klar for å sminkes, friseres og pyntes. Shakila, lillesøsteren Leila, Sultans andre kone Sonya og en kusine tropper opp i en leilighet i Mikrorayon. Det er skjønnhetssalongen, en salong som også eksisterte under Taliban. Også den gangen ville bruder bli pyntet og sminket, til tross for at det var ulovlig. Her hjalp et av Talibans påbud dem. De kom til leiligheten i burkha og forlot den i burkha, med et nytt ansikt under.

Skjønnhetspleieren har et speil, en stol og en hylle med flasker og tuber som ut fra design og tilstand ser ut som de er flere tiår gamle. På veggene har hun hengt opp plakater med indiske Bollywood-stjerner. De utringede skjønnhetene smiler innsmigrende til Shakila der hun sitter traust og bred i stolen.

Få vil si at Shakila er vakker. Hun har grovporet hud og hovne øyelokk. Ansiktet er bredt med kraftige kjever. Men hun har de vakreste, hviteste tenner, skinnende hår og et skøyeraktig blikk, og har vært den mest ettertraktede av alle Bibi Guls døtre.

– Jeg skjønner ikke hvorfor jeg liker deg så godt, hadde Wakil sagt til henne under middagen hos Mariam. – Du er jo

107

ikke vakker engang. Han hadde sagt det med kjærlighet i stemmen, og Shakila tok det som en kompliment.

Nå er hun bare nervøs for ikke å bli pen nok, og det lekne blikket hennes er borte. Bryllup er dødsens alvor.

Først rulles den mørke hårmanken på små treruller. Deretter blir de buskete brynene, som er så kraftige at de er sammenvokst ved neseroten, nappet. Det er det som er det virkelige tegnet på at hun skal bli en gift kvinne, før kvinner gifter seg har de ikke lov til å nappe brynene. Shakila hyler, skjønnhetsdamen napper. Brynene blir til vakre buer, og Shakila beundrer seg selv i speilet. Det er som om hele blikket har løftet seg litt.

– Hadde du kommet før, skulle jeg bleket hårene på overleppen din også, sier damen. Hun viser henne en mystisk, noe avskallet tube der det står «Cream bleach for unwanted hair».

– Men nå rekker vi det ikke.

Deretter smører hun inn hele Shakilas ansikt med «Perfact». Damen legger på en tung skygge som glitrer i rødt og gull over hele øyelokket. Hun streker opp øynene med en tykk kajalblyant utenfor vippekanten og velger en mørk brunrød leppestift.

– Uansett hva jeg gjør blir jeg aldri så vakker som deg, sier Shakila til Sonya, sin yngre svigerinne, Sultans andre kone. Sonya bare smiler og mumler noe utydelig. Hun står akkurat og trekker på seg en kjole i lyseblå tyll.

Etter at Shakila er sminket, står Sonya for tur til å forskjønnes, mens de andre hjelper Shakila med kjolen. Leila har lånt henne magebeltet sitt, et bredt, elastisk bånd som skal lage midje på Shakila. Formiddagskjolen er i skarp, skinnende mintgrønt, med syntetiske blonder, rysjer og gullkanter. Kjolen skal være grønn, fordi det er islams og lykkens farge.

Etter at kjolen sitter som den skal og føttene er presset ned i skyhøye hvite pumps med gullspenne, tar frisøren ut rullene. Håret har blitt krusete, og festes med en stram spenne midt oppe på hodet, mens panneluggen, ved hjelp av store mengder hårspray, friseres til en bølge og legges over til den ene siden av ansiktet. Så er det på med det mintgrønne sløret. Til ekstra pynt – helt til slutt – festes et titall små klistremerker i det nyfriserte håret – himmelblå stjerner med gullkant rundt. Shakila får også tre stjerner i sølv på hvert kinn. Hun begynner nesten å likne Bollywood-stjernene på veggen.

– Å nei, kledet, kledet! roper lillesøster Leila plutselig. – Å, nei!

– Å nei, utbryter Sonya og ser på Shakila, som ikke fortrekker en mine.

Leila reiser seg fra stolen og løper ut. Hun er heldigvis ikke langt hjemmefra. Tenk at hun holdt på å glemme kledet, det viktigste av alt ...

De andre blir igjen, uanfektet av Leilas panikk. Etter at alle har fått klistremerker i håret og på kinnene, er det på med burkhaene. Shakila prøver å ta den på slik at den ikke ødelegger brudefrisyren. Hun lar være å trekke den stramt over hodet som hun pleier, men lar den hvile løst oppe på toppen av krusehåret. Det innebærer at trådgitteret ikke sitter der det skal – foran øynene, men oppe på hodet. Sonya og kusinen må leie henne som en blind ned trappen. Shakila vil heller falle enn å bli sett uten burkha.

Burkhaen blir ikke tatt av før hun, med litt flatere krusehår, står i Mariams bakgård, der bryllupet holdes. Gjestene kaster seg over henne når hun trer inn. Wakil er ikke kommet ennå. I bakgården syder det av folk som allerede er i full gang med å spise *pilau*, kebab og kjøttboller. Hundrevis av slektninger er invitert. En kokk og sønnen hans har hakket, kuttet, kokt og rørt siden det lysnet. Til bryllupsmiddagen er det kjøpt inn 150 kilo ris, 56 kilo fårekjøtt, 14 kilo kalvekjøtt, 42 kilo poteter, 30 kilo løk, 50 kilo spinat, 35 kilo gulrøtter, 1 kilo hvitløk, 8 kilo rosiner, 2 kilo nøtter, 32 kilo olje, 14 kilo sukker, 2 kilo mel, 20 egg, flere sorter krydder, 2 kilo grønn te, 2 kilo svart te, 14 kilo drops og 3 kilo karameller.

Etter maten forsvinner et par dusin av mennene inn i nabohuset, der Wakil sitter. De siste forhandlingene skal finne sted. Nå er det detaljene om pengene og garantier for framtiden som diskuteres. Wakil må garantere for et beløp dersom han skiller seg fra Shakila uten grunn, og han må love å holde henne med klær, mat og husly. Det er storebror Sultan som forhandler på vegne av Shakila, og kontrakten underskrives av mennene fra begge familier.

Når de er vel forlikte, kommer de ut av nabohuset. Shakila sitter sammen med søstrene i Mariams hus og følger med bak gardinene. Mens mennene forhandlet, byttet hun til den hvite kjolen, med det sovjetiske gardinsløret godt ned over ansiktet. Nå sitter hun og venter på at Wakil skal føres inn til henne, slik at de kan gå sammen ut. Han kommer nesten litt blyg inn, de hilser med blikket i gulvet som de skal, og går ut ved siden av hverandre, skulder mot skulder, uten å se på hverandre. Idet de stopper, skal de begge prøve å sette en fot over den andres. Den som kommer øverst blir sjefen i ekteskapet. Wakil vinner, eller Shakila lar ham vinne, slik hun skal. Det tar seg ikke ut å tilrane seg makt hun ikke har rett på.

Det er satt fram to stoler til dem ute i bakgården. Det er viktig at de setter seg på likt. Dersom brudgommen setter seg først, vil bruden dominere ham i alle avgjørelser. Ingen av dem vil sette seg, og til slutt går Sultan opp bak dem, og presser dem rolig ned på stolene, akkurat samtidig. Alle applauderer.

Shakilas eldste søster, Feroza, legger et teppe halvveis over brudeparet og holder et speil foran dem. De skal begge se inn i det. Dette øyeblikket skal etter tradisjonen være første gang øynene deres møtes. Wakil og Shakila stirrer stivt inn i speilet, som de skal, som om de aldri har sett hverandre. Feroza holder Koranen over hodene deres, mens en mulla leser velsignelser. Med bøyde nakker sitter de og tar imot Guds ord.

Så får de et fat foran seg med en pudding laget av kakesmuler, sukker og olje, krydret med kardemomme. De mater hverandre med skje, mens alle klapper. De skal også helle i hverandre drikke, for å vise at de unner ektemaken et godt liv.

Men ikke alle blir rørt over slurpingen i fanta.

– En gang i tiden skålte man i champagne under denne seremonien, hvisker en tante, som husker de mer liberale tidene, da man gjerne serverte både vin og champagne i bryllup. – Men de tidene kommer vel aldri tilbake, sukker hun. Tidene med nylonstrømper, vestlige kjoler, bare armer – og ikke minst – tidene uten burkha, er bleke minner.

– Et tredjeklasses bryllup, hvisker Sultans eldste sønn, Mansur, tilbake. – Dårlig mat, kjipe klær, kjøttboller og ris, kjortler og sjal. Når jeg gifter meg, skal jeg leie ballsalen på hotell Intercontinental, og da må alle ha på moderne klær, og vi skal servere den beste maten. Importert mat, understreker han. – Forresten skal jeg gifte meg i utlandet, legger han til.

Shakila og Wakils fest foregår i Mariams leirhus, og i bakgården der ingenting vokser. Brudebildene som blir tatt, får en ramme av krig. Veggen bak dem er pepret av kulehull og sår fra granatsplinter. Med stive blikk poserer de for fotografene. Mangelen på smil, og kulehullene bak, gir bildet et tragisk skjær.

De har kommet til kaken. De holder kniven sammen og skjærer med konsentrerte miner. De mater hverandre med nesten lukkede munner, som om de kvier seg for å åpne dem helt, og søler smuler over hverandre.

Etter kaken er det musikk og dans. For mange av gjestene er dette det første bryllupet de feirer etter at Taliban forlot Kabul. Det vil si det første bryllupet der det spilles musikk og danses. Taliban tok fra folk halve gleden over bryllupsfestene da musikken ble borte. Nå kaster alle seg ut i dansen, bortsett fra brudeparet, som blir sittende på stolene og se på. Det er sen ettermiddag, på grunn av portforbudet er bryllupsfestene flyttet fra kveldstid til dagtid. Alle må være hjemme klokken ti.

Når skumringen legger seg, forsvinner brudeparet fra festen, akkompagnert av tuting og hyl. I en bil pyntet med blomster og bånd, skal de kjøre til Wakils hjem. De som får plass i en bil, blir med i kortesjen. I bilen til Wakil og Shakila presser åtte mennesker seg sammen, i andre enda flere. De tar en runde gjennom Kabuls gater. Fordi det er *eid* er gatene tomme, og bilene kjører i hundre i rundkjøringene, i kamp om å lede kortesjen. To biler krasjer i hverandre og legger en liten demper på feststemningen, men ingen blir alvorlig skadet. Bilene, med knuste lykter og bulket panser, kjører hjem til Wakils hus. Denne turen er den symbolske overgivelsen, der Shakila reiser fra sin familie – for å bli tatt opp i ektemannens.

De nærmeste slektningene får bli med til Wakils hus, der søstrene hans venter med te. Det er disse kvinnene Shakila skal dele bakgård med. Her skal de møtes ved vannposten, her skal de vaske klær og mate kyllinger. Snørrete unger ser nysgjerrig på henne, kvinnen som skal bli deres nye mor. De gjemmer seg i skjørtene på tantene og ser andektig opp på den gullskimrende bruden. Musikken er langt borte, jubelropene er stilnet. Shakila trer verdig inn i sitt nye hjem. Det er ganske stort og høyt under taket. Som alle husene i landsbyen er det bygd i leire, med tunge bjelker i taket. Vinduene er dekket av plast. Heller ikke Wakil tør tro at det ikke kommer flere bomber og raketter, og venter med å skifte ut plasten.

Alle tar av seg på beina og går rolig gjennom huset. Shakilas føtter er røde og oppsvulmet etter en dag i de trange, hvite, høyhælte. Gjestene som er igjen, den nærmeste familien, går inn på soverommet. En enorm dobbeltseng tar opp nesten hele rommet. Shakila ser stolt ned på det skinnende, glatte, røde sengeteppet med putene hun kjøpte, og de nye røde gardinene som hun har sydd selv. Søsteren Mariam kom dagen før og gjorde i stand rommet, hengte opp gardinene, la på sengeteppet, satte fram bryllupsdekorasjoner. Selv har Shakila aldri vært i huset som hun nå skal styre resten av livet.

I løpet av hele bryllupet har ingen sett brudeparet veksle et smil. Nå, i sitt nye hjem, kan ikke Shakila la være. – Så fint du har gjort det, sier hun til Mariam. For første gang i sitt liv får hun eget soverom. For første gang i sitt liv skal hun sove i en seng. Hun setter seg ved siden av Wakil på det bløte teppet.

Den siste seremonielle handlingen gjenstår. En av Wakils søstre rekker Shakila en stor spiker og en hammer. Hun vet hva hun skal gjøre og går rolig bort til soveromsdøren. Over den banker hun inn spikeren. Når den er helt inne, klapper alle. Bibi Gul snufser. Spikeren symboliserer at hun spikrer sin skjebne til huset.

Neste dag, før frokost, kommer Wakils tante hjem til Bibi Gul, Shakilas mor. Med seg i vesken har hun kledet Leila nesten glemte – det viktigste av alt. Den gamle kvinnen tar det andektig opp, og gir det til Shakilas mor. Det er fullt av blod. Bibi Gul takker og smiler, mens tårene renner. Hun ber raskt

113

en liten takkebønn. Alle husets kvinner stormer til for å titte, og Bibi Gul viser det fram til alle som vil se. Selv smådøtrene til Mariam får se det blodige tøystykket.

Uten blod ville det vært Shakila, og ikke kledet, som var blitt sendt hjem til familien.

Matriarken

Et bryllup er som en liten død. I brudens familie sørges det som i en begravelse de første dagene etter bryllupet. En datter er tapt, solgt eller gitt bort. Særlig sørger mødrene, de har hatt fullstendig oversikt over døtrene, hvor de har gått, hvem de har møtt, hva de har hatt på seg, hva de har spist. De har tilbrakt det meste av døgnet sammen, stått opp sammen, feid huset sammen, lagd mat sammen. Etter bryllupet forsvinner datteren, hun går fra den ene familien til den andre. Fullstendig. Hun kan ikke dra hjem på besøk når hun vil, bare når mannen gir henne tillatelse. Hennes familie kan heller ikke gå til datterens nye hjem uten invitasjon.

I en leilighet i blokk 37 i Mikrorayon sitter en mor og sørger over sin datter, som nå er en times gange unna. Men om Shakila er i landsbyen Deh Khudaidad rett utenfor Kabul, eller om hun er i et fremmed land tusenvis av mil over havet, er det samme. Så lenge hun ikke er på madrassen ved siden av henne og drikker te og spiser sukkermandler, er det like trist.

Bibi Gul knekker en mandel til, hun har gjemt dem under madrassen så ikke Leila skal finne dem. Yngstedatteren Leila er den som passer på at moren ikke spiser seg i hjel. Som en sykepleier på en slankeklinikk nekter hun henne både sukker og fett, og river maten ut av hånden hennes, dersom hun sniker seg til å forsyne seg med noe hun ikke har lov til. Når hun har tid, koker hun mat spesielt til moren, uten fett. Men Bibi Gul heller gjerne fettet fra de andres tallerkener over sin egen mat når Leila ikke ser det. Hun elsker smaken av matolje, varmt fårefett og frityrstekte pakora, og å suge ut margen på beina ved måltidets slutt. Mat er hennes trygge tilholdssted. Når hun ikke føler seg mett etter kveldsmaten, står hun gjerne opp om natten for å slikke boller og skrape gryter. Til tross for Leilas anstrengelser går Bibi Gul aldri ned i vekt, tvert imot øker hun i omfang hvert år. Dessuten har hun sine små lagringsplasser overalt, i gamle kister, under noen tepper, bak en kasse. Eller i vesken sin. Der har hun fløtekarameller. Misfargede, melete, kornete fløtekarameller fra Pakistan. Av billigste sort, emne i smaken, noen til og med harske. Men det er fløtekarameller, det er et bilde av kuer på pakken, og ingen kan høre at hun suger på dem.

Mandlene, derimot, må hun knekke i stillhet. Bibi Gul sitter og synes synd på seg selv. Hun er alene i rommet. Hun sitter på matten og rugger, mens hun gjemmer mandlene i den ene hånden. Hun ser tomt ut i luften. Det smeller i noen gryter på kjøkkenet. Snart er alle døtrene ute av huset. Shakila er borte, Bulbula er på vei ut. Når Leila forsvinner, vet hun ikke hva hun skal gjøre. Det blir ingen til å ta seg av henne.

– Ingen får Leila før min død, sier hun om nittenåringen sin. Mange har spurt om henne, men Bibi Gul har alltid svart nei. For ingen vil ta seg av henne som Leila gjør.

Selv gjør ikke Bibi Gul et slag lenger. Hun sitter i kroken sin og drikker te og tenker. Hennes arbeidsliv er over. Når en kvinne har fått voksne døtre, er hun blitt en slags hjemmets leder som gir råd, arrangerer ekteskap og passer på familiens moral, det vil først og fremst si døtrenes moral. Hun passer på at de ikke går ut alene, at de dekker seg ordentlig til, at de ikke møter menn utenom familien, at de er lydige og høflige. Høflighet er, ifølge Bibi Gul, den største dyd. Etter Sultan er det hun som har mest makt i familien.

Igjen går tankene til Shakila, som nå befinner seg bak høye leirmurer. Fremmede murer. Hun ser henne for seg trekke tunge vannbøtter opp fra brønnen i bakgården, med kyllinger og ti morløse barn rundt føttene. Bibi Gul frykter hun har gjort feil. Tenk om han ikke er snill. Leiligheten er dessuten så tom uten Shakila ...

Den lille leiligheten er bare så vidt litt tommere uten datteren. I stedet for tolv bor det nå elleve mennesker i de fire rommene. I det ene rommet sover Sultan, Sonya og deres ettårige datter. I det andre sover Sultans bror Yunus og eldstesønnen Mansur. I det tredje resten: Bibi Gul, hennes to ugifte døtre Bulbula og Leila, Sultans to yngste sønner Eqbal og Aimal, og fetteren deres, barnebarnet hennes, Fazil, Mariams sønn.

Det fjerde rommet er lagringsrom for bøker og postkort, ris og brød, vinterklær om sommeren og sommerklær om vinteren. I store kasser ligger familiens klær, for ingen av rommene har skap. Hver dag blir det brukt mengder av tid på å lete. Stående eller sittende over kassene vurderer kvinnene i familien plagg, sko, en skjev veske, et ødelagt skrin, en sløyfe, en saks eller en duk. Tingen blir enten funnet verdig til å brukes eller bare studert og lagt ned igjen. Bare en sjelden gang blir noe kastet, så det blir stadig flere kasser. Hver dag foregår det en liten ommøblering på lagringsrommet, alt må flyttes på dersom noen leter etter noe underst.

I tillegg til de svære kassene med familiens klær og skrot, har alle i familien hver sin kiste med lås. Kvinnene går med

117

nøkkelen festet i kjolen. Kisten er det eneste private de har, og hver dag kan man se dem sitte bøyd over kistene på gulvet, ta opp et smykke, titte på det, kanskje ta det på seg, legge det tilbake igjen, smøre seg med en krem de glemte de hadde eller lukte på en parfyme noen en gang ga dem. Kanskje se på et bilde av en fetter og drømme seg bort, eller som Bibi Gul, ta fram noen fløtekarameller eller en unnagjemt kjeks.

Sultan har et bokskap med lås. Skapet har glassdører så man kan se permene. I skapet står diktsamlinger av Hafez og Rumi, århundregamle reiseskildringer og frynsete atlas. Stukket inn på hemmelige steder blant sidene gjemmer han også pengene sine. Det finnes ikke noe banksystem å stole på i Afghanistan. I dette bokskapet har Sultan de kjæreste verkene sine, bøker med dedikasjoner, bøker han tenker han en gang skal få tid til å lese. Men Sultan er stort sett i bokhandelen hele dagen. Han drar hjemmefra før åtte og kommer hjem åtte om kvelden. Da er det bare tid igjen til å leke litt med Latifa, spise middag og ta noen bestemmelser dersom det har skjedd noe i familien mens han var borte. Det har det stort sett ikke, for de hjemmeværende kvinnenes liv er stille, og intrigene dem imellom ligger under Sultans verdighet å løse.

I nedre del av skapet har Sonya sine ting. Noen pene sjal, smykker, litt penger, lekene Latifa har fått, men som barnemoren fra enklere kår synes er for fine til å leke med. Barbiedukkekopien Latifa fikk til ettårsdagen er stilt ut på toppen av bokskapet, fremdeles inni den skrukkete plasten.

Bokskapet er eneste møbel i leiligheten, familien har verken TV eller radio. Det eneste som kler de nakne rommene er tynne madrasser langs veggene med store, harde puter. Madrassene blir brukt til å sove på om natten og til å sitte på om dagen. Putene er hodeputer om natten og ryggstøtter om dagen. Til måltidene blir det lagt ut en voksduk på gulvet. Rundt den sitter alle med beina i kors og spiser med fingrene. Etter måltidet vaskes duken og rulles sammen igjen.

Rommene har kalde murgulv, dekket av store tepper. Veggene er sprukne. Dørene er skjeve, mange kan ikke lukkes og står åpne. Mellom noen av rommene henger det bare et laken. Hullene i vinduene er tettet med gamle håndklær.

På kjøkkenet er det en oppvaskbenk, en gassprimus og en kokeplate på gulvet. I vinduskarmene ligger grønnsaker, og rester fra dagen før. Hyllene har forheng for å beskytte serviset mot all smuss og os fra primusen. Men uansett hvor mye de prøver å holde det rent, ligger det alltid et fettlag med et dryss av Kabuls evinnelige sandstøv over alle benker, hyller og karmer.

Baderommet og toalettet er et lite rom i kjøkkenet, atskilt av en vegg med en åpen luke. Rommet er ikke stort annet enn et hull i sementgulvet og en kran. I det ene hjørnet står en vedovn der man kan koke opp vann til vasking. Det er også en stor vanntank som fylles opp når det er vann i rørene. Over tanken henger en liten hylle der det står en sjampoflaske, en såpe som alltid er svart, noen tannbørster og en kinesisk tannkremtube fylt av en kornete masse med ubestemmelig, kjemisk smak.

– En gang var dette en fin leilighet, minnes Sultan. – Vi hadde vann, strøm, bilder på veggene, alt.

Men leiligheten ble plyndret og utbrent under borgerkrigen. Da familien kom tilbake, var leiligheten totalt rasert, og de måtte bøte på den så godt de kunne. Den eldste delen av Mikrorayon, der familien Khan bor, lå på frontlinjen mellom mujahedinhelten Massouds styrker og den forhatte Gulbuddin Hekmatyars menn. Massoud holdt store deler av Kabul, mens

Hekmatyar sto på en høyde utenfor byen. De skjøt på hverandre med raketter. Mange av dem landet i Mikrorayon. På en annen høyde sto usbekeren Abdul Rashid Dostum, på en tredje fundamentalisten Abdul Rasul Sayyaf. Rakettene deres landet i andre bydeler. Frontene beveget seg fra gate til gate. Krigsherrene kjempet i fire år før Taliban til slutt rullet inn i Kabul, og krigsherrene flyktet for prestelærlingene.

Seks år etter at kampene tok slutt er Mikrorayon fremdeles et krigslandskap. Bygningene er fulle av kule- og granathull. Mange har plast i vindusrammen i stedet for glass. Leilighetene har sprekker i taket, og de øverste etasjene er gapende hull etter rakettene som en gang eksploderte og brente dem ut. Noen av de hardeste kampene under borgerkrigen fant sted i Mikrorayon, og de fleste innbyggerne flyktet. På Maranjanhøyden ovenfor Mikrorayon, der Hekmatyars styrker sto, har ingen ryddet opp etter borgerkrigen. Rakettramper, utbombede kjøretøyer og tanks ligger strødd, bare en femten minutters spasertur fra Khan-familiens hjem. Dette var en gang et yndet sted for pikniker. Her er gravpalasset til Nadir Shah, Zahir Shahs far, som ble drept i et attentat i 1933. Nå er det bare ruiner igjen av gravkammeret, kuppelen er full av hull, søylene er brukket. Hans dronnings mer beskjedne palass ligger rett ved og er enda verre tilredt. Det rager som et skjelett på et utspring over byen, gravsteinen er bare biter. Noen har prøvd å legge bitene sammen, slik at man kan gjette seg til hvilket koransitat som har stått der.

Hele åssiden er minelagt, men blant brukte raketthylstre og metallskrot kan man se noe som vitner om fredstider. Innenfor en rad av runde steiner vokser oransje ringblomster, det eneste på Maranjan-høyden som har overlevd både borgerkrigen, tørken og Taliban.

Fra høyden, på god avstand, ser Mikrorayon ut som et hvilket som helst tilfeldig sted i det tidligere Sovjetunionen. Bygningene er da også en gave fra russerne. På 50- og 60-tallet ble det sendt sovjetiske ingeniører til Afghanistan for å bygge de såkalte Khrustsjov-blokkene, som Sovjetunionen ble fylt av, og som ble bygd nøyaktig like i Kabul som i Kaliningrad og Kiev. Femetasjes blokker delt i små leiligheter med to, tre eller fire rom.

Når man nærmer seg, ser man at det raggete inntrykket ikke kommer av vanlig sovjetisk forfall, men av kuler og krig. Selv sementbenkene foran inngangsdørene er knust, og ligger som veltede vrak ved de hullete jordveiene som en gang var asfaltert.

I Russland sitter babusjkaer på disse benkene, gamle kvinner med stokker, barter og skaut, og følger med på alt og alle som rører seg omkring blokkene. I Mikrorayon er det bare gamle menn som sitter utenfor husene og prater mens de lar bønnekjedene gli mellom fingrene. De sitter under de få trærne som fremdeles står igjen og gir en glissen skygge. Kvinnene haster forbi, med handleposene under burkhaene. Det er et sjeldent syn å se en kvinne stanse og slå av en prat med naboen. I Mikrorayon går kvinnene på besøk til hverandre dersom de vil prate, og passer nøye på at ingen menn utenfor deres egen familie ser dem.

Selv om husene er bygd i sovjetisk likhetsånd, er det ingen likestilling, verken utenfor eller innenfor husveggene. Om tanken bak blokkene var å skape klasseløse leiligheter i et klasseløst samfunn, ble Mikrorayon sett på som boliger for middelklassen. Da blokkene ble bygd, ga det status å flytte fra leirhusene i landsbyene rundt Kabul og til leiligheter med innlagt vann. Hit flyttet ingeniører og lærere, småbutikkeiere og trailersjåfører. Men ordet middelklasse betyr ikke stort i et land der de fleste har mistet alt, og der det meste har gått bakover. Det en gang så misunnelsesverdige innlagte vannet har de siste ti årene vært en vits. I første etasje er det kaldt vann i rørene noen timer hver morgen. Så er det tørt. I andre etasje kommer det vann iblant, men til de øverste etasjene kommer det aldri, trykket er for svakt. Det er gravd brønner utenfor husene, og hver dag går det en strøm av barn opp og ned trappene med vannbøtter, flasker og kjeler.

Elektrisitet var også disse blokkenes stolthet. Nå er de stort sett mørklagt. På grunn av tørken er strøm kraftig rasjonert. Annethvert døgn har leilighetene strøm i fire timer, mellom seks og ti om kvelden. Når én bydel har strøm, er en annen mørklagt. Andre ganger har ingen strøm. Da er det bare å finne fram oljelampene, og sitte i halvmørket mens den sure osen svir og får tårene til å renne.

I en av de eldste blokkene, ved den uttørkede Kabul-elven, bor familien Khan. Her sitter Bibi Gul og ser mørkt på livet, langt fra landsbyen hun vokste opp i, innestengt i en sprukken stein-ørken. Bibi Gul har ikke vært lykkelig siden mannen døde. Ifølge etterkommerne var han hardt arbeidende, dypt religiøs, streng, men rettferdig.

Etter at faren døde, var det Sultan som tok over tronen. Hans ord er nå lov. Den som ikke adlyder blir straffet, først med kjeft, så med slag. Ikke bare troner han over de andre i husholdet, han prøver også å bestemme over de søsknene som har flyttet for seg selv. Hans to år yngre bror kysser hånden hans når de møtes, og nåde ham om han våger å motsi Sultan, eller enda verre, tenne en røyk foran ham. Den eldre skal respekteres på alle vis.

Dersom det er noen verken kjeft eller slag biter på, kommer en annen straff, avvisning. Den ene lillebroren, Farid, snakker Sultan verken om eller med. Ikke siden Farid nektet å arbeide for Sultan i bokhandelen hans, og startet sin egen bokhandel og bokbinderi, har Sultan snakket med ham. Det får heller ingen andre i familien lov til. Farids navn skal ikke nevnes. Han er ikke lenger Sultans bror.

Farid bor også i en av de utbombede leilighetene i Mikrorayon, noen minutters gange unna. Når Sultan er i bokhandelen, besøker Bibi Gul gjerne Farid og familien hans, uten at Sultan får vite det. Det samme gjør søsknene hans. Til tross for forbudet tok Shakila imot brorens invitasjon før bryllupet sitt, og tilbrakte en hel kveld hos ham, mens hun sa til Sultan at hun var hos en tante. Før en jente gifter seg, skal nemlig alle slektninger invitere henne til en avskjedsmiddag. Til familiefeiringer blir Sultan invitert og ikke broren. Ingen av fetterne og kusinene og onklene og tantene vil bli uvenner med Sultan, det er både ubehagelig og ulønnsomt. Men det er Farid de er glad i.

Ingen husker lenger hva som egentlig skjedde mellom Sultan og Farid. Bare at Farid forlot storebroren i sinne, mens Sultan ropte etter ham at båndene dem imellom var skåret over for alltid. Bibi Gul ber dem begge om å forsones, men de to brødrene bare trekker på skuldrene. Sultan fordi det alltid er opp til den yngste å be om unnskyldning. Farid fordi han synes feilen ligger på Sultans side.

Bibi Gul har født tretten barn. Da hun var fjorten, fikk hun sin første datter, Feroza. Endelig fikk livet hennes mening. Hun hadde grått seg gjennom de første årene som barnebrud. Nå ble livet bedre. Som eldste datter var det aldri snakk om skolegang for Feroza. Familien var fattig, og Feroza bar vann, feide og passet småsøsknene sine. Som femtenåring ble hun giftet bort til en mann på førti år. Han var rik, og Bibi Gul tenkte at rikdom ville gi lykke. Feroza var en pen jente, og de fikk hele tjue tusen afghani for henne. Men mannen drakk og gamblet og rotet bort både livet sitt og pengene sine. Årene gikk uten at Feroza fikk barn, en stor skam. Som om hele livets mening smuldret opp. Til slutt tok hun til seg en sønn og en datter. Det er nå sønnen som forsørger henne, den adopterte søsteren, sin egen kone og datter og den alkoliserte mannen. Også Ferozas lille familie bor i Mikrorayon et steinkast unna Bibi Gul.

De to neste barna døde som småbarn. En fjerdedel av barna i Afghanistan dør før de fyller fem år. Landet har verdens høyeste barnedødelighet. Barn dør av meslinger, kusma, forkjølelse, men først og fremst av diaré. Mange foreldre tror at de ikke skal gi barna noe når de har diaré, det kommer jo bare ut likevel. De tror de kan tørke ut sykdommen. En misforståelse som har kostet tusenvis av barneliv. Bibi Gul husker ikke lenger hva de to døde av. – De bare døde, sier Bibi Gul.

Så kom Sultan, elskede Sultan, aktede Sultan. Da Bibi Gul endelig fikk en sønn som vokste opp, ble hennes posisjon i svigerfamilien mye bedre. En bruds verdi ligger i jomfruhinnen, en kones verdi i det antall sønner hun føder.

Som eldste sønn fikk han alltid det beste, selv om familien fremdeles var fattig. Pengene de fikk for Feroza, kom godt med til Sultans skolegang. Fra han var liten, fikk han en lederrolle i familien, og var den faren betrodde ansvarsfulle oppgaver. Allerede som sjuåring var han i full jobb ved siden av skolen.

Et par år etter Sultan kom Farid. En villbasse som alltid rotet seg bort i slagsmål og kom hjem med opprevne klær og blodig nese. Han drakk og røykte, selvsagt uten at foreldrene så det, men var snillheten selv når han ikke var sint. Bibi Gul fant en kone til ham, nå er han gift, har fått to døtre og en sønn. Men er altså bannlyst fra leiligheten i blokk 37 i Mikrorayon. Bibi Gul sukker. Hjertet hennes sprenges nesten av uvennskapet mellom de to eldste sønnene. – At de ikke kan ta til fornuft.

Etter Farid kom Shakila. Muntre, tøffe, sterke Shakila. Bibi Gul feller en tåre. Hun ser igjen for seg datteren, slepende på de tunge vannbøttene.

Så kom Nesar Ahmad. Når Bibi Gul tenker på ham, strømmer tårene enda mer. Nesar Ahmad var rolig, vennlig og flink på skolen. Han gikk på gymnaset i Kabul og ville bli ingeniør som Sultan. Men en dag kom han ikke tilbake. Klassekameratene fortalte at militærpolitiet hadde tatt med seg de kraftigste guttene i klassene for å tvangsinnrullere dem i hæren. Dette var under den sovjetiske okkupasjonen, og de afghanske regjeringsstyrkene fungerte som Sovjetunionens bakkestyrker. De ble satt inn i de fremste rekkene mot mujahedin. Mujahedin hadde bedre soldater, de kjente terrenget og forskanset seg i fjellene. Der ventet de på at russerne og deres medsammensvorne afghanere skulle rulle inn i fjellpassene. I et slikt fjellpass forsvant Nesar Ahmad. Bibi Gul tror at han fremdeles er i live. Kanskje han ble tatt til fange. Kanskje han har mistet hukommelsen, kanskje han lever og har det bra et eller annet sted. Hun ber hver dag til Allah om at han må komme tilbake igjen.

Etter Nesar Ahmad kom Bulbula som ble syk av sorg da faren ble fengslet, og som stort sett sitter hjemme hele dagen og ser ut i luften.

Mer fart var det i Mariam, som ble født noen år senere. Hun var flink, ivrig og en kløpper på skolen. Hun vokste seg vakker og fikk raskt en masse beilere. Som attenåring ble hun giftet bort til en gutt fra samme landsby. Han hadde en butikk, og Bibi Gul mente han var et godt parti. Mariam flyttet hjem til hans familie, der også broren og moren hans bodde. Det ble mye å gjøre fordi moren hans hadde ødelagt hendene. De ble brent bort i en bakerovn. Noen fingre er helt borte, andre er smeltet sammen. Hun har to halve tomler, så hun kan spise selv og gjøre enkelt arbeid, passe småbarn og bære ting dersom hun holder dem inntil kroppen.

Mariam var lykkelig i sitt nye hjem. Inntil borgerkrigen kom. Da en av Mariams kusiner skulle gifte seg i Jalalabad, tok familien sjansen på å reise dit til tross for de usikre veiene. Mannen hennes, Karimullah, skulle være tilbake i Kabul for å passe butikken. Men en morgen da han skulle åpne den, havnet han i kryssild. En kule smalt rett i hjertet hans og han døde på stedet.

Mariam gråt i tre år. Endelig besluttet Bibi Gul og Karimullahs mor at hun skulle giftes bort til den avdøde mannens bror, Hazim. Hun fikk en ny familie å ta seg av, og tok seg sammen for mannen og de to barna. Nå er hun gravid med sitt femte barn. Den eldste sønnen fra ekteskapet med Karimullah, Fazil på ti år, er allerede i arbeid. Han bærer kasser og selger bøker i en av Sultans bokhandler, og bor hos ham, for å avlaste Mariam.

Så kom Yunus, Bibi Guls yndlingssønn. Han er den som degger med henne, kjøper små ting til henne, spør om hun trenger noe og ender gjerne opp med hodet i fanget hennes om kvelden etter middag, når familien sitter eller ligger på madrassene i leiligheten og døser. Yunus er den eneste moren vet nøyaktig fødselsdato til, for han ble født den dagen da Zahir Shah ble fratatt makten i et kupp, 17. juli 1973.

De andre barna har verken fødselsdag eller fødselsår. I Sultans dokumenter varierer fødselsåret hans fra 1947 til 1955. Når Sultan regner sammen barneår, skoleår, studieår, den ene krigen, den andre krigen og den tredje krigen, kommer han til at han er noen og femti. På den samme måten regner alle ut alderen sin. Og fordi ingen helt vet, kan man ha den alderen man vil. På den måten kan Shakila si hun er tretti, mens hun godt kan være fem-seks år eldre.

Etter Yunus kom Basir. Han bor i Canada etter at moren arrangerte et ekteskap for ham med en slektning der. Hun har ikke sett eller pratet med ham etter at han giftet seg og flyttet for to år siden. Bibi Gul feller enda en tåre. Det verste hun vet er å være langt fra barna sine. De er det eneste hun har i livet, bortsett fra de glaserte mandlene på kistebunnen.

Så ble Tajmir født. Han er grunnen til at Bibi Gul begynte å spise og spise og spise. Noen dager etter fødselen måtte hun gi ham fra seg til en barnløs slektning. Melken piplet, og Bibi Gul gråt. Hun vet at han har det bra, men sørger fremdeles over tapet av sønnen. Når hun møter ham, må hun late som om han ikke er sønnen hennes, det lovte hun den nye moren hans.

Den yngste datteren er Leila. Flinke, flittige Leila som gjør det meste av husarbeidet i familien. Som attpåklatten på nitten år er hun nederst av alle. Yngst, ugift, jente.

Da Bibi Gul var på hennes alder hadde hun allerede født fire barn, to som døde og to som levde opp. Men det tenker hun ikke på nå. Nå tenker hun på at teen har blitt kald og at hun også er blitt kald. Hun gjemmer mandlene under madrassen, og vil at noen skal hente ullsjalet hennes.

– Leila!!! roper hun. Leila reiser seg fra grytene.

Fristelser

Hun kommer inn med sollyset. En bølgende ynde trer inn i det mørke rommet. Mansur våkner fra dormingen og skjerper det søvnige blikket når han ser skapningen som smyger seg langs hyllene.

– Kan jeg hjelpe deg?

Han vet med en gang at han står overfor en vakker, ung kvinne. Han ser det på holdningen, på føttene, på hendene, på hvordan hun bærer vesken. Hun har lange, bleke fingre.

– Har dere *Kjemi for viderekomne*?

Mansur setter opp sitt mest profesjonelle bokhandlerblikk. Han vet han ikke har boken, men han ber henne bli med innerst i lokalet for å lete. Han står helt nær henne og leter gjennom hyllene, mens parfymen hennes kiler ham i nesen. Han strekker og bøyer seg, later som han leter. Innimellom snur han seg mot henne og gransker skyggene av øynene. Han har aldri hørt om boken.

– Dessverre er vi utsolgt, men jeg har noen eksemplarer hjemme. Kan du komme tilbake i morgen, så skal jeg ta den med til deg?

Han venter på vidunderet hele neste dag, uten kjemiboken, men med en plan. Mens han venter, spinner han stadig nye fantasier. Inntil det skumrer og han stenger. Frustrert slenger han igjen metallgitrene som beskytter de sprukne vindusglassene om natten.

Neste dag er han i dårlig humør og sitter og sturer bak disken. Det er halvmørkt i rommet, de har ikke elektrisitet. Der solstrålene kommer inn, dirrer støvet, og får rommet til å virke enda mer trøstesløst. Når det kommer kunder og spør etter bøker, svarer Mansur tverr at den har han ikke, selv om boken skulle stå i hyllen rett over ham. Han forbanner at han er lenket til farens bokhandel, at han ikke engang har fredagene fri, at faren ikke lar ham studere, ikke lar ham kjøpe en sykkel, ikke lar ham se venner. Han hater de støvete verkene i hyllene. Egentlig hater han bøker, har alltid gjort det, og har ikke lest ferdig en bok etter at han ble tatt ut av skolen.

Han blir vekket fra sitt dystre humør av lette fottrinn og raslingen av tungt stoff. Hun står som sist, midt i en solstråle som får bokstøvet til å danse rundt henne. Mansur passer seg for ikke å sprette opp i glede og setter på nytt opp bokhandlerblikket.

– Jeg ventet på deg i går, sier han, profesjonelt velvillig.
– Jeg har boken hjemme, men jeg visste ikke hvilken utgave, innbinding eller prisklasse du ville ha den i. Denne boken har kommet i så mange opplag og jeg kunne ikke ta med alle. Så om du vil bli med og velge ut den du vil ha?

Burkhaen ser forundret på ham. Hun fingrer litt usikkert med vesken.

– Hjem til deg?

De står stille et øyeblikk. Taushet er den beste overtalelse, tenker Mansur, men han dirrer av nervøsitet. Det er en vågal invitasjon han har kommet med.

– Du trenger jo boken, ikke sant? sier han til slutt.

Under over alle undre, hun blir med. Jenta setter seg i baksetet, men slik at hun kan se ham i speilet. Mansur prøver å holde det han tror er blikket hennes mens de snakker.

– Fin bil, sier hun. – Er den din?

– Ja, men den er ikke noe særlig, svarer Mansur nonchalant. Da virker bilen bare enda finere, og han enda rikere.

Han kjører på måfå rundt i Kabuls gater med en burkha i baksetet. Han har jo ingen bok, og hjemme er dessuten bestemoren og alle tantene hans. Han blir nervøs og opphisset av å sitte med den ukjente så nært. I et øyeblikks mot ber han om å få se ansiktet hennes. Hun sitter noen sekunder helt stiv, før hun løfter opp forstykket på burkhaen og holder blikket hans i speilet. Det var det han visste, hun er meget vakker, med nydelige, store, mørke, sminkede øyne, noen år eldre enn ham. Ved hjelp av usedvanlige krumspring, en insisterende sjarm og overtalelsesevne, klarer han å få henne til å glemme kjemiboken og inviterer henne på restaurant. Han stanser bilen, hun sniker seg ut og opp trappen til restaurant Marco Polo, der Mansur bestiller hele menyen, grillet kylling på spyd, kebab, mantu – afghanske nudler fylt med kjøtt, pilau – ris med svære stykker fårekjøtt, og pistasjpudding til dessert.

Under lunsjen prøver han å få henne til å le, til å føle seg utvalgt, til å spise mer. Hun sitter med burkhaen over hodet, med ryggen til de andre bordene, i et hjørne av restauranten. Gaffelen og kniven lar hun ligge, som de fleste afghanere spiser hun med fingrene. Hun forteller om livet sitt, familien sin, studiene, men Mansur følger ikke med, han er for oppspilt. Hans første date. Hans helt ulovlige date. Han tipser kelnerne grovt når de går, studinen gjør store øyne. Han ser på kjolen hennes at hun ikke er rik, men heller ikke fattig. Mansur må skynde seg tilbake til butikken, burkhaen hopper inn i en taxi, noe som under Taliban kunne ført til piskeslag og fengsel både for henne og sjåføren. Møtet på restauranten ville vært en umulighet, en mann og en kvinne som ikke var i familie kunne ikke gått på gaten sammen, og langt mindre kunne hun tatt av seg burkhaen offentlig. Ting har forandret seg. Heldigvis for Mansur. Han lover å bringe henne boken dagen etter.

Hele neste dag tenker han på hva han skal si når hun kommer tilbake. Han må forandre taktikk fra bokhandler til forfører. Mansurs eneste erfaring med kjærlighetens språk er fra indiske og pakistanske filmer, der det ene dramatiske utsagnet tar det andre. Filmen starter med et møte, er innom hat, svik og skuffelse, og ender til slutt med rosenrøde ord om evig kjærlighet – en god skole for en ung forfører. Bak disken, ved en stabel av bøker og papirer, drømmer Mansur om hvordan samtalen med studinen skal gå:

«Jeg har tenkt på deg hvert sekund siden du forlot meg i går. Jeg visste det var noe spesielt med deg, at du er bestemt for meg. Du er min skjebne!» Det vil hun sikkert like å høre, og så må han stirre henne inn i øynene, kanskje til og med gripe om håndleddet hennes. «Jeg må være alene med deg. Jeg vil se hele deg, jeg vil drukne i øynene dine,» skal han si. Eller han kan vise seg mer beskjeden: «Jeg ber ikke om mye, om du bare kunne komme innom her når du ikke har annet å gjøre, jeg forstår deg dersom du ikke vil, men i alle fall en gang i uken?»

Kanskje han burde komme med løfter: «Når jeg blir atten, kan vi gifte oss.»

Han må være Mansur med den dyre bilen, Mansur med den fine butikken, Mansur med tipsen, Mansur med vestlige klær. Han må friste henne med det livet hun vil få med ham: «Du skal få et stort hus med hage og masse tjenere, og vi skal reise på ferier til utlandet.» Og han må få henne til å føle seg utvalgt og vise hvor mye hun betyr for ham: «Jeg elsker bare deg. Jeg lider hvert sekund jeg ikke ser deg.»

Dersom hun fremdeles ikke går med på det han ber henne om, må han bli mer dramatisk: «Dersom du forlater meg, drep meg først! Ellers vil jeg brenne hele verden!»

Men studinen kommer ikke tilbake dagen etter restaurant-besøket. Heller ikke neste dag eller neste. Mansur fortsetter å øve på setningene sine, men blir stadig mer motløs. Likte hun ham ikke? Fant foreldrene ut hva hun hadde gjort? Har hun fått husarrest? Var det noen som hadde sett dem og sladret? En nabo, en slektning? Hadde han sagt noe dumt?

En eldre mann med stokk og en stor turban avbryter tanke-spinnet hans. Han hilser brummende og spør etter et religiøst verk. Irritert finner Mansur fram boken og slenger den på dis-ken. Han er ikke Mansur forføreren. Bare Mansur, bokhand-lersønnen med de rosenrøde drømmene.

Hver dag venter han på at hun skal komme tilbake. Hver dag låser han gitteret foran døren uten at hun var vært der. Ti-mene i butikken blir stadig verre å holde ut.

I gaten der Sultans bokhandel ligger er det flere andre bok-handlere og butikker som selger skrivesaker, binder bøker eller kopierer dokumenter for folk. I en av sjappene jobber Rahi-mullah. Han er ofte innom Mansurs butikk for å drikke te og prate. Denne dagen er det Mansur som stikker over til ham for å klage sin nød. Rahimullah bare ler.

– Du må ikke prøve deg på en student. De er for dydige. Prøv deg heller på en som trenger penger. Tiggerne er enklest. Mange av dem er ikke så verst. Eller gå dit FN deler ut mel og olje. Der står det mange unge enker.

Mansur måper. Han kjenner til hjørnet der det er utdeling

av matvarer til de mest trengende, først og fremst til krigsenker med små barn. De får en rasjon i måneden, og mange blir stående på hjørnet for å selge en del av rasjonen for å skaffe seg litt penger.

– Gå dit og finn en som ser ung ut. Kjøp en flaske olje og be henne komme hit. «Dersom du kommer til meg i butikken, skal jeg hjelpe deg i framtiden,» pleier jeg å si. Når de kommer, tilbyr jeg dem litt penger og tar dem med inn på bakrommet. De kommer i burkha, de går i burkha – ingen får mistanke. Jeg får det jeg trenger, og de får penger til barna.

Mansur ser vantro på Rahimullah, som åpner døren til bakrommet for å vise ham hvordan ting foregår. Rommet er noen knappe kvadratmeter stort. Utover gulvet ligger flere pappkartonger. De er skitne og nedtråkkede. Mørke flekker har trukket inn i pappen.

– Jeg tar av sløret, kjolen, sandalene, buksene, undertøyet. Når de først er der inne, er det for sent å angre. Å hyle er umulig, dersom noen kommer til unnsetning, vil skylden være på hennes side uansett. Skandalen ville ødelegge livet hennes. Med enkene går det greit. Men dersom det er unge jenter, jomfruer, gjør jeg det mellom lårene deres. Jeg bare ber dem presse beina sammen. Ellers så gjør jeg det bak, ja du vet, bak, sier kjøpmannen.

Mansur ser sjokkert på selgeren. Er det så enkelt?

Når han stanser ved den blå massen av burkhaer samme ettermiddag, er det ikke så lett likevel. Han kjøper en flaske olje. Men hendene som gir ham den er ru og slitte. Han ser seg rundt og ser bare fattigdom, han kaster flasken inn i baksetet og kjører vekk.

Han har gitt opp å pugge filmfraser. Men en dag tenker han at han kanskje får bruk for dem likevel. En ung jente kommer innom butikken og spør om en engelsk ordbok. Mansur setter opp sin mest elskverdige mine. Han får vite at hun har begynt på et engelskkurs for nybegynnere. Den galante bokhandlersønnen tilbyr å hjelpe henne.

– Det er så få innom her, så jeg kan jo høre deg i leksene, sånn innimellom.

Hjelpen starter i sofaen i butikken og fortsetter bak en hylle, med ekteskapsløfter og evig troskap. En gang løfter han burkhaen hennes og kysser henne. Hun river seg løs, og kommer aldri igjen.

En gang plukker han en jente opp fra gaten, en analfabet som aldri har sett en bok. Hun står og ventet på bussholdeplassen utenfor butikken, han sier han vil vise henne noe. Hun er vakker, vakker og myk. Innimellom kommer hun innom butikken, han lover også henne en rosenrød framtid. Iblant får han lov til å ta på henne under burkhaen. Men det får ham bare til å brenne enda mer.

Han føler seg skitten. – Jeg er skitten i hjertet, betror han lillebroren Eqbal. Han vet at han ikke skal tenke på disse jentene.

– Jeg lurer på hvorfor de er så kjedelige, sier Rahimullah en gang Mansur stikker innom for et glass te.

– Hvordan kjedelige? spør Mansur

– Damene her er ikke som i filmene. De er helt stive, de bare ligger der, utdyper den eldre Rahimullah.

Han har fått tak i noen pornofilmer og forteller Mansur i detalj fra filmene – hva damene gjør og hvordan de ser ut. – Kanskje afghanske kvinner er annerledes? Jeg prøver å forklare dem hva de skal gjøre, men de får det ikke til, sukker han. Mansur sukker med.

En liten jente kommer inn i butikken. Kanskje er hun tolv, kanskje er hun fjorten. Hun strekker fram en skitten hånd og ser bedende på dem. Over hodet og skuldrene bærer hun et skittent hvitt sjal med røde blomster. Hun er for liten til å bære burkha. Først etter puberteten er det vanlig.

Det er ofte tiggere innom butikkene. Mansur pleier å sende dem rett på dør. Men Rahimullah blir stående og se på det barnslige, hjerteformede ansiktet og tar opp ti sedler fra lommen. Tiggerjenta ser storøyd på pengene og griper dem grådig. Men rett før hun får tak i dem, smetter Rahimullahs hånd unna. Han gjør en stor sirkel med hånden i luften og holder blikket hennes.

– Ingenting er gratis i livet, sier han.

Jentas hånd fryser til. Rahimullah gir henne to sedler.

– Gå til en hammam, vask deg og kom tilbake etterpå, så skal du få resten.

Hun putter raskt pengene i kjolelommen, og gjemmer ansiktet halvt bak det skitne, rødblomstrede sjalet. Hun ser på ham med ett øye. Det ene kinnet har kopparr fra gamle sår. Sandfluene har satt merker i pannen hennes. Hun snur seg og går, den tynne kroppen forsvinner i Kabuls gater.

Noen timer senere kommer hun tilbake, nyvasket. Mansur er igjen på besøk.

– La gå, sier Rahimullah til seg selv, til tross for at hun har på de samme skitne klærne.

– Bli med meg på bakrommet, så skal du få resten av pengene, smiler han til henne. – Pass butikken imens, sier han til Mansur.

Barnet og Rahimullah blir borte lenge. Når kjøpmannen har gjort seg ferdig, kler han på seg og ber henne bli liggende på papplatene.

135

– Hun er din, sier han til Mansur.

Mansur blir stående og stirre på ham. Han kaster et blikk på døren til bakrommet, før han styrter ut av butikken.

Kallet fra Ali

Han føler seg kvalm i dagevis. Utilgivelig, tenker han. Utilgivelig. Han forsøker å vaske seg, men det hjelper ikke. Han forsøker å be, men det hjelper ikke. Han leter i Koranen, han går i moskeen, men han føler seg skitten, skitten. De skitne tankene han har hatt den siste tiden gjør ham til en dårlig muslim. Gud vil straffe meg. Alt en gjør, kommer tilbake til en, tenker han. Et barn. Jeg har syndet mot et barn. Jeg lot ham forgripe seg. Jeg gjorde ingenting.

Kvalmen går over i livstretthet etter som han får tiggerjenta på avstand. Han er lei av livet sitt, rutinene, maset, og er sur og tverr mot alle. Han er sint på faren som lenker ham til butikken, mens livet foregår andre steder.

Jeg er sytten år, tenker han. Og livet er ferdig før det har begynt.

Han sitter og sturer bak den støvete disken, med albuene på bordplaten og pannen i hendene. Han løfter hodet og ser seg rundt. På bøkene om islam, om profeten Muhammad, berømte korantolkninger. Han ser på bøkene med afghanske eventyr, biografiene om afghanske konger og herskere, storverk om krigene mot britene, praktbøker om afghanske edelstener, lærebøker i afghansk broderi, og tynne lefser fra fotokopierte bøker

137

om afghanske skikker og tradisjoner. Han skuler på dem, og slår neven i bordet.

Hvorfor er jeg født afghansk? Jeg hater å være afghansk. Alle disse forstokkede skikkene og tradisjonene dreper meg sakte. Respektere ditt og respektere datt, jeg har ingen frihet, kan ikke bestemme noe selv. Sultan er bare interessert i å telle pengene fra boksalget, tenker han. – Han kan kjøre bøkene opp i ræva, sier han halvhøyt. Han håper ingen hørte ham. Etter Allah og profetene er «far» den som står høyest innenfor afghanske samfunnsrammer. Å opponere mot ham er umulig, selv for en stabeis som Mansur. Han tråkker på og krangler med alle andre, tantene, søstrene, moren, brødrene, men aldri, aldri faren. Jeg er en slave, tenker han. Jeg jobber livet av meg for kost og losji og rene klær. Mest av alt vil Mansur studere. Han savner vennene og livet han hadde da han bodde i Pakistan. Her har han ikke tid til å ha venner, og den ene vennen han hadde, Rahimullah, vil han ikke se mer.

Det er rett før afghansk nyttår – *nauroz*. Det forberedes store fester over hele landet. De siste fem årene har Taliban forbudt feiringen. De så på den som en hedensk fest, en soltilbedelse, fordi den har røtter fra zoroastisk religion – «ildtilbederne» – som oppsto i Persia i det sjette århundre før vår tidsregning. Dermed forbød Taliban også den tradisjonelle pilegrimsturen ved nyttår til Alis grav i Mazar-i-Sharif. I århundrer hadde pilegrimer valfartet til Alis grav, for å rense seg for synder, be om nåde, bli helbredet, og for å hilse det nye året, som etter afghansk kalender begynner 21. mars – ved vårjevndøgn – når natt og dag er like lange.

Ali var profet Muhammads fetter og svigersønn, og den fjerde kalif. Det er om ham striden mellom shiamuslimer og sunnimuslimer står. For shiamuslimene er han den andre i arverekken etter Muhammad, for sunnimuslimer den fjerde. Men også for sunnimuslimer, som Mansur og de fleste afghanere, er han en av islams store helter. En modig kriger, med sverd i hånd, sier historien. Ali ble myrdet i Mekka i år 658, og ble ifølge de fleste historikere gravlagt i Kufa i Irak. Men afghanerne hevder at han ble gravd opp igjen av tilhengerne sine, som fryktet at fiendene ville hevne seg på kalifens kropp og lemleste den. De festet liket av Ali til ryggen på en hvit hunnkamel og lot den løpe så langt den orket. Der den segnet om, skulle han begraves. Det var ifølge legenden, stedet som skulle bli Mazar-i-Sharif, som betyr «Den opphøydes grav». I fem hundre år var det ikke annet enn en liten stein over graven, men på 1100-tallet ble det bygd et lite gravkammer etter at en lokal mulla hadde fått besøk av Ali i en drøm. Så kom Djengis Khan og ødela gravkammeret, og graven lå igjen umarkert i flere hundre år. Først på slutten av det 15. århundre ble det bygd et nytt mausoleum over det som afghanerne mener er levningene av Ali. Det er dette gravkammeret og moskeen som senere ble bygd ved graven, som er målet for pilegrimene.

Mansur er fast bestemt på å gjøre pilegrimsreisen, for å rense seg. Han har tenkt på det lenge. Det gjelder bare å få tillatelse fra Sultan, for reisen vil innebære at han blir borte fra butikken i flere dager. Er det noe Sultan hater, er det at Mansur er borte.

Han har til og med skaffet reisefølge, en iransk journalist som ofte kjøper bøker hos ham. De kom en dag i snakk om nyttårsfeiringen, og iraneren sa han hadde plass i bilen. Jeg er reddet, tenkte Mansur da. Ali kaller på meg. Han vil tilgi meg.

Men så får han ikke lov. Faren vil ikke unnvære ham i butikken den lille uken turen tar. Han sier Mansur må katalogisere, passe på snekkeren som lager nye hyller, selge bøker. Han stoler ikke på noen andre. Selv ikke sin kommende svoger Rasul har Sultan tiltro til. Han skulle bare visst hvor mye Rasul har stått alene i butikken. Mansur koker. Fordi han grudde seg til å spørre faren, utsatte han det til siste kvelden før avreisen. Det kommer ikke på tale. Mansur maser. Faren nekter.

– Du er min sønn og du skal gjøre som jeg vil, sier Sultan.

– Jeg trenger deg i forretningen.

– Bøker, bøker, penger, penger, du tenker bare på penger, roper Mansur. – Her skal jeg selge bøker om Afghanistan, uten å kjenne landet, jeg har jo knapt vært utenfor Kabul, sier han tverr.

Neste morgen drar iraneren. Mansur er i opprør, hvordan kunne faren nekte ham dette? Han kjører faren til butikken uten å si et ord og svarer med enstavelsesord når han blir spurt om noe. Det oppsamlede hatet mot faren bobler i ham. Mansur hadde bare gått ti klasser da Sultan tok ham ut av skolen og inn i bokhandelen. Han fikk ikke fullføre gymnaset. Alt han spør om, får han nei til. Det eneste faren har gitt ham er en bil for å kjøre ham rundt – og ansvaret for en bokhandel der han råtner mellom hyllene.

– Som du vil, sier han plutselig. – Jeg skal gjøre alt du ber meg om, men tro bare ikke at jeg gjør det med glede. Du lar meg aldri gjøre det jeg vil. Du knuser meg.

– Du kan dra neste år, sier Sultan.

– Nei, jeg skal aldri dra, og jeg skal aldri be deg om noe.

Det sies at bare den Ali kaller på, får reise til Mazar. Hvorfor vil ikke Ali at han skal komme? Var hans handlinger for utilgivelige? Eller er det faren som ikke hører at Ali kaller på ham?

Sultan fryser av Mansurs fiendtlighet. Han ser bort på den forknytte, storvokste tenåringen og blir nesten redd.

Etter å ha kjørt faren til hans butikk og de to brødrene til deres, åpner Mansur sin egen og setter seg bak det støvete skrivebordet. Han sitter i sin tenke-mørke-tanker-stilling med albuene på bordet og føler at livet fanger ham inn og at det stadig fylles opp av nytt bokstøv.

Et nytt lass bøker har kommet. For syns skyld må han vite hva de dreier seg om, han ser uvillig i dem. Det er en samling dikt av mystikeren Rumi, en av farens yndlingspoeter og den mest kjente av de afghanske sufistene, islams mystikere. Rumi ble født på 1200-tallet i Balkh, ved Mazar-i-Sharif. Enda et tegn, tenker Mansur. Han bestemmer seg for å lete etter noe som kan gi ham rett og faren feil. Diktene handler om å rense seg og å komme nærmere Gud – som er det fullkomne. De handler om å glemme seg selv, sitt ego. Rumi sier: «Egoet er et slør mellom mennesket og Gud.» Mansur leser om hvordan han kan vende seg til Gud, og hvordan livet skal dreie seg rundt Gud, ikke rundt en selv. Mansur føler seg igjen skitten. Jo mer han leser, jo mer oppsatt blir han på å rense seg. Han blir værende ved et av de enkleste diktene:

Vannet sa til den skitne: Kom hit.
Den skitne svarte: Jeg er for skamfull.
Vannet svarte: Hvordan vil du vaske vekk din synd uten meg?

Både vannet, Gud og Rumi ser ut til å svikte Mansur. Iraneren er vel langt oppe i de snødekte Hindu Kush-fjellene, tenker han. Han er sint hele dagen. Når det skumrer, er tiden inne for å låse butikken, hente faren og brødrene og ta dem med hjem, til nok et evinnelig risfat, til nok en kveld med den teite familien sin.

Idet han setter gitteret for døren og fester det med en tung

141

hengelås, kommer plutselig Akbar, den iranske journalisten, gående. Mansur tror han ser syner.

– Har du ikke reist? spør han forbauset.

– Vi dro, men Salangtunnelen var stengt i dag, så vi prøver i morgen, sier han. – Jeg møtte faren din borte i gaten her, han ba meg ta deg med. Vi drar fra meg klokken fem i morgen tidlig, straks portforbudet er hevet.

– Sa han virkelig det? Mansur står målløs. – Det må være kallet fra Ali, tenk at han ropte så sterkt på meg, mumler han.

Mansur overnatter hos Akbar for å være sikker på å våkne, og som en garanti for at faren ikke skal ombestemme seg. Neste morgen, før det blir lyst, legger de i vei. Mansur har ingen annen bagasje enn en plastpose full av cola- og fantabokser og kjeks med banan- og kiwifyll. Akbar har med seg en venn, og stemningen i bilen er høy. De spiller indisk filmmusikk og synger av full hals. Mansur har med seg sin lille skatt, en vestlig kassett: «Pop from the 80's». «Is this love? Baby, don't hurt me, don't hurt me, no more!» ljomer det ut i det kjølige morgengryet. Før de har kjørt en halvtime, har Mansur spist opp den første kjekspakken og drukket to colaer. Han føler seg fri! Han får lyst til å hyle, og stikker hodet ut av vinduet: – Ouhhhooo! Aliiii! Ali! Her kommer jeg!

De reiser gjennom områder han aldri har sett. Rett nord for Kabul, ligger Shomali-sletta, et av de mest krigsherjede områdene i Afghanistan. Her dundret bombene fra amerikanernes B52-fly i bakken for bare noen måneder siden. – Så vakkert! roper Mansur. Og på avstand er sletta vakker, med de mektige, snødekte Hindu Kush-fjellene i horisonten. Hindu Kush betyr hindudreperen. I denne fjellkjeden er tusenvis av indiske soldater frosset i hjel under krigstokt mot Kabul.

Når man kommer inn på sletta, trer krigslandskapet fram. I

motsetning til de indiske soldatene ble ikke B52 stoppet av Hindu Kush. Mange av Talibans utbombede leire er ennå ikke ryddet bort. Hyttene deres er enten blitt store kratere, eller de er strødd utover etter å ha blitt sprengt i luften da bombene traff bakken. En forvridd jernseng der en talibaner kan ha blitt skutt i søvne, ligner et skjelett i veikanten. En gjennomhullet madrass ligger like ved.

Det meste er likevel plyndret fra disse leirene. Allerede i timene etter at Taliban flyktet, var lokalbefolkningen på plass, og hentet soldatenes vaskevannsfat, gasslamper, tepper og madrasser. Fattigdommen gjorde likplyndringen til en selvfølge. Ingen gråt over de døde i veikanten eller i sanden. Tvert imot ble flere av dem skjendet av lokalbefolkningen. Øynene ble stukket ut, hud ble trukket av, kroppsdeler ble kuttet av eller hugd i biter. Det var hevnen for at Taliban hadde terrorisert befolkningen på Shomali-sletta i årevis.

Sletta var frontlinjen mellom Taliban og Massouds menn fra Nordalliansen i fem år, og herredømmet vekslet seks-sju ganger. Fordi fronten stadig flyttet seg, måtte lokalbefolkningen flykte, enten opp mot Panjshirdalen, eller sørover mot Kabul. Det var stort sett tadsjiker som bodde her, og de som ikke rakk å flykte kunne bli ofre for Talibans etniske rensning. Før Taliban trakk seg tilbake, forgiftet de brønner og sprengte livsviktige vannledninger og damsystemer på den tørre sletta som før borgerkrigen hadde vært en del av Kabuls jordbruksbelte.

Mansur ser stumt på de redselsfulle landsbyene han kjører forbi. De fleste er bare ruiner og står opp som skjeletter i landskapet. Mange av landsbyene ble systematisk brent av Taliban da de forsøkte å vinne siste rest av landet, tiendedelen som sto igjen: Panjshirdalen, Hindu Kush-fjellene, og ørkenområdene mot Tadsjikistan på andre siden. Kanskje hadde de klart det, hadde det ikke vært for 11. september, da verden begynte å bry seg om Afghanistan.

Overalt ligger rester av forvridde tanks, utbombede, militære kjøretøyer og metallbiter som Mansur bare kan gjette hva har vært. En enslig mann går rundt med en håndplog. Midt i åkerlappen hans ligger en svær tanks. Mannen går møysommelig rundt vraket som er for tungt til å flyttes.

Bilen kjører raskt på den hullete veien. Mansur prøver å finne morens landsby, der han ikke har vært siden han var fem-seks år. Fingeren peker på stadig på nye ruiner. – Der! Der! Men ingenting skiller den ene landsbyen fra den andre. Stedet der han besøkte morens slektninger som liten gutt, kunne vært hvilken som helst av ruinhaugene. Han husker hvordan han løp på stier og åkrer. Nå er sletta et av verdens mest minelagte områder. Bare på veiene er det trygt. Langs veikanten går barn med vedfavner og kvinner med vannbøtter. De prøver å unngå grøftene der minene kan ligge. Pilegrimsbilen kjører forbi lag av mineryddere, som systematisk sprenger eller ufarliggjør eksplosivene. Noen meter renses hver dag.

Over dødsfellene er grøftene fulle av ville, mørkerosa, kortstilkede tulipaner. Men det er blomster som må beundres på avstand. Ved å plukke dem kan man sprenge et bein eller en arm.

Akbar morer seg med en turistbok fra den afghanske turistforeningen, utgitt i 1967.

«Langs veikanten står det barn og selger kjeder av rosa tulipaner,» leser han. «Om våren slåss kirsebær-, aprikos-, mandel- og pæretrær om den reisendes oppmerksomhet. Et blomstrende skue følger den reisende hele veien fra Kabul.» De ler. Denne våren kan de bare se et og annet rebelsk kirsebærtre som har overlevd både bomber, raketter, tre års tørke og forgiftede brønner. Men det spørs om noen finner en minefri sti fram til bærene. «Den lokale keramikken er blant den nydeligste i Afghanistan. Stans gjerne og se inn i verkstedene langs veikanten, der håndverkere lager fat og kar etter århundrelange tradisjoner,» leser Akbar.

– De tradisjonene ser ut til å ha fått et alvorlig brudd, sier Akbars venn, Said, som kjører bilen. Ikke en keramikkhytte er å se på veien oppover mot Salang-passet. Stigningen tar til. Mansur spretter den fjerde colaen, tømmer den og kaster boksen elegant ut av vinduet. Å forsøple et bombekrater er bedre enn å klisse til bilen. Veien kravler seg oppover mot verdens høyeste fjelltunnel. Den smalner, på den ene siden går fjellsiden rett opp, på den andre renner vann, iblant som en foss, iblant som en bekk. «Regjeringen har satt ut ørret i elven. Om få år vil den ha en levedyktig flokk,» leser Akbar videre. Nå er det ikke lenger fisk i elven. Regjeringen fikk andre ting å tenke på enn ørretoppdrett i årene etter at turistguiden ble skrevet.

På de mest utrolige steder ligger utbrente tanks. Nede i dalsiden, halvveis ute i elven, vaklende på et stup, sidelengs, opp ned eller spredd i flere deler. Mansur kommer fort til hundre når han teller dem. De fleste stammer fra krigen mot Sovjetunionen, da den røde armé rullet inn fra de sentralasiatiske sovjetrepublikkene i nord, og trodde de hadde afghanerne under kontroll. Russerne ble raskt ofre for mujahedins kløktige krigføring. Mujahedin beveget seg som geiter i fjellsidene. På lang avstand, fra utkikkspostene i fjellene, kunne de se russernes tunge tanks snegle seg fram nede i dalbunnen. Selv med hjemmelagde våpen var geriljaen nærmest usårlig når den lå i bakhold. Soldatene var overalt, forkledd som gjetere, med kalasjnikovene gjemt under geitenes mager. De kunne starte lynangrep på tanksene når som helst.

– Under buken på langhårete sauer kunne de til og med skjule rakettkastere, forteller Akbar, som har lest side opp og side ned om den blodige krigen mot Sovjetunionen.

Også Aleksander den store strevde seg opp disse fjellveiene. Etter å ha tatt Kabul, dro han over Hindu Kush tilbake til Iran, den gang Persia. – Aleksander skal ha skrevet oder til fjellene, som «inspirerte fantasien både til mysterier og evig hvile,» leser Akbar i guideboken fra turistforeningen.

– Regjeringen planla et skisenter her! roper han plutselig og ser rett opp mot de bratte fjellskråningene. – I 1967! Så snart veien er asfaltert, står det!

Veien ble asfaltert, slik turistforeningen forutsa. Men det er ikke mye igjen av asfalten. Og skisenteret ble med planene.

– Det kunne bli en eksplosiv nedfart, ler Akbar. – Eller kanskje minene kan markeres med slalåmporter! Adventurous Travels! Eller Afghan AdvenTours – for verdens livstrette!

Alle ler. Den tragiske virkeligheten fortoner seg iblant som en tegnefilm, eller kanskje heller som en voldsthriller. De ser for seg fargerike snowboardere som sprenges i filler nedover fjellsidene.

Turisme, som en gang var en av Afghanistans viktige inntektskilder, tilhører en svunnen tid. Veien de kjører, ble en gang kalt «the hippietrail». Hit dro progressive og ikke så progressive ungdommer for å finne vakker natur, en vill livsstil og verdens beste hasj. Opium for de mer erfarne. På 60- og 70-tallet kom flere tusen hippier årlig til fjellandet, de leide gamle Ladaer og dro av gårde. Også kvinner reiste alene rundt i fjellandet. Den gangen kunne de også bli overfalt av banditter og landeveisrøvere, men det gjorde reisemålet bare enda mer eventyrlig. Ikke engang kuppet mot Zahir Shah i 1973 stanset strømmen. Først kommunistkuppet i 1978 og invasjonen året etter satte en rask stopper for «hippietrailerne».

De tre guttene har kjørt i et par-tre timer når de innhenter køen av pilegrimer. Den står bom stille. Det har begynt å snø. Tåken tetner til. Bilen sklir. Said har ikke kjetting. – Med firehjulstrekk trenger man ikke kjetting, forsikrer han.

Stadig flere står og spinner i de dype is- og snøsporene. Når én bil stanser, stanser alle. Veien er for smal til at man kan kjøre forbi. Denne dagen går trafikken fra sør til nord, fra Kabul til Mazar. Neste dag er det omvendt. Fjellveien har ikke kapasitet til å ta biler som kommer begge veier. Den 450 kilometer lange veien fra Kabul til Mazar tar minst tolv timer, noen ganger det dobbelte eller det firedobbelte.

– Mange av bilene som blir fanget i snøstormer og snøras, graves ikke fram før til sommeren, nå om våren går det flest med, erter Akbar.

De passerer bussen som skapte køen, den er dyttet helt ut til siden av veien, mens busspassasjerene på vei til Alis grav haiker med bilene som snegler seg forbi. Mansur ler når han ser bokstavene som er malt på siden av bussen: «Hmbork – Frankfork – Landan – Kabal,» leser han og skratter enda mer når han ser frontruten: «Wellcam! Kaing of Road» står det med nymalte røde bokstaver. – Litt av en kongefart, ler han. Selv om de har plass, tar de ikke med de haikende busspassasjerene fra Kabal-expressen. Said, Mansur og Akbar har nok med seg selv.

De kjører inn i det første galleriet – tykke betongsøyler med tak som skal beskytte mot snøras. Men også galleriene er vanskelige å passere. Fordi de er åpne, er de fulle av snø som har blåst inn og blitt til is. Dype bilspor som har frosset til is er en utfordring for bilen uten kjetting.

Salangtunnelen, tre tusen fire hundre meter over havet, og galleriene, i opptil fem tusen meters høyde, var en gave til Afghanistan da Sovjetunionen forsøkte å gjøre landet til en satellittstat. Arbeidet ble påbegynt av sovjetiske ingeniører i 1956, og tunnelene sto ferdige i 1964. Det var også russerne som begynte å asfaltere de første veiene i landet på femtitallet. Under Zahir Shah ble Afghanistan sett på som en vennligsinnet stat. Den liberale kongen så seg nødt til å vende seg til Sovjetunionen fordi verken USA eller Europa fant det interessant å investere i fjellandet. Kongen trengte penger og ekspertise, og valgte å overse at båndene til den kommunistiske stormakten ble stadig strammere.

Tunnelen ble strategisk viktig for motstanden mot Taliban. På slutten av nittitallet ble den sprengt av mujahedinhelten Massoud, i et siste desperat forsøk på å stanse Talibans frammarsj mot nord. De kom hit, men ikke lenger.

Det har blitt helt mørkt, eller helt grått. Bilen sklir, kjører seg fast i snøen, kiler seg fast i bilsporene. Vinden suser, absolutt ingenting kan skimtes i snøføyka, og Said må bare følge det han tror er bilspor. De kjører på ren snø og is. Uten kjetting er det bare Ali som kan garantere dem en trygg reise. Jeg kan ikke dø før jeg kommer til graven hans, tenker Mansur. Ali har jo kalt på meg.

Det lysner så vidt. De er ved inngangen til Salangtunnelen. På et skilt utenfor står det: «Advarsel! Fare for forgiftning. Dersom dere blir stengt inne i tunnelen, stans motorene og gå raskt til nærmeste utgang.» Mansur ser spørrende på Akbar.

– Det er bare en måned siden femti mennesker ble innestengt i tunnelen på grunn av snøras, forteller den godt informerte Akbar. – Det var tjue kuldegrader, og sjåførene lot motorene gå for å holde varmen. Etter flere timer, da snøen var skyflet bort, fant de flere titalls mennesker som hadde sovnet inn av karbonmonoksid og omkommet av forgiftningen. Sånt skjer ofte, sier Akbar, mens de sakte kjører inn i tunnelen.

Bilen stanser, køen står.

– Det er sikkert bare innbilning, sier Akbar. – Men jeg merker virkelig at jeg får vondt i hodet.

– Enig, sier Mansur. – Skal vi gå ut mot nærmeste utgang?

– Nei, la oss satse på at kolonnen snart beveger seg ut av tunnelen, sier Said. – Tenk hvis kolonnen begynner å kjøre, og vi ikke er i bilen, da er det vi som skaper kø.

– Er det slik det er å dø av karbonmonoksidforgiftning? spør Mansur. De sitter bak lukkede vinduer. Said tenner en røyk. Mansur hyler. – Er du gal? roper Akbar, river sigaretten ut av munnen hans og stumper den. – Vil du forgifte oss enda mer?

En amper følelse av panikk sprer seg i bilen. De står fremdeles bom stille. Så skjer det noe. Bilene foran dem beveger seg sakte. De tre guttene tråkler seg ut av tunnelen med dundrende hodepine. Når de er ute i frisk luft, er hodepinen som blåst bort. Men de ser fortsatt ingenting, for tåken er som gråhvit, fykende grøt. Det er bare å følge snøsporene og skimmeret av noen lykter foran dem. Å snu er umulig. De kjører sammen i et skjebnefelleskap. Alle pilegrimene følger de samme nedkjørte, isete bilsporene. Selv Mansur har sluttet å mumse kjeks, det er dødsstille i bilen. Det er som å kjøre i intet, men i et intet der stup, miner, snøras og andre farer plutselig kan ramme.

Tåken letter endelig, men de er fremdeles på kanten av stupet. Det er nesten verre nå som de kan se. Mansur byr på cola og tenner en røyk. Det er den tjuende røyken hans denne dagen.

– Du benytter anledningen, skjønner jeg. Dersom faren din

149

hadde sett deg røyke, ville han ikke blitt glad, sier Akbar. Sultan må aldri få vite at Mansur røyker. Men nå i snøføyka, i friheten – tenner han den ene røyken etter den andre. Her er han en av gutta.

De har begynt nedfarten. Bilen sjangler fra side til side. Plutselig sklir den sidelengs nedover veien. Said har ingen kontroll og banner. Akbar og Mansur holder seg fast, som om det skulle hjelpe dersom de føyk utfor. Igjen er det en nervøs stillhet i bilen. Den sklir sidelengs, retter seg opp, sklir sidelengs igjen før den fortsetter å skjene fra side til side. De kjører forbi et skilt som setter enda en støkk i dem. «Advarsel! Stor minefare!» Rett utenfor, eller kanskje innenfor sklisonen deres, er det altså fullt av miner. Ingen snø i verden kan beskytte mot antitankminer. Dette er galskap, tenker Mansur, men han sier ikke noe. Han vil ikke ha ord på seg for å være feig, dessuten er han den yngste. Han ser ned på tanksene som også her ligger strødd, nesten nedsnødd, sammen med bilvrak som heller ikke har klart turen. Mansur ber en bønn, det kan ikke være meningen at Ali kalte på ham bare for å se ham stupe utfor en fjellskrent. Selv om mange av handlingene hans ikke har vært i tråd med islam, er han kommet for å rense seg, legge syndefulle tanker bak seg og bli en god muslim. Den siste biten ned fjellet opplever han som i transe.

De kommer seg ned på de snøfrie steppene etter en liten evighet, og de siste timene til Mazar-i-Sharif går som en lek.

På veien inn til byen blir de forbikjørt av pickuper med tungt bevæpnede menn. På de åpne lasteplanene sitter skjeggete soldater med kalasjnikovene pekende i alle retninger. De humper i hundre over hullene på veien. Landskapet er ørken, steppe og steinåser. Innimellom kjører de forbi små grønne oaser og landsbyer med leirhus. Ved inngangen til byen blir de stoppet ved en veipost. Bryske menn vinker dem gjennom sperringen, som er et tau spent fast mellom to brukte raketter.

De kjører inn i byen, slitne og stive. De har utrolig nok klart turen på tolv timer. – Dette var altså en helt vanlig passering av Salangtunnelen, sier Mansur. – Tenk på dem som bruker flere døgn! Ouahooiiiiii! Vi er framme! Ali, here I come!!

På alle hustak står soldater med våpnene klare. Det er fryktet uro på nyttårsaften, og her oppe finnes det ingen internasjonal fredsstyrke, men tvert imot to-tre kjempende krigsherrer. Soldatene på hustakene tilhører guvernøren, en hazara. Soldatene i pickupene er tadsjiken Atta Muhammads menn. En type uniform er kjennetegnet på dem som slåss for usbekeren Abdul Rashid Dostum. Alle sikter med våpnene ned mot gaten, der tusenvis av pilegrimer vandrer rundt eller sitter i grupper og prater, ved moskeen, i parken, på fortauene.

Den blå moskeen er en åpenbaring, der den lyser i mørket. Det er den vakreste bygningen Mansur noen gang har sett. Flombelysningen er en gave fra den amerikanske ambassaden, i forbindelse med ambassadørens nyttårsbesøk til byen. Røde lykter lyser opp parken rundt moskeen, som nå er smekkfull av pilegrimer.

Her skal Mansur be om forlatelse for sine synder. Her skal han renses. Han blir matt av å se på den store moskeen. Og sulten. Cola og kjeks med banan- og kiwifyll er mager reisemat.

Restaurantene er overfylte av pilegrimer. Mansur, Said og Akbar finner til slutt en teppeflik å sitte på i en mørk restaurant i Kebabgaten. Overalt ligger en eim av grillet fårekjøtt. Servert med brød og hele småløk.

Mansur tar en stor bit av løken og føler seg nesten beruset. Han får lyst til å juble og hyle igjen. Men han sitter rolig og jafser i seg maten som de to andre, han er da ingen unge, og han prøver å holde samme fasade som Akbar og Said. Kul, avslappet, verdensvant.

Neste morgen våkner Mansur av mullaens bønnerop. «Allahu akbar – Gud er stor» drønner som om noen hadde festet enorme høyttalere til øregangene hans. Han ser ut av vinduet, rett mot den blå moskeen som skinner i morgenstrålene. Hundrevis av hvite duer flyr over det hellige området. De bor i to tårn utenfor gravkammeret, og det sies at dersom en grå due blir med i flokken, får den hvite fjær i løpet av førti dager. Dessuten skal hver sjuende av dem være en hellig sjel.

Sammen med Akbar og Said presser han seg gjennom inngjerdingen til moskeen ved halv sju-tiden. Ved hjelp av Akbars pressekort kommer de helt inntil podiet. Mange har sovet her hele natten for å komme nærmest mulig når Alis flagg skal heises av Hamid Karzai, Afghanistans nye leder. På den ene siden sitter kvinnene, noen i burkha, noen bare i et hvitt slør. På den andre siden er mennene. Mens kvinnene sitter rolig på bakken, er det enorm trengsel blant mennene. Trærne utenfor er svarte av folk. Politiet går rundt med pisker, stadig flere kommer likevel innenfor sperringene. De hopper over, og løper unna piskene. Sikkerheten er streng fordi alle ministrene er ventet.

Regjeringen trer inn, med Hamid Karzai i sin karakteristiske blå- og grønnstripede silkekappe i spissen. Han kler seg alltid slik at han representerer hele Afghanistan, lue i fåreskinn fra Kandahar i sør, kappe fra nordområdene og skjorte fra de vestlige provinsene på grensen til Iran.

Mansur strekker hals og prøver å komme nærmere. Han har aldri sett Karzai i levende live. Mannen som klarte å slå Taliban ut av deres hovedsete, Kandahar, og som nær ble drept da

152

en amerikansk rakett kom på avveier og ble skutt mot troppene hans. Karzai, pasjtuner fra Kandahar, hadde selv en kort periode støttet Taliban, men brukte senere sin posisjon som stammeleder fra den mektige popolzaiklanen til å vinne tilhengere til kampen mot Taliban. Da amerikanerne startet sin bombekampanje, dro han på en selvmorderisk motorsykkeltur inn i Talibans kjerneområder for å overbevise eldrerådene om at Taliban var ferdig. Det sies at de ble mer overbevist av hans mot, enn av hans argumenter. Mens kampene raste rundt Kandahar, og Karzai ledet offensiven mot byen, stemte delegatene på FN-konferansen i Bonn ham inn som landets nye leder.

– De prøvde å ødelegge kulturen vår. De prøvde å knuse tradisjonene våre. De prøvde å ta fra oss islam! roper Karzai til mengden. – Taliban forsøkte å skitne til islam, trekke oss alle ned i søla, bli fiender med hele verden. Men vi vet hva islam er, islam er fred! Det nye året som starter i dag, år 1381 [islamsk tidsregning], er året for gjenoppbygging. Det er året da det skal bli sikkert og trygt å bo i Afghanistan, vi skal befeste freden og utvikle samfunnet vårt! I dag får vi hjelp fra hele verden, en dag, en dag, skal vi bli et land som skal hjelpe verden, roper han, og mengden jubler.

– Vi? hvisker Mansur. – Hjelpe verden?

Det er for ham en absurd tanke. Mansur har levd hele sitt liv i krig, for ham er Afghanistan et land som får alt utenfra, fra mat til våpen.

Etter Karzai tar ekspresident Burhanuddin Rabbani ordet. En mann med stor pondus, men liten makt. Teologen og professoren ved universitetet i Kairo dannet partiet Jamiat-i Islami, som samlet en fraksjon av mujahedin. Med seg hadde han den militære strategen Ahmad Shah Massoud, som skulle bli den store helten fra kampen mot Sovjetunionen, borgerkrigen og motstanden mot Taliban. Massoud var en karismatisk leder, dypt religiøs, men også vestvendt. Han snakket flytende fransk og ønsket å modernisere landet. Han ble drept av to tunisiske selvmordsbombere to dager før terrorangrepene i USA, og har fått en mytisk status. Tunisierne hadde belgiske pass, og presenterte seg som journalister. «Kommandant, hva vil du gjøre med Osama bin Laden når du har erobret hele Afghanistan?» var det siste spørsmålet Massoud skulle høre. Han rakk en siste latter før terroristene utløste bomben i kameraet. Selv pasjtunere henger nå opp bilder av tadsjiken Massoud – løven av Panjshir.

Rabbani dediserer talen sin til Massoud, men det var den hellige krigen mot Sovjetunionen som var Rabbanis glanstid.

– Vi tvang kommunistene ut av landet vårt, vi kan tvinge alle inntrengere ut av vårt hellige Afghanistan! roper han.

De russiske troppene trakk seg ut våren 1989. Noen måneder senere falt Berlinmuren, noe Rabbani gjerne tar æren for, i tillegg til oppløsningen av Sovjetunionen.

– Hadde det ikke vært for jihad, ville hele verden fremdeles vært i kommunistenes grep. Berlinmuren falt på grunn av sårene vi påførte Sovjetunionen, og den inspirasjonen vi ga alle undertrykte folk. Vi brøt Sovjetunionen opp i femten deler. Vi frigjorde folket fra kommunismen! Jihad førte til en friere verden! Vi reddet verden fordi kommunismen fikk sin ende her i Afghanistan!

Mansur står og fikler med kameraet sitt. Han har presset seg nesten helt fram til podiet, for å få nærbilder av dem som taler. Det er først og fremst Karzai han vil ha. Han knipser og knipser bilder av den lille, tynne mannen. Det blir noe å vise faren.

På rekke og rad taler, ber og taler mennene oppe på podiet. En mulla takker Allah, mens undervisningsministeren snakker om at Afghanistan må bli et land der våpnene viker for internett.

– Bytt ut geværene med datamaskiner, roper han. Han legger til at afghanerne må slutte å skille mellom etniske grupper.

– Se på Amerika, der lever alle sammen i ett land, de er alle amerikanere. Der lever de uten problemer!

Under alle talene fortsetter piskeslagene mot tilskuerne, men det hjelper lite, stadig flere klarer å presse seg over sperringene inn mot det hellige indre. Det er så mye rop og skrik blant tilhørerne at de knapt kan få med seg noe av talene. Det hele er mer som en happening enn en religiøs seremoni. På trappene og takene rundt står bevæpnede soldater. Et titall soldater fra de amerikanske spesialstyrkene, med maskingevær og svarte solbriller, har tatt oppstilling på moskeens flate tak for å beskytte den blekrosa, amerikanske ambassadøren. Andre står foran og på siden av ham. For mange afghanere er det helligbrøde at vantro tråkker på taket. Ingen ikke-muslimer kommer inn i selve moskeen. Vakter sørger for å luke ut dem som prøver seg. Men det er ikke mange å passe på, vestlige turister valfarter ikke akkurat til Afghanistan denne første våren etter Talibans fall. Bare en og annen hjelpearbeider har forvillet seg inn i nyttårsfeiringen.

Også byens stridende krigsherrer har fått plass på podiet, Atta Muhammad og general Abdur Rashid Dostum. Tadsjiken Atta Muhammad er den som styrer byen, usbekeren Dostum er den som mener han burde styrt den. De to bitre fiendene står side om side og lytter til talerne. Atta Muhammad med skjegg som en talibaner. Dostum med pondus som en førtidspensjonert bokser. De samarbeidet motvillig i den siste offensiven mot Taliban. Nå er det igjen en kald front mellom dem. Dostum er den nye regjeringens mest beryktede medlem, og ble tatt med av den enkle grunn at han ikke skulle fristes til å sabotere. Mannen som nå står og myser mot solen, med hendene fredelig i kors foran den svære kroppen, er en av dem det går flest grusomme historier om i Afghanistan. Som straff for en forseelse kunne han binde soldatene sine til en tanks – og kjøre, til det bare var blodige filler igjen av dem. Ved en anledning ble tusenvis av talibansoldater kjørt ut til ørkenen og satt i containere. Containerne ble låst og forlatt. Da de ble åpnet flere dager senere, var fangene døde og huden deres svartbrent av den stekende varmen. Dostum er også kjent som svikets mester og har tjent en rekke herrer og forrådt dem etter tur. Han kjempet på russernes side da Sovjetunionen angrep, var ateist og tung vodkadrikker. Nå står han ærbødig, priser Allah – og preker pasifisme: I 1381 har ingen rett til å distribuere våpen fordi det vil føre til kamper og flere konflikter. Dette er året til å samle inn våpen, ikke dele ut nye!

Mansur ler. Dostum er kjent som funksjonell analfabet. Han staver seg gjennom manuset, som han leser opp hakkete som en førsteklassing. Iblant stopper det helt opp, men da tar Dostum seg inn igjen ved å brøle høyere.

Den siste mullaen maner til kamp mot terrorisme. I dagens Afghanistan er det en kamp mot alt man ikke liker, og den forandres etter hvem som taler. – Islam er den eneste religion der det står i den hellige bok at vi skal bekjempe terrorisme. Terrorister har vendt sine ansikter mot Afghanistan, det er vår plikt å bekjempe dem. Ikke i noen andre hellige bøker står det samme. Gud sa til Muhammad: «Du må ikke be i en moské som er bygd av terrorister.» Ekte muslimer er ikke terrorister, for islam er den mest tolerante av alle religioner. Da Hitler drepte jødene i Europa, var jødene i muslimske land trygge. Terroristene er falske muslimer!

Etter de timelange talene skal flagget endelig heises. Alis grønne flagg - *janda*, som ikke er heist på fem år. Hele flaggstangen ligger nede, med toppen mot moskeen. Til trommer og folkemengdens jubel reiser Karzai flaggstangen, og det religiøse flagget heises. Nå skal det vaie i førti dager. Det skytes i luften, og sperringene åpnes. De titusener av mennesker som har stått utenfor, velter inn mot moskeen, graven og flagget.

Mansur har fått nok av trengsel og feiring og vil shoppe. Ali får vente. Han har tenkt på det lenge, at alle i familien skal få en gave. Dersom alle får en bit av reisen, vil faren bli mildere stemt overfor hans ønsker i framtiden.

Først kjøper han bønnetepper, tørklær og bønnekjeder. Så kjøper han sukkerkrystaller. Store krystaller som man knuser biter av og knasker til te. Han vet at bestemoren hans, Bibi Gul, vil tilgi ham alle synder han har begått eller noen gang kommer til å begå dersom han kommer hjem med de kilotunge sukkerkrystallene som bare lages i Mazar. I tillegg kjøper han kjoler og smykker til tantene og solbriller til brødrene og onklene. Solbriller har han aldri sett til salgs i Kabul. Lastet med alle disse tingene i svære, rosa plastposer med reklame for «Pleasure – Special light cigarettes», går han tilbake til Kalif Alis grav. Nyttårsgavene skal velsignes.

Han tar dem med seg inn i selve krypten, og går bort til mullaene som sitter ved gullveggen i gravkammeret. Han legger gavene foran en av dem, som leser fra Koranen og puster over dem. Når bønnen er ferdiglest, pakker Mansur tingene ned i plastposene igjen og haster videre.

Ved gullveggen kan man komme med et ønske. I pakt med de patriotiske talene står han med pannen mot gullveggen og ber: At han en gang skal bli stolt av å være afghaner. At han

157

en gang skal bli stolt av seg selv og landet sitt, og at Afghanistan må bli et land som blir respektert i verden. Selv ikke Hamid Karzai kunne sagt det bedre.

Beruset av alle inntrykkene, har Mansur glemt bønnen om renselse og tilgivelse, grunnen til at han kom til Mazar. Han har glemt sviket mot den lille tiggerjenta, den tynne barnekroppen hennes, de store, lysebrune øynene, det flokete håret. Han har glemt at han ikke grep inn mot den svære penneselgerens forbrytelse.

Han går ut av gravkammeret og bort til Alis flagg. Også ved flaggstangen står det mullaer som tar imot Mansurs plastposer. Men her har de ikke tid til å ta gavene ut av posene. Køen av folk som vil ha velsignet tepper, kjeder, mat og tørklær er enorm. Mullaene tar bare Mansurs plastposer og stryker dem raskt oppetter stanga, sier en hastig bønn og gir dem tilbake. Mansur slenger noen sedler til dem, og bønneteppene og sukkerklumpene er velsignet nok en gang.

Han gleder seg til å gi dem bort, til bestemoren, til Sultan, til tantene og onklene. Mansur går rundt og smiler. Han er bare glede. Ute av butikken, ute av farens grep. Han går bortover fortauet utenfor moskeen sammen med Akbar og Said.

– Dette er den beste dagen i mitt liv! Den beste dagen! roper han. Akbar og Said ser forundret, nesten litt brydd på ham, men de synes også det er rørende at han er så lykkelig. – Jeg elsker Mazar, jeg elsker Ali, jeg elsker friheten!! Jeg elsker dere! roper Mansur og hopper bortover gaten. Det er den første reisen han gjør på egenhånd, den første dagen i sitt liv han ikke har sett en eneste person fra familien sin.

De bestemmer seg for å se en buzkashikamp. Nordområdene er kjent for å ha de hardeste, råeste, raskeste buzkashiene. På lang avstand ser de at kampen allerede er i gang. Skyer av støv ligger over sletta, der to hundre mann til hest slåss om en hodeløs kalveskrott. Hestene biter og sparker, steiler og hopper, mens rytterne, med pisken i munnen, prøver å få tak i kadaveret på bakken. Kalven skifter hender så raskt at det iblant ser ut som om den kastes mellom rytterne. Målet er å flytte kalven fra en ende av sletta til en annen og plassere den i en oppstreket sirkel på bakken. Noen kamper er så voldsomme at hele dyret blir revet i stykker.

Før man venner seg til spillet, ser det ut som hestene bare fyker etter hverandre over sletta, med rytterne balanserende i salen. De har lange broderte kapper, høyhælte dekorerte skinnstøvler som når dem til midt på låret og buzkashihatter, en liten skalk av fåreskinn, med tykk pels langs kanten.

– Karzai! roper Mansur, når han får øye på Afghanistans leder ute på sletta. – Og Dostum!

Stammelederen og krigsherren kjemper innbyrdes om å få tak i kalven. For å framstå som en sterk leder, må man delta i buzkashikamper, og ikke bare ri i ringer i utkanten av kaoset, men holde seg innerst, i kampens hete. Alt kan imidlertid ordnes med penger: Ofte betaler mektige menn for å hjelpes til seier.

Karzai rir rundt i utkanten av kampen og klarer ikke helt å holde de andre rytternes morderiske tempo. Stammelederen fra sør har aldri helt lært seg buzkashiens rå regler. Dette er en kamp fra steppene. Det er steppenes store sønn, general Dostum, som vinner, eller som buzkashiene lar vinne. Det kan lønne seg. Dostum sitter som en hærfører til hest og tar imot applausen.

Noen ganger kjemper to lag mot hverandre, andre ganger er det alles kamp mot alle. Buzkashi er en av verdens villeste sporter, brakt til Afghanistan av mongolene som herjet under

Djengis Khan. Det er også et spill om penger, mektige menn blant publikum lover ut millioner av afghani for hver omgang. Jo større penger, jo villere kamper. Buzkashi er også et spill med stor politisk betydning. En lokal leder bør enten være en god buzkashikjemper selv, eller holde en stall med gode hester og ryttere. Seier gir respekt.

Siden femtitallet har myndighetene i Afghanistan forsøkt å formalisere kampene. Deltakerne bare nikket på hodet, de visste reglene ville bli umulige å følge likevel. Selv etter sovjet-invasjonen fortsatte turneringene, til tross for at landet var i kaos, og mange deltakere ikke nådde fram fordi de måtte krysse kampområder. Kommunistene, som ellers forsøkte å gjøre slutt på de fleste av afghanernes inngrodde tradisjoner, torde ikke røre buzkashikampene. De forsøkte tvert imot å bli populære ved å arrangere turneringer, med den ene kommunistdiktatoren etter den andre på tribunen, etter hvert som de avløste hverandre i blodige kupp. De rev likevel ned mye av grunnlaget for buzkashi. Da kollektiviseringen startet, ble det få som hadde mulighet til å holde en stall med godt trente hester. Buzkashihestene ble spredd og brukt i jordbruket. Når godseieren forsvant, forsvant også kamphestene og rytterne.

Taliban forbød kampene og definerte dem som uislamske. Under nyttårsfeiringen i Mazar holdes den første store buzkashikampen etter Talibans fall.

Mansur har funnet en plass helt framme, noen ganger må han løpe bakover for ikke å bli truffet av hovene når hestene steiler foran publikum. Han tar flere filmer – av hestenes buker når de ser ut som de skal storme over ham, av støvet som fyker opp, av den maltrakterte kalven, av en liten Karzai langt unna, av en seirende Dostum. Etter kampen tar han bilde av seg selv ved siden av en av buzkashiene.

Solen begynner å gå ned og sender røde stråler over den stø-vete sletta. Også pilegrimene er dekket av støv. Utenfor are-naen finner de slitne et spisested. De sitter overfor hverandre på tynne matter og spiser i stillhet. Suppe, ris, fårekjøtt og rå løk. Mansur kaster maten i seg, før han bestiller en porsjon til. De hilser stumt til noen menn som sitter i en ring ved siden av dem og bryter håndbak. Når teen er servert, kan pratingen begynne.

– Fra Kabul? spør mennene.

Mansur nikker.

– På pilegrimsreise?

Mennene trekker på det. – Nja, egentlig reiser vi med vakt-ler, svarer en gammel, nesten tannløs mann. – Fra Herat. Vi har tatt en stor runde, Kandahar, Kabul og så opp hit. Her er de beste vaktelkampene.

Mannen tar varsomt fram en liten tøypose av lommen. Ut av den tripper en fugl, en pjuskete liten vaktel. – Den har vun-net alle kamper vi har sendt den ut i, sier han. –Vi har vunnet en bråte med penger på den. Nå er den verdt flere tusen dollar, skryter han. Den gamle mannen mater vaktelen med slitte, krokete ørnefingre. Vaktelen rister på fjærene og våkner til. Den er så liten at den får plass i mannens store, slitte never. Det er arbeidsmenn som har tatt seg fri. Etter fem år med hemmeli-ge vaktelkamper, skjult for Taliban, kan de nå leve ut sin liden-skap – å se på to fugler som hakker hverandre til døde. Eller rettere sagt, å juble når deres egen lille vaktel hakker i hjel en annen.

– Kom i morgen tidlig klokken sju. Da starter vi, sier den gamle mannen. Idet de går, stikker han til dem et stort stykke hasj. – Verdens beste, sier han. – Fra Herat.

På hotellet prøver de ut hasjen, og ruller seg den ene jointen etter den andre. Så sover de som steiner i tolv timer.

161

Mansur våkner med et rykk av mullaens andre bønnerop. Klokken er halv ett. Bønnen starter i moskeen utenfor. Fredagsbønnen. Han føler plutselig at han ikke kan leve videre uten fredagsbønnen. Han må dit. Og i tide. Han har glemt sin *shalwar kameez* i Kabul, kjortelen med de vide buksene. Han kan ikke gå til fredagsbønn i vestlige klær. Han er desperat, hvor kan han få kjøpt riktige bønneklær? Alle butikker er stengt. Han raser og banner.

– Allah bryr seg ikke om hva du har på deg, brummer Akbar søvndrukken i håp om å bli kvitt ham.

– Jeg må vaske meg, og hotellet har fått avstengt vannet, sutrer Mansur. Men det er ingen Leila å kjefte på, og Akbar sender ham rett på dør når han begynner å jamre. Men vannet! En muslim kan ikke be uten å vaske ansikt, hender og føtter. Mansur sutrer videre. – Jeg rekker det ikke.

– Det er vann ved moskeen, sier Akbar før han lukker øynene igjen.

Mansur løper ut, i de skitne reiseklærne sine. Hvordan kunne han glemme kjortelen sin på pilegrimstur? Og bønnelue? Han forbanner sin ubetenksomhet mens han løper til den blå moskeen for å rekke bønnen. Ved inngangen ser han en tigger med klumpfot. Det stive beinet ligger oppsvulmet og misfarget ut i gangveien, fullstendig infisert. Mansur river av ham bønnelua.

– Du skal få den tilbake, roper han og springer videre med den gråhvite lua, som har en tykk gulbrun svetterand langs kanten.

Han setter fra seg skoene ved inngangen og går barbeint over marmorhellene som er slipt glatte av tusenvis av nakne føtter. Han vasker hender og føtter. Trykker lua ned på hodet og går verdig bort til radene av menn som ligger vendt mot

Mekka. Han rakk det. I flere titalls rader med minst hundre i hver ligger pilegrimer bøyd ute på den svære plassen. Mansur setter seg bakerst og følger bønnene, etter en liten stund er han midt inne i mengden, flere rader er kommet til etter hvert. Han er den eneste i vestlige klær, men han følger med som de andre, pannen i bakken, rumpa til værs, femten ganger. Han resiterer bønnene han kan, og lytter til Rabbanis fredagstale, en gjentakelse fra dagen før.

Bønnen foregår rett ved noen inngjerdinger rundt moskeen der de fortapt syke sitter og håper på helbredelse. De er forvist bak høye gjerder så de ikke skal smitte de friske. Med gulbleke, innsunkne kinn sitter tæringssyke menn og ber om at Ali skal gi dem styrke. Blant dem sitter også psykisk utviklingshemmede. En tenåringsgutt klapper febrilsk i hendene, mens en eldre bror forsøker å roe ham. Men de fleste ser bare ut mellom sprinklene med matte blikk. Aldri har Mansur sett så mange dødssyke på en gang. Det lukter sykdom og død fra gruppen. Bare de aller sykeste har fått æren av å sitte her og be om helbredelse fra Ali. Opp mot veggen av gravkammeret sitter de tett i tett, jo nærmere den blå mosaikkveggen, jo nærmere helbredelse.

Om to uker er de alle døde, tenker Mansur. Han møter blikket til en mann med stikkende, svarte øyne og dype, røde arr. De lange, beinete armene har utslett og sår som er klødd til blods, det samme har leggene som stikker ut fra kjortelen. Men han har vakre, tynne, blekrosa lepper. Lepper som kronblad fra en av vårens aprikosblomster.

Mansur grøsser og snur seg bort. Blikket sveiper den neste innhegningen. Der sitter de syke kvinnene og barna. Blåfalmede burkhaer med syke barn i fanget. En mor har sovnet, mens det mongoloide barnet hennes prøver å fortelle noe.

Men det er som å prate med en statue med et blått klede over. Kanskje har moren gått i dagevis, barbeint, for å komme til moskeen og Alis grav til nyttårsaften. Kanskje har hun båret barnet i armene – for å helbrede det. Ingen leger kan hjelpe henne, kanskje Ali kan.

Et annet barn sitter og slår hodet rytmisk i hendene sine. Noen kvinner sitter apatiske, andre sover, noen er selv halte eller blinde. Men de aller fleste har kommet med barna sine. De venter på Alis mirakler.

Mansur får frysninger nedover ryggen. Grepet av den kraftfulle stemningen bestemmer han seg for å bli ny. Han skal bli et godt menneske og en from muslim. Han skal respektere bønnetidene, han skal gi almisser, han skal faste, han skal gå i moskeen, han skal ikke se på en jente før han gifter seg, han skal anlegge skjegg, og han skal reise til Mekka.

I det øyeblikk bønnen er ferdig, og Mansur har avlagt sitt løfte, kommer regnet. Solregn. Det glitrer i de hellige bygningene og på de blankslipte hellene. Det skinner i regndråpene. Det høljer ned, Mansur springer, finner skoene sine og tiggeren som eier bønnelua. Han slenger til ham noen sedler og løper over plassen i det kjølende regnet. – Jeg er velsignet, roper han. – Jeg er tilgitt! Jeg er renset!

Vannet sa til den skitne: Kom hit.
Den skitne svarte: Jeg er for skamfull
Vannet svarte: Hvordan vil du vaske vekk din synd uten meg?

Lukten av støv

Det damper av de nakne kroppene. Hendene beveger seg i raske, rytmiske bevegelser. Solstrålene smyger seg inn gjennom to glugger i taket og gir et malerisk lys til rumpene, brystene og lårene. Kroppene i det varme rommet kan først bare skimtes gjennom dampen, inntil man blir vant til det magiske lyset. Ansiktene er konsentrerte. Dette er ikke nytelse, det er hardt arbeid.

I to store haller ligger, sitter eller står kvinner og skrubber. De skrubber seg selv, hverandre eller barna sine. Noen er rubensaktig fete, andre er radmagre staker, med ribbeina stikkende ut. Med store, hjemmelagde hampvotter skrubber de hverandre på ryggen, armene, beina. De skraper vekk hard hud under føttene med pimpstein. Mødre skrubber de gifteferdige døtrene sine, mens de nøye studerer kroppene deres. Det er ikke lenge til småjentene med fuglebryst blir ammende mødre. Tynne tenåringsjenter har brede strekkmerker i huden etter fødsler kroppen ikke var ferdig til. Nesten alle kvinnene har sprukken hud på magen, etter tidlige og hyppige barnefødsler.

Barna hyler og hviner, i angst eller fryd. De ferdigskrubbede og ferdigskylte leker med vaskevannsfatene. Andre hyler i smerte og spreller som fisk i et nett. Her er det ingen som blir gitt en liten klut for øynene for ikke å få såpe i dem. Mødrene skrubber dem med hampvott til de skitne, mørkebrune barnekroppene har blitt lyserøde. Bading og vasking er en kamp barna er dømt til å tape, i mødrenes faste never.

Leila ruller skitt og gammel hud av kroppen. Sorte strimler gnis av, inn i hampvotten eller ned på gulvet. Det er flere uker siden Leila vasket seg ordentlig og flere måneder siden hun gikk i hammam. Det er sjelden vann hjemme, og Leila ser ingen grunn til å vaske seg for ofte, en blir jo bare skitten igjen med en gang.

Men denne dagen har hun blitt med moren og kusinene i hammam. Som ugifte jenter er hun og kusinene spesielt sjenerte, og har beholdt truse og bh på. Hampvotten går utenom disse stedene. Men armene, lårene, leggene, ryggen og nakken får hard medfart. Svetteperler og vanndråper blander seg på ansiktene deres, mens de skrubber, gnikker og skraper, jo hardere, jo renere.

Leilas mor, sytti år gamle Bibi Gul, sitter naken i en dam på gulvet. Nedover ryggen flommer det lange, grå håret, som ellers alltid er skjult av et lyseblått sjal. Bare i hammamen lar hun det henge løst. Det er så langt at tuppene flyter rundt i vanndammen på gulvet. Hun sitter som i transe med lukkede øyne og nyter varmen. Iblant gjør hun noen late forsøk på å vaske seg. Hun dypper en vaskeklut i fatet Leila har satt fram for henne. Men hun gir snart opp, hun når ikke rundt magen, og armene føles for tunge til å løftes. Brystene hennes hviler tunge over den store magen. Hun blir sittende i transen sin, stivnet, som en stor, grå statue.

Leila kaster innimellom korte blikk bort på moren for å forsikre seg om at hun har det bra, mens hun skrubber seg og plud-

166

rer med kusinene. Nittenåringen har en barnslig kropp, mellom jente og kvinne. Hele familien Khan er på den runde siden, i alle fall etter afghansk standard. Fettet og matoljen de sjenerøst heller over porsjonene sine, viser seg på kroppene. Frityrstekte pannekaker, potetbiter dryppende av fett, fårekjøtt i saus av krydret matolje. Huden hennes er blek og feilfri, myk som på en babyrumpe. Ansiktsfargen skifter mellom hvit, gul og gråblek. Livet hun lever avspeiler seg i barnehuden som aldri får sol, og hendene – ru og slitte som på en gammel kvinne. Leila hadde følt seg svimmel og svak lenge, da hun endelig gikk til legen. Han sa at hun trengte sol, D-vitaminer.

Paradoksalt nok er Kabul en av verdens mest solrike byer. Solen steker nesten hver dag hele året, i 1800 meters høyde over havet. Solen lager sprekker i den tørre jorden, solen tørker ut det som en gang var fuktige hager, solen brenner barnas hud. Men Leila ser den ikke. Ned til leiligheten i første etasje i Mikrorayon skinner den aldri, heller ikke inn bak burkhaen hennes. Ikke en eneste liten helsebringende stråle slipper innenfor trådgitteret. Bare når hun besøker storesøsteren Mariam, som har en bakgård i landsbyhuset sitt, lar hun solen varme huden. Men det er sjelden hun har tid til å gå dit.

Leila er den i familien som står opp først og legger seg sist. Med tynne trepinner får hun fyr på ovnen i stua, mens de som sover der, fremdeles snorker. Deretter tenner hun på i vedovnen på badet og koker opp vann til matlaging, klesvask og oppvask. Mens det fremdeles er mørkt, fyller hun vann i flasker, kjeler og kar. Det er aldri strøm på denne tiden av døgnet og Leila har blitt vant til å famle seg fram i mørket. Noen ganger bærer hun med seg en liten lampe. Så koker hun te. Den skal være klar når mennene i huset våkner i halvsjutiden, ellers blir det bråk. Så lenge det er vann, fyller hun hele tiden opp karene hun bruker, for hun vet aldri når det blir skrudd av, noen ganger etter en time, andre ganger etter to.

Hver morgen hyler Eqbal som en stukken gris. Skrikene går gjennom marg og bein. Han ligger strak eller krøket på matten sin og nekter å stå opp. Fjortenåringen finner hver dag på nye sykdommer for å slippe unna de tolv timene i butikken. Men det er ingen nåde. Hver dag står gutten opp til slutt, men neste dag høres de samme skjærende hylene.

– Ditt hespetre! Din latsabb! Det er hull på sokkene mine, roper han, og kaster dem etter Leila. Han hevner seg på den han kan.

– Leila, vannet er blitt kaldt! Det er ikke nok varmt vann! Hvor er klærne mine, hvor er sokkene mine? Hent te! Frokost! Puss skoene mine! Hvorfor har du stått opp så sent?

Det slamres i dører og bankes i vegger. Det er som om det er full krig i de få rommene, i korridoren og baderommet. Sultans sønner krangler, hyler og gråter. Sultan sitter stort sett for seg selv med Sonya og drikker te og spiser frokost. Sonya tar seg av ham, Leila gjør resten. Fyller i vaskevannsfat, finner fram klær, skjenker te, steker egg, henter brød, pusser sko. Husets fem menn skal på jobb.

Med stor motvilje hjelper hun de tre nevøene sine, Mansur, Eqbal og Aimal, å komme av gårde. Det er aldri en takk, aldri en hjelpende hånd å få. – Uoppdragne unger, hveser Leila til seg selv, når de tre guttene, bare få år yngre enn henne, kommanderer henne rundt.

– Har vi ikke melk? Jeg sa du skulle kjøpe! hveser Mansur. – Din snylter, legger han til. Dersom hun mukker, har han alltid det samme drepende svaret. – Hold kjeft, din kjerring. Han slenger gjerne ut armen, som treffer henne i magen eller ryggen. – Dette er ikke ditt hjem, det er mitt hjem, sier han hardt.

168

Leila føler heller ikke at det er hennes hjem. Det er Sultans hjem, Sultan og sønnene og hans andre kones. Hun, Bulbula, Bibi Gul, Yunus, føler seg alle uvelkomne i familien. Men å flytte ut er ikke noe alternativ. Å splitte opp en familie er en skandale. Dessuten er de jo gode tjenere. I alle fall Leila.

Etter morgenkaoset, når Sultan og sønnene har reist, kan Leila puste ut, drikke te og spise frokost. Så er det å koste rommene, for første gang den dagen. Hun går bøyd med en liten sopelime av strå, og feier, feier, feier seg gjennom rommene. Det meste av støvet virvler opp, svever rundt, og legger seg ned igjen bak henne. Lukten av støv forlater aldri leiligheten. Hun blir aldri kvitt støvet, det har lagt seg på bevegelsene hennes, på kroppen hennes, på tankene hennes. Men hun får med seg brødbitene, papirrasket, søppelet. Flere ganger hver dag koster hun seg gjennom rommene. Fordi alt foregår på gulvet, blir det raskt skittent.

Det er dette skittstøvet hun nå forsøker å skrubbe av kroppen sin. Det er det som rulles av i tykke, små pølser. Det er støvet som kleber seg til livet hennes.

– Tenk hvis jeg hadde et hus som jeg kunne vaske bare en gang om dagen, som holdt seg rent en hel dag, og så trengte jeg ikke koste igjen før neste morgen, sukker Leila til kusinene sine. De nikker. Som familiens yngste jenter, lever også de et liv som henne.

Leila har tatt med seg noe undertøy hun vil vaske i hammamen. Vanligvis foregår klesvasken i halvmørket på en krakk ved siden av dohullet på baderommet. Hun har da flere svære vaskevannsfat foran seg, ett med såpe, ett uten såpe, ett for lyse klær, ett for mørke. I fatene vaskes lakener, tepper, håndklær og familiens klær. De skrubbes og vris opp før de henges til tørk. Tørkingen er vanskelig, særlig om vinteren. Det er festet snorer utenfor blokkene, men derfra blir klærne ofte stjålet, så der vil hun ikke henge dem, med mindre noen av barna vokter klærne til de er tørre. Ellers henger de tett i tett på snorer på den lille balkongen. Balkongen er på et par kvadratmeter og fylt av matvarer og skrot, en kasse poteter, en kurv med løk, en med hvitløk, en svær sekk med ris, pappkartonger, gamle sko, noen kluter og andre saker ingen tør å kaste fordi kanskje noen en gang får bruk for dem.

Hjemme går Leila rundt i gamle gensere med lo og frynser, skjorter fulle av flekker og skjørt som soper i gulvet. Skjørtene samler opp støvet hun ikke får feid med seg. På føttene har hun utgåtte plastsandaler og på hodet et lite tørkle. Det eneste som glitrer på henne er store gullfargede øreringer og glatte plastarmbånd.

– Leila!

En stemme roper svakt, litt slitent blant ungehyl og rop. Den klarer så vidt å overdøve plaskene som smeller i gulvet når kvinnene heller vannbøtter over hverandre.

– Leilaaa!!!

Det er Bibi Gul som er vekket av transen. Hun sitter med en klut i hånden og ser hjelpeløst på Leila. Leila tar med seg hampvotten, såpen, sjampoen og baljen bort til den store, nakne moren.

– Legg deg på ryggen, sier hun. Bibi Gul manøvrerer ryggen sin ned på gulvet. Leila gnir og elter så morens kropp disser. Brystene henger ut til hver sin side. Magen, som er så stor at den dekker kjønnet når hun står eller sitter, ligger utover som en hvit, uformelig masse. Bibi Gul ler, også hun ser det komiske i situasjonen. Den lille, nette datteren, og den svære, gamle moren. Aldersforskjellen er rundt femti år. Når de ler, kan de andre også smile. Plutselig ler alle av skrubbingen på gulvet.

– Du er så fet, mamma, du dør snart av det, kjefter Leila mens hun lar kluten gå over alle stedene moren selv ikke kommer til. Etter hvert ruller hun henne over på magen, og får også hjelp av kusinene sine, som skrubber hver sin av Bibi Guls enorme kroppsdeler. Til slutt blir det lange bløte håret vasket. Den rosa sjampoen fra Kina helles over hodebunnen. Leila masserer forsiktig, det er som om hun er redd for at det som er igjen av det tynne håret, skal forsvinne. Sjampoflasken begynner å bli tom. Den er en levning fra talibantiden. Damen på flasken er rablet over med tykk, vannfast tusj. På samme måten som det religiøse politiet lemlestet Sultans bøker, gikk de løs på emballasje. Dersom det var et kvinneansikt på sjampoflasken eller et barneansikt på babysåpen, ble hvert eneste bilde tusjet over. Levende vesener skulle ikke avbildes.

Vannet begynner å kjølne. Barna som ennå ikke er blitt vasket ferdig hyler høyere enn noen gang. Snart er det bare kaldt vann igjen i den en gang dampende hammamen. Kvinnene forlater badet og etter som flere går, ser man skitten. I krokene ligger eggeskall og noen råtne epler. Render av møkk er igjen på gulvet, kvinnene bruker de samme plastsandalene i hammamen som de går med på landsbystiene, på utedoene og i bakgårdene sine.

Bibi Gul velter seg ut med Leila og kusinene på slep. Så er det på med klærne. Ingen har med skift, de drar på seg de samme klærne som de kom i. Til slutt tres burkhaene over de nyvaskede hodene. Burkhaen med deres egen lukt. Fordi lite luft slipper inn og ut, har hver burkha sin egen eiendommelige duft. Bibi Guls burkha oser av den ubestemmelige eimen hun selv omgir seg med, gammel ånde blandet med søte blomster

171

og noe surt. Leilas dunster av ung svette og matos. Egentlig stinker alle burkhaene i familien Khan av matos, fordi de henger på en spiker utenfor kjøkkenet. Nå er kvinnene gullende rene under burkhaene og klærne, men grønnsåpen og den rosa sjampoen kjemper mot overmakten. De får snart tilbake sin egen eim, burkhaene presser den ned over dem. Lukten av gammel slavinne, lukten av ung slavinne.

Bibi Gul går i forveien, de tre ungjentene er for en gangs skyld de trege. De blir gående sammen og fnise. I en folketom gate vipper de burkhaene over hodet. Her er det likevel bare smågutter og hunder som reker rundt. Den svalende vinden gjør godt på huden som fremdeles svetter. Men frisk er luften ikke. I Kabuls bakgater og smug stinker det av søppel og kloakk. En skitten renne følger jordveien mellom leirhusene. Men jentene merker ikke stanken fra renna, eller støvet som sakte kleber seg til huden og tetter porene. De får sol på huden, og de ler. Plutselig dukker en mann på sykkel opp.

– Dekk dere til, jenter, jeg brenner! roper han idet han suser forbi dem. De ser på hverandre og ler av det morsomme uttrykket i fjeset hans, men når han kommer syklende mot dem igjen, dekker de seg til.

– Når kongen kommer tilbake, skal jeg aldri bruke burkhaen min mer, sier Leila plutselig alvorlig. – Da har vi fått et fredelig land.

– Han kommer sikkert aldri tilbake, innvender den tildekkede kusinen.

– De sier han skal komme tilbake denne våren, sier Leila.

Men inntil videre er det tryggest å dekke seg til, de tre jentene er dessuten alene.

Helt alene går Leila aldri. Det er ikke bra for en ung kvinne å gå uten følge. Hvem vet vel hvor hun går? Kanskje for å møte noen, kanskje for å synde. Ikke engang til grønnsaksmarkedet noen minutter fra leiligheten går Leila alene. Hun tar i det minste med seg en nabogutt. Eller ber ham gå ærendet for seg. Alene er et ukjent begrep for Leila. Hun har aldri noen gang, noe sted vært alene. Hun har aldri vært alene i leiligheten, aldri gått noe sted alene, aldri blitt igjen noe sted alene, aldri sovet alene. Hver natt har hun tilbrakt på matten ved siden av moren. Leila vet ikke hva det er å være alene, og savner det heller ikke. Det eneste hun kunne ønske seg var mer ro, og litt mindre å gjøre.

Når hun kommer hjem, er det fullt kaos. Kasser, bager og kofferter står overalt.

– Sharifa har kommet hjem! Sharifa! peker Bulbula, overlykkelig over at Leila er kommet og kan ta over rollen som vertinne. Sultans og Sharifas yngste datter, Shabnam, løper rundt som en lykkelig fole. Hun omfavner Leila, som igjen omfavner Sharifa. Midt oppi det hele står Sultans andre kone og smiler, med Latifa på armen. Helt overraskende har Sultan tatt med seg Sharifa og Shabnam hjem fra Pakistan.

– For sommeren, sier Sultan. – For alltid, hvisker Sharifa.

Sultan har allerede reist til bokhandelen, bare kvinnene er igjen. De setter seg i en ring på gulvet. Sharifa deler ut gaver. En kjole til Leila, et sjal til Sonya, en veske til Bulbula, en strikkejakke til Bibi Gul, og klær og plastsmykker til resten av familien. Til sønnene sine har hun med flere garderober, innkjøpt på pakistanske markeder, klær man ikke finner i Kabul. Og hun har tatt med seg sine egne kjære ting. – Aldri tilbake, sier hun. – Jeg hater Pakistan.

Men hun vet at alt er i Sultans hender. Dersom Sultan ønsker at hun skal dra tilbake, må hun gjøre det.

Sultans to koner sitter og pludrer som gamle venninner. De ser på stoffer, prøver bluser og smykker. Sonya klapper på tingene hun har fått til seg og den lille datteren. Sultan har sjelden med seg gaver til sin unge kone, så Sharifas hjemkomst er et deilig avbrudd i hennes monotone tilværelse. Hun kler opp Latifa som en liten dokke i den lyserøde struttekjolen hun har fått.

De utveksler nytt. Kvinnene har ikke sett hverandre på over et år. Det finnes ingen telefon i leiligheten, så de har heller ikke pratet. Det største som har skjedd kvinnene i Kabul, er Shakilas bryllup, som de forteller om til minste detalj, om gavene hun fikk, om kjolene de hadde på seg og om andre slektningers barn, forlovelser, giftermål eller dødsfall.

Sharifa forteller nytt fra flyktningtilværelsen. Om hvem som har flyttet hjem og hvem som har blitt. – Saliqa har forlovet seg, forteller hun. – Det måtte gå den veien selv om familien var mot det. Gutten eier jo ingenting, lat er han også, ubrukelig, sier hun. Alle nikker. De husker alle Saliqa som en pyntegal jentunge, men de synes likevel synd på henne fordi hun må gifte seg med en fattig gutt.

– Etter at de møttes i parken, hadde hun husarrest i en måned, forteller Sharifa. Så en dag kom moren og tanten til gutten for å spørre om henne. Foreldrene hennes sa ja, de hadde ikke noe valg, skaden var allerede skjedd. Og forlovelsesfesten! En skandale!

Kvinnene lytter storøyd. Særlig Sonya. Dette er historier hun kan forholde seg til med alle sanser. Sharifas historier er hennes såpeoperaer.

– En skandale, gjentar Sharifa, for å understreke faktum. Det er vanlig at den kommende brudgommens familie skal betale festen, kjolen og smykkene når et ungt par forloves.

– Da de skulle planlegge festen, la guttens far noen tusen rupi i hånden til Saliqas far, som var kommet hjem fra Europa for å være med å løse familietragedien. Da han så pengene bare kastet han dem på gulvet. Tror du at du kan lage forlovelsesfest av slanter? ropte han. Sharifa satt i trappen og lyttet da det skjedde, så det er helt sant. – Nei, ta du småpengene dine, så står vi for festen, sa han.

Saliqas far hadde heller ikke mye penger, han ventet på å få innvilget asyl i Belgia for deretter å hente familien. Han hadde allerede fått avslag i Holland, og levde nå på pengene han fikk fra den belgiske staten. Men en forlovelsesfest er en viktig symbolsk handling, og en forlovelse er nærmest ubrytelig. Dersom den ryker, får jenta store problemer med å gifte seg igjen, uavhengig av grunnen til bruddet. Forlovelsesfesten er også et bilde utad på hvordan det står til med familien. Hva slags pynt, hvor mye koster den? Hva slags mat, hvor mye koster den? Hva slags kjole, hvor mye koster den? Hva slags orkester, hvor mye koster det? Selskapet skal vise hvordan guttens familie verdsetter det kommende familiemedlemmet. Dersom festen er fattigslig, betyr det at de ikke setter pris på bruden og dermed hele hennes familie. At faren måtte sette seg i gjeld for en forlovelsesfest som ingen andre enn Saliqa og kjæresten egentlig var lykkelig over, betydde ingenting mot skammen det ville være å holde en billig fest.

– Hun har allerede begynt å angre, røper Sharifa videre. – Fordi han ikke har penger. Ganske snart så hun hva slags døgenikt han er. Men nå er det for sent. Dersom hun bryter forlovelsen, er det ingen som vil ha henne. Hun går rundt og klirrer med seks armbånd hun har fått av ham. Hun sier de er av gull, men jeg vet det, og hun vet det, de er stålarmbånd malt med gullfarge. Til nyttårsfeiringen fikk hun ikke ny kjole engang. Har dere noen gang hørt om en jente som ikke fikk ny kjole av forloveden til nyttårsfeiringen? Sharifa puster ut og fortsetter.

– Hele dagen er han hjemme hos dem nå, altfor mye. Moren hennes har ingen kontroll med hva de foretar seg. Grusomt, grusomt, for en skam, jeg har sagt det til henne, sukker Sharifa, før de tre rundt henne bombarderer henne med nye spørsmål.

Om den, og den og den. De har fremdeles mange slektninger igjen i Pakistan, tanter, onkler og søskenbarn som ennå ikke finner situasjonen trygg nok til å komme tilbake. Eller de har ikke noe å komme tilbake til, huset er bombet, jorden deres er minelagt, butikken er brent. Men de lengter alle hjem, som Sharifa. Det er snart et år siden hun så sønnene sine sist.

Leila må ut på kjøkkenet for å lage middag. Hun er glad for at Sharifa er tilbake. Det er riktigst sånn. Men hun gruer seg til kranglene som alltid følger med henne, kranglene med sønnene, med svigerinnene, med moren. Hun husker hvordan Sharifa ba dem alle om å ryke og reise.

– Ta med deg døtrene dine og reis, sa hun til sin svigermor, Bibi Gul. – Vi har ikke plass til dere her. Vi vil bo for oss selv, skrek hun når Sultan ikke var hjemme. Det var på den tiden Sharifa hersket både over huset og Sultans hjerte. Det er først de siste årene, etter at Sultan tok seg en ny kone, at Sharifa hadde lagt seg til en mildere tone overfor Sultans slektninger.

– Men det blir enda mindre plass, sukker Leila. De er ikke lenger elleve, men tretten mennesker på de små rommene. Hun skreller løk og det siler bitre løktårer. Ekte tårer gråter hun sjelden, hun har fortrengt ønsker, lengsler og skuffelser. Den nyvaskede såpeduften fra hammamen er forlengst borte. Oljen fra pannen spruter i håret hennes og gir det en eim av beskt fett. De ru hendene smerter av chilisaften som borer seg inn i tynnslitt hud.

Hun lager en enkel middag, ikke noe ekstra selv om Sharifa har flyttet hjem. Familien Khan har ikke for vane å feire kvinnene. Dessuten må hun lage det Sultan liker. Kjøtt, ris, spinat og bønner. I fårefett. Ofte er det bare kjøtt til Sultan og sønnene, og kanskje en bit til Bibi Gul, mens de andre spiser ris og bønner.

– Dere har ikke opptjent noen rett. Dere lever på mine penger, sier han.

Hver kveld kommer Sultan hjem med bunker av penger fra butikkene sine. Hver kveld låser han dem inn i skapet. Ofte har han med store poser fylt med saftige granatepler, søte bananer, mandariner og epler. Men all frukten låses inn i et skap. Bare Sultan og Sonya får spise av den. Bare de har nøkkel. Frukt er dyrt, spesielt utenfor sesongen.

Leila ser på noen små, harde appelsiner som ligger i vinduskarmen. De begynte å bli tørre i kjøttet, og Sonya la dem ut på kjøkkenet – til fellesskapet. Det ville ikke falle Leila inn å smake på dem. Er hun dømt til å spise bønner, så er hun dømt til å spise bønner. Appelsinene får ligge der til de enten råtner eller tørker inn. Leila kneiser med nakken og setter den tunge riskjelen over primusen. Hun heller den hakkede løken i pannen som er halvfull med olje, legger i tomater, krydder og poteter. Leila er flink til å lage mat. Leila er flink til det meste. Derfor er det også hun som blir satt til å gjøre det meste. Under måltidene sitter hun som oftest i kroken ved døren, og springer opp dersom noen trenger noe, eller for å fylle på fatene. Først når hun ser at alle har forsynt seg, fyller hun sin tallerken med det som er igjen. Litt oljete ris og kokte bønner.

Hun er oppdratt til å tjene, og hun er blitt en tjener. Beordret av alle. I takt med stadig nye ordre, faller respekten for henne ytterligere. Når noen er i dårlig humør går det utover Leila. En flekk som ikke har gått bort på en genser, kjøtt som er feil stekt, det kan være mye å komme på dersom man trenger en å la sitt sinne gå utover.

Når slektninger skal invitere til fest, er det Leila som tropper opp tidlig om morgenen, etter å ha lagd frokost til sin egen familie, for å skrelle poteter, koke kraft, hakke grønnsaker. Og når gjestene kommer, rekker hun så vidt å skifte til pent tøy, før hun fortsetter å servere og til slutt tilbringer resten av festen på kjøkkenet med oppvasken. Hun er som Askepott, bare at i Leilas verden er det ingen prins.

Sultan kommer hjem med Mansur, Eqbal og Aimal. Han kysser Sonya i gangen, og hilser kort på Sharifa i stua. De har tilbrakt en hel dag i bilen fra Peshawar til Kabul, og har ikke ytterligere behov for å prate sammen. Sultan og sønnene setter seg. Leila kommer med et vaskevannsfat i tinn og en kanne. Hun setter fatet foran hver enkelt, som vasker hendene, før hun rekker dem et håndkle. Plastduken er lagt på gulvet, og måltidet kan serveres.

Yunus, Sultans yngre bror, er kommet hjem og hilser varmt på Sharifa. Han spør henne etter siste nytt om slektningene, før han som vanlig tier. Han sier sjelden noe under måltidene. Han er rolig og sindig og deltar sjelden i familiens samtaler. Det er som om han ikke bryr seg og beholder sitt ulykkelige sinn for seg selv. 28-åringen er dypt utilfreds med livet sitt.

– Et hundeliv, sier han. Arbeid fra morgen til kveld og smuler ved brorens bord.

Yunus er den eneste Leila gjerne står på pinne for. Denne broren er den hun virkelig er glad i. Iblant kommer han hjem med små ting til henne, en plastspenne her, en kam der.

Denne kvelden er det en ting Yunus lurer spesielt på. Men han vil vente med å spørre. Sharifa kommer ham i forkjøpet og buser ut.

– Det har floket seg til med Belqisa, sier hun. – Faren vil, men ikke moren. Moren ville først, men så snakket hun med en slektning som også hadde en sønn, en yngre sønn, som ville gifte seg med Belqisa. De tilbød penger, og moren har begynt å tvile. Denne slektningen har også spredd dårlige rykter om vår familie. Så jeg har ikke noe svar å gi deg.

Yunus rødmer og skuler taust rundt seg. Hele situasjonen er pinlig. Mansur sitter og gliser. – Barnebarnet vil ikke gifte seg med bestefar, mumler han stille, så Yunus hører det, men ikke Sultan. Det er som om Yunus' siste håp er vrengt og kastet. Han føler seg sliten, sliten av å vente, sliten av å lete, sliten av å bo i en boks.

– Te! kommanderer han for å avbryte Sharifas taleflom om hvorfor familien til Belqisa ikke vil gifte bort datteren til ham. Leila reiser seg. Hun er skuffet over at det ser ut til å drøye med Yunus' giftermål. Hun hadde håpet at når Yunus giftet seg, ville han ta med seg henne og moren. De kunne alle bo sammen, Leila skulle være så snill, så snill. Hun skulle lære opp Belqisa, hun skulle gjøre den tyngste jobben. Belqisa kunne til og med fortsette skolegangen om hun ville. De skulle få det så fint. Alt for å komme ut av Sultans hus der ingen setter pris på henne. Sultan klager over at hun ikke lager maten slik han vil, at hun spiser for mye, at hun ikke gjør alt Sonya ber henne om. Mansur er til stadighet over henne og hakker på henne. Ofte ber han henne ryke og reise. – Jeg bryr meg ikke om noen som ikke har betydning for framtiden min, sier han. – Og du, du, betyr ingenting for meg. Du lever på faren min, ut med deg, ler han hånlig, vel vitende om at hun ikke har noe sted å gå.

179

Leila kommer med teen. Svak, grønn te. Hun spør Yunus om hun skal stryke buksene hans til dagen etter. Hun har akkurat vasket dem, og Yunus har bare to bukser, så hun må vite om han har tenkt å bruke de nyvaskede. Yunus nikker stumt.

– Tanten min er så dum, sier Mansur til stadighet. – Alltid når hun sier noe, vet jeg hva hun skal si. Hun er det kjedeligste mennesket jeg kjenner, hånler han og hermer. Han har vokst opp sammen med sin tre år eldre tante, ikke som en bror, men som en sjef.

Leila er den som alltid sier ting to ganger, fordi hun tror hun ikke blir hørt. Hun snakker stort sett om hverdagslige ting, fordi det er hennes univers. Men hun kan også le og stråle, med kusinene sine, søstrene eller niesene. Leila kan overraske og fortelle artige historier. Hun kan le så hele ansiktet vrenger seg. Men ikke under familiemiddagen. Da er hun stort sett taus. Innimellom ler også hun av nevøenes plumpe vitser, men som hun sier til kusinene: Jeg ler med munnen, ikke med hjertet.

Etter den skuffende historien om Belqisa er det ingen som sier stort under Sharifas første kveldsmåltid. Aimal leker med Latifa, Shabnam leker med dokkene hennes, Eqbal bråker med Mansur og Sultan flørter med Sonya. De andre spiser i taushet, før familien går til sengs. Sharifa og Shabnam blir plassert på rommet der Bibi Gul, Leila, Bulbula, Eqbal, Aimal og Fazil allerede ligger. Sultan og Sonya beholder sitt soverom. Ved midnatt ligger alle på mattene sine, så nær som en.

Leila står i skjæret av et stearinlys og lager mat. Sultan vil ha hjemmelagd mat på jobben. Hun steker en kylling i olje, koker ris, lager grønnsakssaus. Mens det koker, vasker hun opp. Flammen fra stearinlyset lyser opp ansiktet hennes. Hun har store, mørke ringer under øynene. Når maten er ferdig, tar hun kasserollene fra platen, surrer store kleder rundt dem og knyter en hard knute så lokkene ikke skal falle av når Sultan og sønnene tar dem med neste morgen. Hun vasker oljen av fingrene og legger seg, i de samme klærne hun har gått i hele dagen. Hun ruller ut matten sin, legger et teppe over seg og sovner, til mullaen vekker henne noen timer senere, og hun starter en ny dag akkompagnert av «Allahu akhbar» – «Gud er stor».

En ny dag som lukter og smaker som alle andre dager. Av støv.

Forsøk

En ettermiddag tar Leila på seg burkhaen og de høyhælte ute-
skoene sine og smyger seg ut av leiligheten. Ut av den hengs-
lete utgangsdøren, forbi klesvasken, ut på gårdsplassen. Hun
plukker opp en liten nabogutt som følge og anstand. De krysser
broen over den uttørkede Kabul-elven og forsvinner under
trærne i en av Kabuls få alleer. De går forbi skopussere, melon-
selgere og brødbakere. Og menn som bare står og henger. Det
er dem Leila er redd for, de som har tid, og som tar seg tid, til å
se.

Bladene på trærne er grønne for første gang på lenge. De tre
siste årene regnet det knapt en dråpe i Kabul, og knoppene ble
brent brune av solen før de rakk å bli til blader. Denne våren,
den første våren etter at Taliban flyktet, regnet det mye, velsig-
net regn, deilig regn. Ikke nok til at Kabul-elven fyltes til bred-
den igjen, men nok til at det spirte og ble grønt på de få trærne
som hadde overlevd. Nok til at støvet innimellom la seg. Stø-
vet, det fine sandstøvet som er Kabuls forbannelse. Når det
regner blir støvet til leire, når det er tørt virvler det rundt, tet-
ter igjen nesen, lager katarr i øynene, legger seg i halsen, blir til
gjørme i lungene. Denne formiddagen har det regnet og frisk-
net til. Men den fuktige luften trenger ikke inn under burk-

haen. Leila kjenner bare lukten av sin egen, nervøse pust, og pulsen i tinningen.

På en betongblokk i Mikrorayon nummer 4 henger det store skilt der det står «Kurs». Det er lange køer utenfor, her blir det holdt alfabetiseringskurs, datakurs og skrivekurs. Leila skal melde seg på engelskkurs. Utenfor inngangen sitter to menn ved et bord og foretar registreringen. Leila betaler avgiften og går inn i kø med hundrevis av andre som skal finne sine klasserom. De går ned en trapp og inn i en kjeller som ser ut som et bomberom. Kulehull danner mønster på veggen. Lokalet har vært våpenlager under borgerkrigen, rett under boligene til folk. De forskjellige «klasserommene» er oppdelt med planker. Hvert avlukke har en tavle, en pekestokk og noen benker. Enkelte av avlukkene har pulter. Man kan høre et lavt surr av stemmer, varmen begynner å bre seg i rommet.

Leila finner sitt avlukke. Engelsk for litt viderekommende. Hun er tidlig ute, det samme er noen lange slamper av noen gutter.

Er det virkelig mulig? Gutter i klassen? tenker hun. Hun har lyst til å snu og gå, men stålsetter seg. Hun setter seg bakerst. To jenter sitter stille i den andre kroken. Stemmene fra de andre avlukkene går sammen i en stor summing. Enkelte steder trenger skarpe lærerstemmer igjennom. Det varer en stund før deres lærer kommer. Guttene begynner å skrible på tavlen. «Pussy», skriver de. «Dick», «Fuck». Leila ser uinteressert på ordene. Hun har med seg en engelsk-persisk ordbok og slår opp i den under bordet, så guttene ikke skal se det. Men ordene står ikke der. Hun føler et voldsomt ubehag. Alene, eller nærmest alene med masse unge gutter på sin egen alder, noen til og med eldre. Hun skulle aldri gått, hun angrer seg. Tenk om noen av guttene prater til henne. For en skam. Og hun har til og med tatt av seg burkhaen. Man sitter da ikke med burkha i klasseværelset, hadde hun tenkt. Og nå har hun allerede vist seg fram.

Læreren kommer, og guttene pusser raskt ut ordene de har skrevet. Det blir en lidelsestime. Alle må presentere seg, si hvor gamle de er og fortelle noe på engelsk. Læreren, en tynn, ung mann, peker på henne med pekestokken og ber henne snakke. Hun føler at hun vrenger sjelen sin for læreren foran disse guttene. Hun føler at hun har skitnet seg til, vist seg fram, ødelagt æren sin. Hva tenkte hun på da hun ville gå på kurset? Hun hadde aldri i verden forestilt seg at de ville ha gutter og jenter i samme klasse. Aldri. Det var ikke hennes feil.

Hun tør ikke gå. Læreren kunne komme til å spørre henne hvorfor. Men når timen er over, styrter hun ut. Hiver på seg burkhaen og langer ut. Trygt hjemme, henger hun burkhaen på spikeren i gangen.

– Grusomt! Det var gutter i klassen!

De andre måper. – Det var ikke bra, sier moren hennes. – Dit bør du ikke gå mer.

Leila ville heller aldri drømme om å gå tilbake. Om Taliban var borte, befant de seg fremdeles i Leilas hode. Og i Bibi Guls og i Sharifas og i Sonyas. Kvinnene i Mikrorayon var glade for at talibantiden var over, de kunne spille musikk, de kunne danse, de kunne male tåneglene – så lenge ingen så dem og de fortsatt kunne gjemme seg under den trygge burkhaen. Leila var et ektefødt barn av borgerkrig, mullastyre og Taliban. Et barn av frykten. Hun gråt inni seg. Forsøket på å bryte ut, på å gjøre noe selvstendig, lære noe, hadde slått feil. I fem år hadde det vært forbudt for jenter å lære noe. Nå var det lov, den som forbød henne det var hun selv. Hadde enda Sultan latt henne

184

gå på gymnaset, ville det ikke vært noe problem. Der var det rene jenteklasser.

Hun satte seg på kjøkkengulvet for å hakke løk og poteter. Der satt Sonya og spiste stekte egg og ammet Latifa. Leila orket ikke snakke med henne. Den dumme jenta som ikke engang hadde lært seg alfabetet. Som ikke engang prøvde. Sultan hadde bestilt en privatlærer til henne for at hun skulle lære å lese og skrive. Men ingenting festet seg, hver time var som den første, så etter å ha lært fem bokstaver på noen måneder, ga hun opp og bad Sultan om å få slippe. Mansur hadde ledd hånlig allerede i starten av Sonyas private alfabetiseringskurs. – Når en mann har alt og ikke vet hva mer han kan gjøre, forsøker han å lære eselet sitt å snakke, sa han høyt og lo. Selv Leila, som stort sett mislikte alt Mansur sa, måtte le av spøken.

Leila prøvde å heve seg over Sonya så godt hun kunne og irettesatte henne når hun sa noe dumt eller ikke fikk til noe, men bare når Sultan ikke var hjemme. For Leila var Sonya den fattige landsbyjenta som hadde blitt løftet inn i deres relative rikdom bare fordi hun var pen. Hun mislikte henne på grunn av alle privilegiene Sultan ga henne og fordi arbeidsbyrden på de to jevngamle jentene var så ulik. Men egentlig hadde hun ikke noe personlig imot Sonya, som stort sett satt med et mildt, fraværende uttrykk og så på det som skjedde rundt henne. I virkeligheten var hun ikke lat heller, hun hadde vært en flink arbeidsjente da hun stelte for foreldrene sine i landsbyen. Det var Sultan som ikke lot henne jobbe. Når han ikke var hjemme, tok hun gjerne i et tak. Likevel irriterte hun Leila. Hun satt hele dagen og ventet på Sultan, og spratt opp når han kom hjem. Når han var på forretningsreise, gikk hun uvasket og sjuskete kledd. Når han var hjemme, pudret hun den mørke huden sin hvit, svertet øynene og malte leppene.

185

Sonya hadde gått fra barn til hustru da hun var seksten år. Hun hadde grått før bryllupet, men som den veloppdragne piken hun var, hadde hun snart vent seg til tanken. Hun hadde vokst opp uten forventninger til livet, og Sultan hadde brukt den to måneder lange forlovelsestiden godt. Han hadde bestukket foreldrene hennes slik at han kunne tilbringe tid alene med Sonya før bryllupet. Egentlig skal ikke de forlovede sees mellom forlovelsesfesten og bryllupsdagen, noe som sjelden blir overholdt. Men en ting var at de gikk og kjøpte inn utstyr sammen, noe annet var at de tilbrakte nettene sammen. Det var helt uhørt. Storebroren ville forsvare hennes ære med kniv da han hørte at Sultan hadde betalt penger til foreldrene for å overnatte sammen med Sonya før bryllupsnatten. Men selv Sonyas arge bror ble brakt til taushet med klingende mynt, og Sultan fikk det som han ville. I hans øyne gjorde han henne en tjeneste.

– Hun må forberedes på bryllupsnatten, hun er veldig ung og jeg er en erfaren mann, sa han til foreldrene. – Dersom vi tilbringer tid sammen nå, blir ikke bryllupsnatten så sjokkerende. Men jeg lover å ikke forgripe meg på henne, sa han. Skritt for skritt forberedte han sekstenåringen på bryllupsnatten.

To år senere er Sonya tilfreds i sitt ensformige liv. Hun ønsker seg ikke annet av det enn å sitte hjemme, innimellom besøke eller få besøk av slektninger, nå og da få en ny kjole, hvert femte år et gullarmbånd.

En gang hadde Sultan tatt henne med på forretningsreise til Teheran. De var borte en måned, og de andre kvinnene i Mikrorayon var nysgjerrige på hva hun hadde opplevd i utlandet. Men da de kom tilbake, hadde Sonya ingenting å fortelle. De hadde bodd hos slektinger, og hun hadde lekt med Latifa på gulvet som vanlig. Hun hadde bare så vidt sett Teheran, og hadde ikke noe ønske om å utforske byen nærmere. Det eneste hun kom på å si, var at det var finere ting i basaren i Teheran enn i Kabul.

Det aller viktigste i Sonyas bevissthet er å få flere barn. Eller rettere sagt, sønner. Nå er hun gravid igjen og livredd for å få en datter til. Når Latifa trekker av henne sjalet eller begynner å leke med det, dasker Sonya til henne og fester det igjen. For når det sistefødte barnet leker med morens sjal, betyr det at neste barn blir en jente.

– Dersom jeg får en datter, kommer Sultan til å ta en tredje kone, sier hun etter at de to svigerinnene hadde sittet en stund i taushet på kjøkkengulvet.

– Har han sagt det? spør Leila forbauset.

– Han sa det i går.

– Han sier det bare for å skremme deg.

Sonya hører ikke etter. – Jeg må ikke få en datter, jeg må ikke få en datter, mumler hun mens den diende ettåringen sovner inn av morens monotone stemme.

Dumme ku, tenker Leila om sin jevnaldrende svigerinne. Hun er ikke humør til å snakke. Hun må ut, hun vet det. Hun vet at hun ikke vil orke å sitte hjemme hele dagen med Sonya, Sharifa, Bulbula og moren. Jeg blir gal. Jeg orker ikke være her lenger, tenker hun inni seg. Jeg hører ikke hjemme her.

Hun tenker på Fazil, og måten Sultan behandlet ham på. Det var det som hadde fått henne til å innse at det var på tide å stå på egne bein, og prøve seg på det engelskkurset.

Elleveåringen hadde hver dag jobbet med å bære kasser i bokhandelen, hver kveld spist sammen med dem og hver natt ligget krøllet sammen på matten ved siden av Leila. Fazil er Mariams eldste sønn, og Sultans og Leilas nevø. Mariam og

187

mannen hadde ikke penger til å fø på alle barna, og da Sultan trengte hjelp i butikken, tok de med glede imot tilbudet om kost og losji hos Sultan for sønnen. Betalingen var at Fazil slet tolv timer daglig. Bare på fredager fikk han fri og kunne reise hjem til moren og faren i landsbyen.

Fazil trivdes. Han ryddet og bar kasser i butikkene om dagen og lekte og sloss med Aimal om kvelden. Den eneste han ikke likte, var Mansur, som dasket ham på hodet eller slo ham med knyttneven i ryggen når han gjorde en feil. Men Mansur kunne være snill også, plutselig kunne han ta ham med til en butikk og kjøpe nye klær til ham. Eller ta ham med på restaurant for å spise lunsj. I det hele tatt hadde Fazil likt livet langt fra landsbyens sølete gater. Men så en kveld sa Sultan:

– Jeg er lei av deg. Dra hjem. Ikke vis deg mer i butikken.

Familien satt målløs. Han hadde jo lovt Mariam å ta vare på gutten et år. Ingen sa noe. Ikke Fazil heller. Først da han lå på matten sin, gråt han. Leila forsøkte å trøste ham, men det var ikke noe å si, Sultans ord var lov.

Neste morgen pakket hun sammen de få eiendelene hans og sendte ham hjem. Han måtte selv forklare moren sin hvorfor han var blitt sendt hjem. Sultan var blitt lei av ham.

Leila kokte. Hvordan kunne Sultan behandle Fazil slik? Hun kunne selv være den neste han dyttet fra seg. Hun måtte finne på noe.

Leila pønsket ut en ny plan. En morgen etter at Sultan og sønnene hadde reist, tok hun igjen på seg burkhaen og forsvant ut døren. Igjen fikk hun en smågutt til å følge seg. Denne dagen tok hun en annen vei, hun gikk helt ut av Mikrorayon, ut av den bombede betongørkenen. I utkanten av bydelen var husene så ødelagt at man ikke kunne bo der. Noen få familier hadde likevel tatt tilhold i ruinene og levde av å tigge fra de nesten like fattige naboene sine, som i alle fall hadde tak over hodet. Leila krysset en liten eng, der en geiteflokk beitet på spredte gresstuster mens gjetergutten døste under det ene treet som var igjen og ga skygge. Dette var skillet mellom by og landsby. På den andre siden av enga begynte landsbyen Deh Khudaidad. Først gikk hun innom storesøsteren Shakila.

Porten ble lukket opp av Said, den eldste sønnen til Wakil, mannen Shakila nylig hadde giftet seg med. Said manglet tre fingre på den ene hånden. Dem hadde han mistet da et bilbatteri han reparerte, eksploderte. Men han sa til alle at han hadde kommet borti en mine. Det ga mer status å være mineskadet, det var nesten som om han hadde kjempet i krigen. Leila likte ham ikke, hun syntes han var enkel og grov. Ikke kunne han lese og skrive, og han snakket som en bonde. Som Wakil. Hun grøsset under burkhaen da hun så ham. Han smilte skjevt og streifet burkhaen hennes idet hun gikk forbi. Hun grøsset igjen. Hun grøsset av frykt for å ende opp med ham. Det var mange i familien som forsøkte å koble dem. Både Shakila og Wakil hadde vært og spurt Bibi Gul om henne.

– For tidlig, hadde Bibi Gul svart, selv om det var på tide å gifte bort Leila.

– På tide, hadde Sultan sagt. Ingen spurte Leila, og Leila ville heller ikke svart. En høflig pike svarer ikke på spørsmål om hun liker eller ikke liker den eller den. Men hun håpet, hun håpet at hun slapp unna.

Shakila kom vuggende. Smilende, strålende. All frykt var gjort til skamme når det gjaldt Shakilas ekteskap med Wakil. Hun fikk fortsette som biologilærer. Barna hans forgudet henne, hun pusset nesene deres og vasket klærne deres. Hun fikk mannen til å fikse opp hjemmet og til å gi henne penger til nye gardiner og puter. Og hun sendte barna hans på skolen, noe Wakil og kona ikke hadde vært så nøye med. Da de eldste sønnene mukket fordi de syntes det var pinlig å sitte i samme klasserom som småbarn, sa hun bare: Det blir pinligere senere, dersom dere ikke går.

Shakila var overlykkelig over endelig å ha fått sin egen mann. Øynene skinte med en ny glans. Hun så forelsket ut. Etter trettifem år som peppermø, hadde hun funnet seg ypperlig til rette i rollen som husfrue.

Søstrene kysset hverandre på begge kinn. Trakk burkhaene over hodet og skrittet ut porten. Leila i de svarte, høyhælte uteskoene, Shakila i sine hvite, skyhøye pumps med gullspenne – bryllupsskoene. Sko er viktig når man verken kan vise kropp eller klær, hår eller ansikt.

De trippet over sølepytter, gikk utenom kanter av stivnet leire og dype bilspor, mens grusen skrapte seg inn i de tynne sålene. Veien de gikk på, var veien til skolen. Leila skulle søke jobb som lærer. Det var det som var hennes hemmelige plan.

Shakila hadde forhørt seg på landsbyskolen der hun jobbet. De hadde ingen engelsklærer. Selv om Leila bare hadde fullført ni skoleår, trodde hun fint hun kunne greie å undervise nybegynnerne. Da hun bodde i Pakistan, hadde hun tatt ekstra engelsktimer på kveldstid.

Skolen ligger bak en leirmur, som er så høy at man ikke kan se over. Ved inngangen sitter en gammel vaktmann. Han passer på at ingen uvedkommende går inn, spesielt menn, for dette er en jenteskole, og alle lærerne er kvinner. Gårdsplassen var en gang en gresslette, nå blir det dyrket poteter der. Rundt potetåkeren er det avlukker bygd inn i muren. Det er klasserom med tre vegger; muren og sideveggene, mens det er åpent ut mot plassen. Slik kan rektor hele tiden se hva som foregår i alle klasserommene. Avlukkene har plass til noen benker, bord og en tavle. Bare de største jentene har stoler og bord, de andre sitter på bakken og følger med på tavlen. Mange av elevene har ikke råd til skrivebøker, men skriver på egne små tavler eller på en papirlapp de har funnet.

Det er stor forvirring, daglig dukker det opp nye elever som vil begynne på skolen, klassene vokser og vokser. Myndighetenes skolekampanje har vært svært synlig. Over hele landet er det hengt opp store bannere med bilder av lykkelige barn med bøker under armen. «Tilbake til skolen» er den eneste teksten, resten forteller bildene.

Når Shakila og Leila kommer, er inspektøren opptatt med en ung kvinne som vil registrere seg som elev. Hun sier hun har gått tre klasser før, og vil begynne i fjerde klasse.

– Jeg kan ikke finne deg i listene våre, sier inspektøren og leter i elevkartoteket, som ved en tilfeldighet er blitt liggende i et skap gjennom hele talibantiden. Kvinnen sier ingenting.

– Kan du lese og skrive? spør inspektøren.

Kvinnen drar på det. Til slutt innrømmer hun at hun aldri har gått på skolen.

– Men det hadde vært så fint å begynne i fjerde klasse, hvisker hun. – I første klasse er de så små, det er så skamfullt å gå med dem.

Inspektøren sier at dersom hun vil lære noe, må hun begynne fra starten, i første klasse. En klasse som består av barn fra fem år og opp til tenåringer. Kvinnen ville blitt den eldste. Hun takker og går.

Så er det Leilas tur. Inspektøren husker henne fra tiden før Taliban. Leila hadde vært elev ved denne skolen, og inspektøren vil gjerne ha henne som lærer.

191

– Men først må du registreres, sier hun. – Du må gå til undervisningsministeriet med papirene dine og søke om å få jobbe her.

– Men dere har jo ingen engelsklærer, kan ikke dere søke for meg. Eller jeg kan begynne nå og registrere meg etterpå, spør Leila.

– Nei, først må du ha personlig tillatelse fra myndighetene. Slik er reglene.

Hylene fra bråkete småjenter trenger inn i det åpne kontoret. En lærer sveiper over dem med en grein for at de skal være stille, og de tumler bort til hver sine klasserom.

Leila går nedtrykt ut av skoleporten og lyden av oppspilte skolejenter svinner. Hun trasker hjem, og glemmer til og med at hun stavrer alene på de høyhælte skoene. Hvordan skal hun komme seg til undervisningsministeriet uten at noen merker det? Planen var først å få seg jobb, og deretter fortelle Sultan om det. Dersom han får vite om det på forhånd, vil han nekte henne, men om hun allerede hadde jobben, ville han kanskje la henne fortsette. Undervisningen var uansett bare noen timer hver dag, hun ville bare stå opp enda tidligere og jobbe enda hardere.

Vitnemålene hennes ligger i Pakistan. Hun får lyst til å gi opp. Men så tenker hun på den mørke leiligheten og de støvete gulvene i Mikrorayon og går til telegrafen i nærheten. Hun ringer til noen slektninger i Peshawar for at de skal få tak i papirene hennes. De lover å hjelpe henne, og sende dem med noen som reiser til Kabul. Den afghanske posttjenesten fungerer ikke, så det meste blir sendt med andre reisende.

Etter noen uker kommer papirene. Neste skritt er å gå til undervisningsministeriet. Men hvordan kan hun dra dit? Hun kan umulig gå alene. Hun spør Yunus, men han synes ikke hun skal jobbe. – Du vet aldri hva slags jobb du får, sier han. – Bli her hjemme og ta deg av den gamle moren din.

Yndlingsbroren er til liten hjelp. Nevøen Mansur bare fnyser når hun spør ham. Hun kommer ingen vei. Skoleåret er for lengst startet. – Det er for sent, sier moren. – Vent til neste år.

Leila fortviler. Kanskje jeg egentlig ikke vil undervise? tenker hun for at det skal bli lettere å gravlegge planen. Kanskje jeg egentlig ikke har lyst lenger?

Leila stamper. I samfunnets gjørme og tradisjonenes støv. Hun stamper i systemet som er vokst fram gjennom århundrene og som lammer halve befolkningen. Undervisningsministeriet er en halvtimes busstur unna. En umulig halvtime. Leila er ikke vant til å kjempe for noe, tvert imot er hun vant til å gi opp. Men det må finnes en vei ut. Hun må bare finne den.

Kan Gud dø?

Straffeleksens evinnelige kjedsomhet holder på å ta overhånd for Fazil. Han har lyst til å hoppe opp og hyle, men tar seg i det, slik en gutt skal ta sin straff når han er elleve år og ikke har kunnet leksen. Hånden går på sitt hakkete vis over arket. Han skriver med små bokstaver for ikke å ta opp for mye plass, skrivebøker er dyre. Lyset fra gasslykten gir arket et rødaktig skjær, som å skrive på flammer, tenker han.

I kroken sitter bestemoren og ser på ham med det ene øyet sitt. Det andre brant i stykker da hun falt inn i en ovn som var murt ned i gulvet. Moren hans, Mariam, ammer to år gamle Osip. Jo trøttere han blir, jo mer besatt skriver han. Han må bli ferdig, om han så skal sitte i hele natt. Han orker ikke lærerens slag over fingrene med pekestokken en gang til. I alle fall orker han ikke skammen.

Ti ganger skal han skrive hva Gud er: Gud er skaperen, Gud er evig, Gud er allmektig, Gud er god, Gud er kunnskap, Gud er livet, Gud ser alt, Gud hører alt, Gud vet alt, Gud styrer alt, Gud dømmer alt, Gud ...

Grunnen til straffeleksen er at han hadde svart feil i islamtimen. – Jeg svarer alltid feil, klager han til moren. – For når jeg ser læreren, blir jeg så redd at jeg glemmer. Han er alltid sint, og bare du gjør en liten feil, så hater han deg.

Det hadde gått galt fra begynnelse til slutt da Fazil ble tatt opp til tavlen for å bli hørt i leksen om Gud. Han hadde lest på den, men da han kom opp, var det som om han hadde tenkt på noe annet mens han leste, og han husket ingenting. Islamlæreren, med det lange skjegget, turban, kjortel og vide bukser, hadde sett på ham med svarte, stikkende øyne og spurt:

– Kan Gud dø?

– Nei, svarte Fazil og skalv under blikket. Uansett hva han sa, fryktet han at det ville bli feil.

– Hvorfor ikke?

Fazil står stum. Hvorfor kan ikke Gud dø? Er det ingen kniver som går gjennom ham? Ingen kuler som kan såre ham? Tankene raser gjennom hodet hans.

– Nå? sier læreren. Fazil rødmer og stammer, men tør ikke si et ord. En annen gutt får svare: – Fordi han er evig, sier han raskt.

– Riktig. Kan Gud snakke? fortsetter læreren.

– Nei, svarer Fazil. – Eller ja.

– Hvis du mener han kan snakke, hvordan snakker han? spør læreren.

Fazil blir stående stum igjen. Hvordan han snakker? Drønnende stemme? Lav stemme? Hviskende stemme? Igjen klarer han ikke å svare.

– Jaha, du sier han kan snakke, har han en tunge? spør læreren.

– Om Gud har tunge?

Fazil prøver å tenke seg til hva som kan være riktig. Han tror ikke Gud har tunge, men har tør ikke si noe. Det er bedre å si ingenting, enn å si noe galt og bli til latter for hele klassen, tenker han. Igjen får en annen gutt nede i klassen ordet.

– Han snakker gjennom Koranen, svarer han. – Koranen er hans tunge.

– Korrekt. Kan Gud se? fortsetter læreren.

Fazil ser at han fikler med pekestokken og slår seg selv lett i håndflaten, som om han øver seg på slagene som snart skal tromme over Fazils fingre.

– Ja, svarer Fazil.

– Hvordan ser han? Har han øyne?

Fazil står stille før han sier: – Jeg har ikke sett Gud, hvordan kan jeg vite det?

Læreren slo ham over fingrene med linjalen til tårene spratt. Han følte seg som den dummeste i klassen, smerten i fingrene var ingenting mot det skamfulle å stå slik. Til slutt fikk han denne straffeleksen.

Læreren minte ham om en talibaner. Ikke mer enn et halvt år tidligere, gikk alle kledd som ham. – Dersom du ikke lærer dette, kan du ikke fortsette i klassen, sa han til slutt. Kanskje læreren virkelig var talibaner, tenkte Fazil. Han visste at de var strenge.

Etter å ha skrevet ned hva Gud er ti ganger, skal han lære det utenat. Han mumler for seg selv, og gjentar høyt for moren. Til slutt sitter det. Bestemoren synes synd på barnebarnet. Selv har hun aldri gått på skolen, og tenker at leksene er altfor vanskelige for den lille gutten. Hun holder et glass te mellom stumpene som er igjen av hendene og slurper den i seg.

– Når profeten Muhammad drakk, lagde han aldri en lyd, sier Fazil strengt. – Hver gang han tok en slurk, tok han glasset tre ganger fra leppene og takket Gud, forteller han videre.

Bestemoren skotter på ham med det ene øyet sitt: – Ja, ja, sier du det.

Profeten Muhammads liv er neste del av leksen. Han har kommet til kapitlet som handler om vanene hans og leser høyt, mens han lar fingeren gå langs bokstavene, fra høyre til venstre.

«Profeten Muhammad, fred være med ham, satt alltid på bakken. Han hadde ingen møbler i huset sitt, fordi han mente at en mann skulle gå gjennom livet som en reisende, som bare tar en hvil i skyggen og så går videre. Et hus skulle ikke være annet enn en hvilestue og beskyttelse mot kulde og hete, mot ville dyr og for å bevare privatlivets fred.

Muhammad, fred være med ham, pleide å hvile på sin venstre arm. Når han tenkte dypt, likte han å grave i jorden med en spade eller en pinne, eller han satt med armene rundt beina. Når han sov, sov han på sin høyre side og la høyre hånd-flate under ansiktet. Noen ganger sov han på ryggen, noen ganger la han et bein over det andre, men han passet alltid på at hver eneste del av kroppen var tildekket. Han mislikte sterkt å ligge med ansiktet ned og forbød også andre å gjøre det. Han likte ikke å sove i et mørkt rom eller på et åpent tak. Han vasket seg alltid før han la seg og resiterte bønner til han sovnet. Han snorket lavt når han sov. Når han våknet opp midt på natten for å urinere, vasket han hender og ansikt når han kom tilbake. Han hadde på seg et lendeklede i sengen, men tok vanligvis av seg skjorten. Siden det ikke var latriner i husene på den tiden, pleide profeten gjerne gå flere kilometer ut av byen slik at han kunne være ute av syne og valgte myk jord for å unngå at det sprutet opp på kroppen hans. Han var også veldig nøye med å være i dekning bak en stein eller en høyde. Han badet alltid bak et teppe eller brukte et lendeklede når han badet i regnet. Når han snøt seg, tok han alltid en klut foran nesen.»

Fazil fortsatte å lese høyt om profetens matvaner. At han likte dadler, gjerne blandet med melk eller smør. At han særlig foretrakk nakken og sidene på dyr, men at han aldri spiste løk eller hvitløk fordi han mislikte dårlig ånde. Før han satte seg ned for å spise, tok han alltid av skoene og vasket hendene. Han brukte bare høyrehånden når han spiste, og spiste bare fra sin del av bollen, han tok aldri hånden midt i matfatet. Han brukte aldri bestikk, og benyttet seg bare av tre fingre når han spiste. For hver matbit han puttet i munnen, takket han Gud.

Og altså; når han drakk – lagde han ikke en lyd.

Han slår igjen boken.

– Nå må du legge deg, Fazil.

Mariam har redd opp til ham, i rommet der de har sittet og spist. Rundt ham snorker allerede de tre søsknene. Men Fazil har igjen å lese bønnene på arabisk. Han pugger de uforståelige ordene fra Koranen før han stuper ned på matten sin, fullt påkledd. Klokken sju neste dag skal han være på skolen. Han gyser. Første time er islam. Han sovner utslitt, sover urolig og drømmer at han igjen blir hørt, og at han ikke klarer å svare riktig på noe. Han kan svarene, men de kommer ikke ut.

Høyt over ham trekker store og tunge skyer mot landsbyen. Etter at han har sovnet, skyller regnet ned. Det trekker seg inn i leirtaket, og trommer på murplattingen utenfor. Dråpene legger seg på plasten som dekker vindusåpningene. Et kjølig drag trekker inn i rommet, bestemoren våkner og snur seg rundt.

– Gud være lovet, sier hun når hun ser regnet. Hun lar håndstumpene gli over ansiktet som i bønn, snur seg og sover videre. De fire barna puster trygt rundt henne.

Når Fazil blir vekket halv seks neste morgen, har regnet stilnet, og solen sender sine første stråler over høydene som omgir Kabul. Når han vasker seg i vannet moren har satt fram, kler på seg og pakker sekken, er solen allerede i ferd med å tørke ut dammene natteregnet lagde. Fazil drikker te og spiser frokost, før han løper av gårde. Han er tverr og sur mot moren. Han blir sint når hun ikke er rask nok til å gjøre det han ber om. Han tenker bare på islamlæreren.

Mariam vet ikke hva godt hun skal gjøre for den eldste sønnen sin. Av de fire barna er det han som får den beste maten og mest omsorg. Hun er alltid bekymret for at hun ikke gir Fazil mat som er fullverdig nok for hjernen hans. Det er ham hun kjøper et nytt plagg til dersom hun en sjelden gang har ekstra penger. Det er ham hun setter de store forhåpningene til. Hun husker hvor lykkelig hun var for elleve år siden. Hun trivdes i ekteskapet med Karimullah. Hun husker fødselen og gleden over at det var en gutt. Det ble holdt en stor fest og hun og sønnen fikk flotte gaver. Hun fikk masse besøk og pleie. To år senere fikk hun en jente. Da var det verken fest eller gaver.

Hun fikk bare noen få år med Karimullah. Da Fazil var tre, ble faren drept i en skuddveksling. Mariam ble enke og tenkte at livet var over. Den enøyde svigermoren og hennes egen mor, Bibi Gul, bestemte at hun skulle giftes bort til Karimullahs yngre bror, Hazim. Men han var ikke som storebroren, ikke så flink, ikke så sterk. Borgerkrigen hadde ødelagt butikken Karimullah hadde eid, og de måtte greie seg på det Hazim tjente som tollbetjent.

Men Fazil, han skal studere og bli en berømt mann, håper hun. Først hadde hun tenkt at han skulle arbeide i butikken til broren hennes, Sultan. Hun tenkte at en bokhandel ville være et utviklende miljø. Sultan hadde tatt på seg ansvaret å fø ham, og Fazil hadde fått mye bedre mat der enn hjemme hos henne. Hun gråt hele den dagen Fazil ble sendt hjem av Sultan. Hun var redd han hadde gjort noe galt, men hun kjente til Sultans luner, og forsto etter hvert at han bare ikke hadde bruk for en kassebærer lenger.

Det var da lillebroren hennes, Yunus, kom og tilbød seg å prøve å skrive inn Fazil på Esteqlal, en av de beste skolen i Kabul. Fazil var heldig og fikk begynne i fjerde klasse. Faktisk hadde alt løst seg til det beste, tenkte Mariam. Hun tenkte med gru på Fazils jevnaldrende fetter, Aimal, Sultans sønn, som knapt så solen, men jobbet fra tidlig morgen til sen kveld i en av Sultans butikker.

Hun klapper Fazil på hodet idet han løper ut og bortover gjørmeveien. Han prøver å unngå sølepyttene, og hopper fra jordtopp til jordtopp. Fazil må krysse hele landsbyen for å komme til bussholdeplassen. Han stiger på foran, der mennene sitter, og humper inn til Kabul.

Han er en av de første inn i klasserommet og setter seg på sin plass på rad tre. En etter en kommer guttene inn. De fleste er tynne og dårlig kledd. Mange går i altfor store klær, antakelig arvet fra eldre brødre. Det er en salig blanding av klesstiler. Noen går fremdeles i drakten Taliban beordret alle gutter og menn å gå med. Buksene har gjerne påsydde stoffbiter nederst, skjøtet på etter som guttene har vokst. Andre har tatt fram 70-tallets bukser og gensere fra kjeller og loft, klær som storebrødrene deres brukte før Taliban kom til makten. En gutt har en olabukse som ser ut som en ballong, festet stramt med et belte i livet, andre har slengbukser. En har altfor små klær, og har tatt underbuksen utenpå den korte genseren. Et par av guttene går med åpen smekk. Når de har gått i lange kjortler siden de var små, kan det være lett å glemme den nye, uvante lukkemekanismen. Noen har samme slitte, rutete bomullsskjorter som

200

russiske barnehjemsgutter ofte går i. Det er som de også har det samme sultne, litt ville blikket. En har på en altfor stor, tynnslitt dressjakke han har brettet opp til albuene.

Guttene leker og roper og hiver saker rundt i rommet, det skraper i gulvet av pultene som dras rundt. Når det ringer inn og læreren kommer, er alle de femti elevene på plass. De sitter på høye trebenker som er festet til bordene. Benkene er lagd til to skolebarn, men på mange sitter det tre, for å få plass til alle.

Når læreren kommer inn, reiser alle elevene seg lynraskt og hilser.

– Salaam alaikum. Guds fred være med deg.

Læreren går sakte langs benkeradene og passer på at alle har med de riktige bøkene og at de har gjort hjemmeleksen. Han sjekker at de har rene negler, klær og sko. Om de ikke er helt rene, skal de i alle fall ikke være helt skitne heller. Da er det rett hjem.

Så hører læreren dem, og denne morgenen kan de som blir hørt, leksen.

– Da går vi videre, sier han. – *Haram!* sier han høyt og skriver det fremmede ordet på tavlen. – Er det noen som vet hva det betyr?

En gutt rekker opp hånden. – En dårlig handling er haram.

Han har rett. – En dårlig handling, som er umuslimsk, er haram, sier læreren. – For eksempel å drepe uten grunn. Eller å straffe uten grunn. Å drikke alkohol er haram, å bruke narkotika, å synde er haram. Å spise grisekjøtt er haram. De vantro bryr seg ikke om at noe er haram. Mye av det som er haram for muslimer ser de på som gode ting. Det er ille.

Læreren ser utover klassen. Han setter opp et stort skjema over de tre begrepene, haram, halal og mubah. Haram er det som er dårlig og forbudt, halal er det som er bra og tillatt, mubah er det som er tvilstilfeller.

– Mubah er det som ikke er bra, men som ikke er synd. For eksempel å spise grisekjøtt dersom man ellers ville ha sultet i hjel. Eller å jakte – å drepe for å overleve.

Guttene skriver og skriver. Til slutt stiller læreren sine sedvanlige spørsmål for å se om de har forstått.

– Hvis en mann synes at haram er en god ting, hva er han da? Ingen klarer å svare.

– En vantro, må islamlæreren til slutt svare selv.

– Og er haram godt eller dårlig?

Nå er nesten alle hendene i været. Fazil tør ikke rekke opp hånden, han er livredd for å svare feil. Han gjør seg så liten han kan på tredje rad. Læreren peker på en av guttene, som reiser seg rakt ved pulten sin og svarer: – Dårlig!

Det var det Fazil også hadde tenkt å svare. En vantro er dårlig.

Det triste rommet

Aimal er Sultans yngste sønn, han er tolv år og har tolv timers arbeidsdag. Hver dag, sju dager i uken, blir han vekket i morgengryet. Han ruller seg sammen igjen, før Leila eller moren tvinger ham opp. Han vasker det bleke ansiktet sitt, kler på seg, spiser et stekt egg med fingrene ved å dyppe brødbiter i den gule plommen, og drikker te.

Klokken åtte låser Aimal opp døren til et lite utsalg i en mørk lobby i et av Kabuls hoteller. Her selger han sjokolade, kjeks, brus og tyggegummi. Han teller penger og kjeder seg. Inni seg kaller han butikken «det triste rommet». Han føler et stikk i hjertet og magen hver gang han åpner døren. Her skal han sitte til han blir hentet i åttetiden om kvelden. Da er det allerede mørkt, og han reiser rett hjem for å spise middag og sove.

Rett utenfor døren hans står det tre store baljer. Resepsjonisten prøver forgjeves å samle opp vannet som drypper fra taket. Uansett hvor mange baljer han setter fram, er det alltid store dammer utenfor Aimals dør, og folk går utenom både baljene og butikken. Lobbyen er ofte mørklagt. Om dagen trekkes de tunge gardinene fra vinduene, men dagslyset klarer ikke trenge helt inn i de mørke krokene. Om kvelden, dersom det finnes strøm, kommer lampene på. Hvis det ikke er strøm, står det store gasslykter på resepsjonsdisken.

Da hotellet ble bygd på 60-tallet, var det Kabuls mest moderne. Den gangen fyltes foajeen av menn i elegante dresser og kvinner i korte skjørt og moderne frisyrer. Det ble servert alkohol og spilt vestlig musikk. Endog kongen kom gjerne hit for å delta på møter, eller for å spise middag.

60- og 70-tallet ble preget av Kabuls mest liberale regimer. Først under levemannen Zahir Shah, deretter under hans fetter Daoud, som strammet inn politisk og fylte opp fengslene med politiske fanger, men som lot overflaten være festlig, vestlig og moderne. Bygningen huset både barer og nattklubber. Så gikk det nedover med hotellet, slik det gikk nedover med landet. Under borgerkrigen ble det totalt ødelagt. Rommene mot byen ble gjennomhullet av kuler, granater landet på balkongene, og raketter raserte taket.

Etter borgerkrigen, da Taliban tok over, drøyde oppussingsarbeidet. Belegget var likevel dårlig, og det var ikke bruk for de utbombede rommene. Mullaene som styrte, brydde seg ikke om å utvikle turismen, tvert imot ville de ha færrest mulig utlendinger inn i landet. Takene falt ned og korridorene ble skjeve av det ustøe, halvveis nedbombede reisverket.

Nå som enda et nytt regime vil sette sitt stempel på Kabul, har arbeidere begynt å tette hull i veggene og skifte ut de knuste rutene. Aimal står ofte og ser på at de forsøker å reparere taket, eller han følger med på elektrikere som desperat kjemper for å få generatoren til å virke når det skal holdes et viktig møte der de trenger mikrofoner og høyttalere. Lobbyen er Aimals lekeplass. Her kan han skli på vannet, her vandrer han rundt. Men det er stort sett alt. Dønn kjedelig. Dønn ensomt.

Iblant prater han med de andre i denne tristhetens hall.

Mennene som vasker og feier, resepsjonistene, dørvaktene, sikkerhetsfolkene, en og annen gjest og de andre butikkselgerne. Det er sjelden noen av dem har kunder. En mann står bak en disk og selger tradisjonelle afghanske smykker. Også han står stort sett hele dagen og kjeder seg. Det er ingen stor etterspørsel etter smykker blant hotellets gjester. En annen selger suvenirer, til priser som gjør at ingen verken kjøper noe eller noen gang kommer tilbake.

Mange butikkvinduer er nedstøvet og dekket av gardiner eller papp. «Ariana Airlines» står det på et knust skilt – Afghanistans nasjonale flyselskap. En gang hadde selskapet en stor flypark. Snertne flyvertinner serverte passasjerene, som kunne velge både whisky og konjakk. Mange fly gikk med under borgerkrigen, resten ble bombet i stykker av amerikanerne i deres jakt på Osama bin Laden og Mulla Omar. Ett eneste fly unngikk bombene, det sto på flyplassen i New Delhi 11. september. Det er det flyet som skal redde Ariana, det går fremdeles tur-retur Kabul-New Delhi. Men det er ikke nok til å gjenåpne hotellets Ariana-kontor.

I en ende av foajeen ligger restauranten som serverer Kabuls dårligste mat, men har byens hyggeligste kelnere. Det er som om de må kompensere for den smakløse risen, den tørre kyllingen og de vasne gulrøttene.

Midt i lobbyen er det en liten innhegning på noen kvadratmeter. Et lavt gjerde av tre avgrenser området mellom gulvet utenfor og det grønne teppet innenfor. Stadig vekk sees gjester, ministre, vaktmestere og servitører side om side på de små teppene som ligger oppå det grønne. I bønnen er alle like. Det er også et større bønnerom i kjelleren, men de fleste nøyer seg med noen minutter på teppet midt mellom to sittegrupper.

På et vaklevorent bord troner en TV som ustanselig står på.

Selv om den er rett utenfor Aimals sjokoladesjappe, er det sjelden han stopper og titter. Kabul TV, Afghanistans eneste kanal, har sjelden noe interessant å melde. Det er en mengde religiøse programmer, noen lange diskusjonsprogrammer, noen nyhetsmeldinger og masse tradisjonell musikk som akkompagnement til stillbilder av afghanske landskaper. Kanalen har åpnet for kvinnelige nyhetsopplesere, men ikke for kvinnelige sangere og dansere. – Folket er ikke rede for det ennå, sier ledelsen. Iblant sendes polske og tsjekkiske tegneserier. Da styrter Aimal til. Men han blir ofte skuffet, for han har sett de fleste før.

Utenfor hotellet ligger det som en gang var dets stolthet – et svømmebasseng. Det ble åpnet med brask og bram en fin sommerdag, og alle Kabuls innbyggere, i alle fall de mannlige, ble ønsket velkommen første sommeren. Bassenget fikk et trist endelikt. Raskt ble vannet gråbrunt, ingen hadde tenkt på å installere noe rensesystem. Etter hvert som vannet ble mer og mer skittent, ble bassenget stengt. Folk mente at de hadde fått væskende utslett og andre hudsykdommer av badingen. Ryktet gikk at flere til og med døde. Bassenget ble tømt, og aldri fylt opp igjen.

Nå dekker et tykt støvlag den lyseblå bunnen, mens inntørkede rosebusker langs gjerdet gjør et fåfengt forsøk på å skjule misfosteret. Rett ved ligger en tennisbane som heller ikke blir brukt. Hotellet har fremdeles tennistreneren på telefonlisten. Men er han heldig, har han funnet en annen jobb, for tjenestene hans er ikke særlig etterspurt denne våren da alt skal starte på nytt i Kabul.

Aimals dager består av hvileløse vandringer mellom butikken, restauranten og de slitte sittegruppene. Han er ansvarsfull og holder et øye med butikken i tilfelle noen skulle komme. En gang var det stor trafikk og varene ble revet ut av hyllene. Da Taliban hadde flyktet fra byen, sydet det av journalister i korridorene. Journalister som hadde levd i månedsvis med Nordalliansens soldater på råtten ris og grønn te, og som nå fylte magene med Aimals Snickers og Bounty-sjokolader, smuglet inn fra Pakistan. De kjøpte vann til tretti kroner flasken, små runde smøreoster til nitti kroner boksen og olivenglass til en formue per oliven.

Journalistene brydde seg ikke om prisene, for nå hadde de erobret Kabul og slått ut Taliban. De var skitne og skjeggete som geriljasoldatene, kvinnene var kledd som menn og hadde store møkkete støvler. Mange hadde gult hår og lyserosa hud.

Iblant snek Aimal seg opp på taket der reporterne sto med en mikrofon og snakket til store kameraer. Da så de ikke ut som geriljasoldater lenger, men hadde vasket og gredd seg. Hallen var full av morsomme typer som tullet med ham og slo av en prat. Aimal hadde lært en del engelsk i Pakistan, der han hadde bodd som flyktning det meste av livet.

Den gang var det heller ingen som spurte ham hvorfor han ikke var på skolen. Det var ingen skoler som fungerte likevel. Han telte dollar og regnet på kalkulator og drømte om å bli en stor forretningsmann. Da var også Fazil sammen med ham, og de to guttene fulgte storøyde med på den merkelige verdenen som hadde invadert hotellet, mens de fylte kassen med penger. Men etter noen korte uker forsvant journalistene fra hotellet, der mange hadde fått rom uten vann, strøm eller vinduer. Krigen var over, en leder var innsatt, og Afghanistan var ikke lenger interessant.

Da journalistene forsvant, flyttet de nye afghanske ministrene, deres sekretærer og medhjelpere inn. Mørke pasjtunere i

turban fra Kandahar, hjemvendte afghanere i skreddersydde
dresser og nybarberte krigsherrer fra steppene fylte sofaene i
lobbyen. Hotellet var blitt hjemmet til dem som styrte landet,
men som ikke hadde noe sted å bo i Kabul. Ingen av dem
brydde seg om Aimal eller kjøpte noe i butikken hans. Bounty
hadde de aldri smakt, og vann drakk de fra springen. De ville
ikke drømme om å kaste bort pengene sine på Aimals import-
varer. Italienske oliven, Weetabix og den franske smøreosten
Kiri utgått på dato fristet ikke.

En sjelden gang rotet en og annen journalist seg tilbake til
Afghanistan og hotellet, og inn i butikken.

– Er du her ennå? Hvorfor er du ikke på skolen? pleide de å
spørre.

– Jeg går om ettermiddagen, svarte Aimal dersom de kom
om morgenen.

– Jeg går om morgenen, svarte han, dersom det var etter-
middag.

Han torde ikke innrømme at han, som en annen gategutt,
ikke gikk på skolen. For Aimal er en rik liten gutt. Han har en
rik bokhandler til far, en far som brenner for ord og historier,
en far som har store drømmer og store planer for sitt bokimpe-
rium. Men en far som ikke stoler på andre enn sine egne søn-
ner til å styre butikkene hans. En far som ikke brydde seg om å
innskrive sønnene sine da skolene i Kabul åpnet etter den af-
ghanske nyttårsfeiringen ved vårjevndøgn. Aimal maste og
maste, men Sultan innprentet i ham: – Du skal bli forretnings-
mann, det lærer du best i butikken.

For hver dag ble Aimal stadig mer utilpass og misfornøyd.
Han ble blekere og mer gusten i huden. Barnekroppen ble lut
og uten spenst. «Den triste gutten» ble han kalt. Når han kom
hjem, sloss og kranglet han med brødrene sine, den eneste

måten å få ut energi på. Aimal så misunnelig på fetteren Fazil, som hadde kommet inn på Esteqlal, en skole støttet av den franske stat. Fazil kom hjem med kladdebøker, penn, linjal, passer, blyantspisser, gjørme oppetter buksene og masse morsomme historier.

– Den farløse, fattige Fazil får gå på skolen, klagde Aimal til Mansur, eldstebroren sin. – Men jeg, jeg som har en pappa som har lest all verdens bøker, må jobbe tolv timer om dagen. Dette er årene jeg skulle sparket fotball, jeg skulle hatt venner, løpt rundt, klaget han.

Mansur var enig, han likte ikke at Aimal måtte stå i den mørke butikken hele dagen. Også han ba Sultan om å sende yngstesønnen på skolen. – Senere, sier faren. – Senere, nå må vi stå sammen. Det er nå vi legger grunnsteinene for imperiet vårt.

Hva kan Aimal gjøre? Rømme? Nekte å stå opp om morgenen?

Når faren er borte, våger Aimal seg ut av lobbyen, han låser butikken og tar seg en runde på parkeringsplassen. Kanskje finner han noen å prate med eller sparke i en stein med. En dag han sto der, kom en britisk hjelpearbeider. Plutselig fant han igjen bilen sin som var blitt stjålet under Taliban. Han gikk inn og sjekket saken, nå var bilen eid av en minister, som bedyret at han hadde kjøpt den på lovlig vis. Den anklagende briten var iblant innom Aimals butikk. Aimal spurte alltid hvordan det gikk med bilen hans.

– Ja, det kan du tro, borte for alltid, svarte briten. – Nye røvere tar over etter gamle!

En sjelden gang var det noe som brøt monotonien, og lobbyen ble fylt av folk slik at ekkoet av skrittene hans ikke lenger kunne høres når han snek seg til en tur på toalettet. Som da luftfartsministeren ble drept. I likhet med andre utenbys ministere bodde Abdur Rahman på hotellet. Under FN-konferansen i Bonn, etter at Taliban hadde falt og Afghanistans nye regjering i all hast skulle pekes ut, hadde han støttespillere nok til å bli utnevnt til minister. – En playboy og en sjarlatan, sa motstanderne om ham.

Dramaet skjedde da tusener av *hadjier* – pilegrimer som skulle til Mekka, ble stående igjen på flyplassen i Kabul etter å ha blitt lurt av et reiseselskap. Det hadde solgt billetter uten at det fantes fly. Ariana hadde chartret et fly som gikk i skyttel-trafikk til Mekka, men det fikk på langt nær med seg alle.

Pilegrimene så plutselig et Ariana fly som rullet over banen, og stormet fram for å få plass. Men det store flyet skulle ikke til Mekka, det skulle til New Delhi med luftfartsministeren. Hadjiene i de hvite draktene ble nektet å komme om bord. Rasende slo de ned flyvertene og løp opp trappen og inn i flyet. Der fant de ministeren, som hadde satt seg til rette med et par av sine medarbeidere. Pilegrimene dro ham opp midtgangen og slo ham til døde.

Aimal var en av de første som hørte om saken. Hotellobbyen kokte, folk ville ha detaljer. – En minister som blir slått i hjel av pilegrimer? Hvem sto bak?

Den ene konspirasjonsteorien etter den andre nådde Aimals ører. – Er det starten på et væpnet opprør? Er det et etnisk opprør? Er det tadsjikene som vil drepe pasjtunerne? Er det en personlig hevn? Eller er det bare desperate pilegrimer?

Plutselig ble lobbyen enda grimmere. Surringen av stemmer, alvorlige ansikter, oppspilte ansikter – Aimal fikk bare lyst til å gråte.

Han gikk tilbake til det triste rommet. Satte seg bak bordet. Spiste en Snickers. Det var fire timer til han skulle hjem.

Vaskemannen kom og feide gulvet, og tømte papirkurven.

– Du ser så trist ut, Aimal.

– Jigar khoon, sa Aimal. Mitt hjerte blør, betyr det på persisk og er et uttrykk for dyp sorg.

– Kjente du ham? spurte vaskemannen.

– Hvem?

– Ministeren.

– Nei, svarte Aimal. – Eller jo, litt.

Det kjentes bedre at hjertet hans blødde for ministeren enn for hans egen forspilte barndom.

Snekkeren

Mansur kommer heseblesende inn i farens butikk. Han holder en liten pakke i hånden.

– To hundre postkort! peser han. – Han prøvde å stjele to hundre postkort!

Mansur har svetteperler i ansiktet. Han har løpt de siste meterne.

– Hvem? spør faren. Han setter fra seg regnemaskinen på disken, skriver inn et tall i regnskapsboken og ser på sønnen.

– Snekkeren!

– Snekkeren? spør faren forundret. – Er du sikker?

Stolt, som om han har reddet farens forretning fra en farlig mafiabande, leverer sønnen den brune konvolutten. – To hundre postkort, sier han igjen. – Da han skulle gå, syntes jeg han så litt rar ut i ansiktet. Men det var den siste dagen hans, så jeg tenkte det var derfor. Han spurte om det var noe mer han kunne gjøre. Han sa at han trengte arbeid. Jeg sa jeg skulle spørre deg. Hyllene var jo ferdige. Da skimtet jeg noe i vestelommen hans. «Hva er det?» spurte jeg. «Hva,» sa han og så helt forstyrret ut. «I lommen,» sa jeg. «Det er noe jeg hadde med meg,» svarte han. «Vis meg det,» sa jeg. Han nektet. Til slutt dro jeg selv pakken opp av lommen. Og her er den! Han forsøkte å stjele postkort fra oss! Men det går nok ikke, for jeg passer på!

Mansur har pyntet litt på historien. Han satt som vanlig og dormet da Jalaluddin skulle gå. Det var ryddehjelpen Abdur som knep snekkeren. Abdur hadde sett ham ta kortene. «Skal du ikke vise Mansur hva du har i lommen?» hadde han sagt. Jalaluddin hadde bare gått videre.

Ryddehjelpen var en fattig hazara, den etniske gruppen som står nederst på rangstigen i Kabul. Det var sjelden han sa noe. «Vis Mansur lommene dine,» ropte han etter snekkeren. Først da hadde Mansur reagert og trukket postkortene opp av Jalaluddins lommer. Nå står han og tripper for å få anerkjennelse fra faren.

Men Sultan blar bare rolig gjennom bunken og sier: – Hm. Hvor er han nå?

– Jeg sendte ham hjem, men jeg sa at dette slapp han ikke billig fra!

Sultan står taus. Han husker da snekkeren kom til ham i butikken. De var fra samme landsby og hadde nesten vært naboer. Jalaluddin var som han hadde vært siden guttedagene, tynn som en stake med store, redde, utstående øyne. Kanskje var han til og med enda litt tynnere enn før. Og lut i ryggen, til tross for at han bare var førti år. Han kom fra en fattig, men vel ansett familie. Faren hadde også vært snekker, inntil han skadet synet for noen år siden og ikke lenger kunne jobbe.

Sultan hadde vært glad for å kunne gi ham arbeid, Jalaluddin var flink og Sultan trengte nye hyller. Hittil hadde han hatt vanlige bokhyller i butikkene sine, der bøkene sto rett opp og ned og man kunne lese av bokryggene. Hyllene dekket veggene, i tillegg hadde han reoler midt på gulvet. Men han trengte hyller der han kunne stille ut bøkene. Nå som han hadde trykket opp så mange boktitler, ville han ha skrå hyller, med en liten tynn planke foran, slik at man kunne man se hele forsiden av boken. Da ville han få en butikk slik de har i Vesten. De ble enige om en betaling på tretti kroner dagen, og neste dag kom Jalaluddin tilbake med hammer, sag, tommestokk, spiker og de første plankene.

Lagerrommet bak i butikken ble omgjort til snekkerverksted. Hver dag hadde Jalaluddin hamret og spikret, omgitt av hyller med postkort. Kortene var en av Sultans største inntektskilder. Han trykte dem billig i Pakistan og solgte dem dyrt. Som regel tok Sultan motiver han likte, uten å tenke på å kreditere fotograf eller tegner. Han fant et bilde, tok det med til Pakistan og trykte det. Noen fotografer hadde også gitt ham bildene sine uten å kreve penger. Og postkortene solgte godt. Den største kjøpergruppen var soldater fra den internasjonale fredsstyrken. Når de var på patrulje i Kabul stoppet de gjerne utenfor Sultans butikk og kjøpte postkort. Postkort av damer i burkha, barn som lekte på tanks, dronninger fra forgangne tider med vågale kjoler, Bamiyan-buddhaene før og etter Talibans sprengning, buzkashihester, barn i folkedrakter, ville landskap, Kabul før og nå. Sultan var flink til å velge ut motiver, og soldatene gikk gjerne ut med et titall postkort hver.

Jalaluddins daglønn var verdt nøyaktig ni postkort. På bakrommet lå de i bunker og stabler, hundrevis av hvert motiv. I poser og uten poser, med strikk rundt og uten strikk, i kasser og hyller og esker.

– To hundre, sa du. Sultan ble stående tankefull. – Tror du det er første gang?

– Vet ikke, han sa han hadde tenkt å betale for dem, men at han hadde glemt det.

– Ja det kan han få oss til å tro.

– Det må være noen som har bedt ham om å stjele dem, fastslo Mansur. – Han er ikke glup nok til å klare å selge disse kortene videre selv. Og det er vel ikke for å henge dem opp på veggen at han har stjålet postkort, sa han. Få mennesker er lettere å håne enn en fakket tyv.

Sultan bannet. Dette hadde han ikke tid til. Om to dager skulle han reise til Iran, for første gang på mange år. Det var mye han burde ordne, men han fikk ta dette først. Ingen skulle kunne stjele fra ham og løpe fra det.

– Pass butikken for meg, så drar jeg hjem til ham. Dette må vi til bunns i, sa Sultan. Han tok med seg Rasul, som kjente snekkeren godt. De kjørte ut til landsbyen Deh Khudaidad.

En støvsky fulgte etter bilen gjennom hele landsbyen til de kom til stien som gikk inn til Jalaluddins hus. – Husk, ingen må få vite om dette, det er ikke nødvendig at hele familien skal føle skammen, sa Sultan til Rasul.

Ved landhandleren på hjørnet, der stien gikk inn, sto en gruppe menn, blant dem Jalaluddins far, Faiz. Han smilte mot dem, trykket Sultans hånd og omfavnet ham. – Kom inn på te, inviterte han hjertelig og visste åpenbart ikke om de stjålne postkortene. De andre mennene ville også gjerne ha noen ord med Sultan, som er en som kom seg opp og ble til noe.

– Vi skulle bare snakket med sønnen din, sa Sultan. – Kan du hente ham?

Den gamle mannen satte av gårde. Han kom tilbake med sønnen to skritt bak seg. Jalaluddin så med skjelvende blikk på Sultan.

– Vi trenger deg i butikken, kunne du blitt med oss en tur, sa Sultan. Jalaluddin nikket.

– Så får dere komme på te en annen gang, ropte faren etter dem.

– Du vet hva det gjelder, sier Sultan tørt når de begge sitter i baksetet av bilen, og Rasul kjører ut av landsbyen. De er på vei til Wakils bror, Mirdzjan, som er politimann.

– Jeg ville bare se på dem, jeg skulle levere dem tilbake, jeg ville vise dem til barna mine. De var så fine.

Snekkeren sitter kroket, med nedsunkne skuldre i setet, som om han prøver å ta opp så liten plass som mulig. Han har hendene knyttet mellom beina. Iblant borer han neglene inn i knokene. Han ser kort og nervøst bort på Sultan når han snakker og minner om en redd og pjuskete kylling. Sultan sitter tilbakelent og trygg ved siden av ham i baksetet og spør ham rolig ut.

– Jeg må vite hvor mange postkort du har tatt.

– Jeg har bare tatt de dere så ...

– Det tror jeg ikke på.

– Det er sant.

– Dersom du ikke tilstår at du har tatt flere, anmelder jeg deg til politiet.

Snekkeren griper etter Sultans hånd i luften og overøser den med kyss. Sultan river den ut av neven hans.

– Gi deg med det der, ikke oppfør deg som en tulling!

– Ved Allah, på ære og samvittighet, jeg har ikke tatt flere. Ikke putt meg i fengsel, vær så snill, jeg skal betale deg tilbake, jeg er en hederlig mann, tilgi meg, jeg var dum, tilgi meg. Jeg har sju små barn, to av jentene mine har polio. Kona mi venter barn igjen, og vi har ingenting å spise. Barna mine svinner hen, kona mi gråter hver dag fordi det jeg tjener, ikke rekker til å fø på alle. Vi spiser poteter og kokte grønnsaker, vi har ikke engang råd til ris. Moren min går til sykehus og restauranter og kjøper rester. Iblant har de kokt ris til overs. Noen ganger selger de restene på markedet. De siste dagene har vi ikke engang hatt brød. Dessuten før jeg på min søsters fem barn, mannen hennes har ikke arbeid, i tillegg bor jeg sammen med min gamle mor og far og bestemor.

– Valget er ditt, innrøm at du har tatt flere, og du slipper fengsel, sier Sultan.

Samtalen går i ring, snekkeren klager over hvor fattig han er og Sultan krever at han må innrømme et større tyveri og fortelle hvem han har solgt kortene til.

De har krysset hele Kabul og er ute på landsbygda igjen. Rasul kjører dem gjennom gjørmete gater og forbi hastende mennesker som skal hjem før mørket legger seg. Noen løshunder slåss om et bein. Unger løper barbeint rundt. En mann på sykkel balanserer sin burkhakledte kone sidelengs på bagasjebrettet. En gammel mann i sandaler kjemper med en kjerre appelsiner, føttene hans synker ned i de dype bilsporene som de siste dagenes styrtregn har skapt. Den tidligere så hardstampede jordveien er blitt en åre av dritt, matrester og dyreavfall som regnet har ført med seg fra smug og veikanter.

Rasul stopper foran en port. Sultan ber ham gå og banke på. Mirdzjan kommer ut, hilser vennlig på alle og ber dem komme opp.

Når mennene tramper opp trappen, visler det i lette skjørt. Husets kvinner gjemmer seg. Noen står bak halvlukkede dører, andre bak forheng. En ungjente titter ut gjennom en sprekk i døren for å se hvem det er som kommer så sent. Ingen menn utenom familien skal se dem. Det er de eldste guttene som serverer teen som søstrene og moren har tilberedt ute på kjøkkenet.

– Nå? sier Mirdzjan. Han sitter i skredderstilling i sin tradisjonelle kjortel med tilhørende vide bukser, drakten som Taliban påtvang alle menn. Mirdzjan elsker den, han er liten og rund og trives godt i de vide gevantene. Nå er han derimot tvunget inn i en klesdrakt han liker dårlig – den gamle afghanske politiuniformen, som politiet brukte før Taliban. Den er blitt svært trang etter fem år i skapet. Dessuten er den varm, det var bare vinteruniformen i tung vadmel som overlevde lagringen. Uniformene er lagd etter mønster av russiske uniformer, og passer bedre i Sibir enn i Kabul. Så Mirdzjan svetter seg gjennom forsommerdagene som gjerne blir både tjue og tretti grader varme.

Sultan forklarer kort saken for ham. Som i et forhør lar Mirdzjan dem uttale seg etter tur. Han har Sultan ved siden av seg, Jalaluddin rett overfor. Han nikker forståelsesfullt til det som blir sagt og holder en lett og mild tone. Sultan og Jalaluddin blir tilbudt te og fløtekarameller og snakker forbi hverandre.

– Det er til ditt eget beste om vi løser saken her, i stedet for å ta den med til det virkelige politiet, sier Mirdzjan.

Jalaluddin ser ned, toer hendene og stammer til slutt fram en tilståelse, ikke til Sultan, men til Mirdzjan: – Jeg har kanskje tatt fem hundre. Men jeg har dem hjemme alle sammen, dere skal få dem tilbake. Jeg har ikke rørt dem.

– Se det, ja, sier politimannen.

Men for Sultan er ikke snekkerens tilståelse nok. – Jeg er sikker på at du har tatt mange flere. Kom med det! Hvem har du solgt til?

– Det er bedre for deg å innrømme alt nå, sier Mirdzjan. – Dersom det blir politiavhør, blir de holdt på en helt annen måte enn dette, uten te og fløtekarameller, sier han kryptisk og ser rett på Jalaluddin.

218

– Men det er helt sant, jeg har ikke solgt dem videre. Ved Allah, jeg lover, sier han og ser fra den ene til den andre. Sultan insisterer, ordene gjentas, det er på tide å dra. Det nærmer seg portforbud klokken ti og Sultan skal rekke å avlevere snekkeren før han drar hjem. Den som kjører etter portforbudet, blir arrestert. Noen har til og med blitt drept fordi soldatene følte seg truet av de passerende bilene.

De setter seg tause i bilen. Rasul ber snekkeren innstendig om å si hele sannheten. – Ellers blir du aldri ferdig med denne saken, Jalaluddin, sier han. Når de er framme, går snekkeren inn for å hente postkortene. Han kommer raskt ut igjen med et lite knytte. Kortene er pakket i et oransje- og grønnmønstret tørkle. Sultan tar dem opp og ser beundrende på bildene sine, som nå er tilbake hos sin rettmessige eier og skal inn i hyllene igjen. Men først skal han bruke dem som bevis. Rasul kjører Sultan hjem. Snekkeren står slukøret tilbake på hjørnet, der stien går inn til huset hans.

480 postkort. Eqbal og Aimal sitter på mattene og teller. Sultan vurderer hvor mange snekkeren kan ha tatt. Postkortene er av ulike motiver. På bakrommet ligger de pakket i hundre og hundre. – Dersom hele pakker er borte, er det vanskelig å kontrollere, men dersom det mangler et titall kort fra flere pakker, er det mulig at hon bare har åpnet noen pakker og tatt noen kort fra hver, resonnerer Sultan. – Vi får telle etter i morgen.

Neste morgen, mens de holder på med tellingen, står snekkeren plutselig i døren. Han blir stående ved dørstokken, og er enda lutere enn før. Plutselig styrter han bort til Sultan og kysser føttene hans. Sultan trekker ham opp fra gulvet og hveser:
– Skjerp deg mann! Jeg vil ikke ha bønnene dine!

– Tilgi meg, tilgi meg, jeg skal betale deg tilbake, jeg skal betale deg tilbake, men jeg har sultne barn hjemme, sier snekkeren.

– Jeg sier det samme som i går, jeg trenger ikke pengene dine, men jeg vil vite hvem du har solgt til. Hvor mange tok du?

Jalaluddins gamle far, Faiz, har også kommet. Han vil ned for å kysse Sultans føtter, men Sultan trekker ham opp før han når gulvet, det passer seg ikke at noen kysser skoene hans, aller minst en gammel nabo.

– Du skal vite jeg har gitt ham bank i hele natt. Jeg skjemmes sånn. Jeg har alltid oppdratt ham til å bli en ærlig arbeider, og nå! Nå har jeg en tyv til sønn, sier han og skuler bort på sønnen som står og skjelver i en krok. Den krumryggede snekkeren ser ut som en unge som har stjålet og løyet og som skal få ris.

Sultan forteller rolig faren hva som har skjedd, at Jalaluddin tok med seg postkort hjem og at de nå må vite hvor mange han har solgt og hvem han har solgt til.

– Gi meg en dag, så skal jeg få ham til å tilstå alt, dersom det er mer å tilstå, ber Faiz. Sømmene på skoene hans har gått opp flere steder. Han er uten sokker og buksen holdes oppe av en hyssing. Jakken er blankslitt på ermene. Han har det samme fjeset som sønnen, bare litt mørkere, tettere og mer sammensunket. De er begge spinkle og tynne. Faren står uvirksom foran Sultan. Sultan vet heller ikke hva han skal gjøre, han føler seg brydd av den gamle mannens nærvær, en mann som kunne vært hans egen far.

Endelig beveger Faiz seg. Han går noen faste skritt bort til bokhyllen der sønnen står. Når han er framme, som et lyn, fyker armen hans ut. Og der, midt i butikken banker han opp

sønnen sin. – Din usling, din tjuvradd, du er en skam for fami-
lien, du skulle aldri vært født, du er en taper, en kjeltring, ro-
per faren mens han sparker og slår. Han kjører kneet i magen
på sønnen, foten i låret, slår over ryggen. Jalaluddin bare tar
imot, han står krokbøyd og beskytter brystet med armene,
mens faren denger løs. Til slutt river han seg løs og løper ut av
butikken. Han tar gulvet i tre lange steg, forsvinner ned trap-
pen og ut på gaten.

På gulvet ligger Faiz' saueskinnslue, som har falt av i kam-
pen. Han plukker den opp, slår litt på den og setter den på ho-
det. Han retter seg opp, hilser til Sultan og går ut. Gjennom
vinduet ser Sultan hvordan han stavrer seg opp på den gamle
sykkelen sin, ser til høyre og venstre og sykler stivt og gammel-
mannsrolig tilbake til landsbyen.

Når støvet igjen har lagt seg etter det pinlige opptrinnet,
fortsetter Sultan uanfektet å regne. – Han jobbet her i førti da-
ger. La oss si han tok to hundre postkort hver dag, det blir åtte
tusen postkort. Jeg er sikker på at han har stjålet minst åtte
tusen postkort, sier han og ser på Mansur, som bare trekker på
skuldrene. Det hadde vært en lidelse å se på da den stakkars
snekkeren ble banket opp av faren. Mansur driter i postkor-
tene. Han synes de skulle glemme hele greia, nå som de har fått
dem tilbake. – Han har ikke hode til å selge dem videre, glem
det, ber han.

– Det kan være et bestillingstyveri. Du vet alle de kiosk-
eierne som har kommet og kjøpt postkort av oss, de har ikke
vært her på en stund. Jeg tenkte de hadde nok, men ser du, de
har kjøpt billige postkort av snekkeren. Og han er dum nok til
å ha solgt dem kjempebillig. Hva tror du?

Mansur trekker på skuldrene igjen. Han kjenner faren sin,
og skjønner at han vil til bunns i denne saken. Han skjønner

også at det er han selv som vil få oppgaven, for faren skal til Iran og blir borte i over en måned.

– Hva om du og Mirdzjan gjør noen undersøkelser mens jeg er borte? Så skal nok sannheten komme for en dag. Ingen skal stjele fra Sultan, sier han med stivt blikk. – Han kunne ruinert hele forretningen min, sier han. – Tenk deg, han stjeler tusenvis av postkort, som han selger til kiosker og bokhandlere over hele Kabul. De selger dem langt billigere enn jeg, folk vil begynne å gå til dem i stedet for til meg. Jeg mister alle soldatene som kjøper postkort, alle som også kjøper bøker, jeg får rykte på meg at jeg er dyrere enn andre. Til slutt kunne jeg gått konkurs.

Mansur hører med et halvt øre på farens undergangsteorier. Han er sint og irritert over at han nå får enda en oppgave å utføre i farens fravær. I tillegg til å registrere alle bøkene, hente stadig nye kasser av bøker som blir sendt fra trykkeriene i Pakistan, ordne med papirmølla det innebærer å ha en bokhandel i Kabul, være sjåfør for brødrene og passe sin egen bokhandel, skal han nå også være politietterforsker.

– Jeg skal ta meg av det, sier han kort. Noe annet kunne han ikke si.

– Ikke vær myk, ikke vær myk, er det siste Sultan sier til ham før han setter seg på flyet til Teheran.

Når faren vel er reist, glemmer Mansur hele greia. Han er for lengst ferdig med sin fromme periode etter pilegrimsreisen. Den holdt i en uke. Han fikk ikke noe ut av å be fem ganger om dagen. Skjegget begynte å klø, og alle sa han så ustelt ut. Han likte seg ikke i den vide kjortelen. – Når jeg ikke klarer å tenke tillatte tanker, kan jeg like gjerne la resten være, sa han til seg selv og ga opp gudfryktigheten like raskt som han hadde tatt den til seg. Pilegrimsturen til Mazar var ikke blitt til annet enn en ferietur.

Den første kvelden faren var borte, planla han en fest med to kamerater. De hadde kjøpt inn usbekisk vodka, armensk konjakk og rødvin til enorme summer på svartebørsen. – Dette er det beste som finnes, alt er 40 %, ja vinen er 42 %, sa selgeren. Guttene betalte 40 dollar per flaske. Lite visste de at selgeren selv hadde tilført to tynne streker på den franske bordvinen, som dermed gikk opp fra 12 til 42 prosent. Det var styrken som gjaldt. De fleste kundene var unge gutter, som utenfor foreldrenes strenge blikk, drakk for å bli fulle.

Mansur hadde aldri drukket alkohol, noe av det mest forbudte i islam. Tidlig på kvelden startet Mansurs to kamerater å drikke. De blandet konjakk og vodka i et glass, og etter et par slike drinker ravet de rundt på det lugubre hotellrommet de hadde leid, så ikke foreldrene skulle se dem. Mansur var ennå ikke der fordi han måtte kjøre småbrødrene hjem, og da han kom sto kameratene og hylte og ville hoppe utfor balkongen. Så løp de og kastet opp.

Mansur ombestemte seg, alkohol fristet ikke likevel. Dersom man blir så syk av å drikke, kunne han like gjerne la det være.

De to litt eldre guttene snøvlet videre og la skumle planer. Det var en japansk jente de likte veldig godt, en pen, ung journalist. De lurte på om de skulle invitere henne inn på rommet, hun bodde på samme hotell. De fant ut at det ikke passet nå. Men en av dem hadde en mørk plan. I et års tid hadde han jobbet på farens apotek, og da han sluttet, hadde han tatt med seg en mengde medisiner. Han rotet seg fram til et bedøvelsesmiddel. – Vi kan invitere henne en gang vi er edru, så putter vi dette i drinken hennes, og når hun sovner kan vi til og med ligge med henne, uten at hun merker det! Den andre likte ide-en. – Det må vi ikke glemme å gjøre en gang, sa han.

Hjemme hos Jalaluddin er det ingen som får sove. Barna ligger på gulvet og gråter stille. Det siste døgnet har vært det verste de har opplevd: å se den snille faren bli slått av bestefaren og kalt en tyv. Det var som om hele livet ble snudd på hodet. På tunet går Jalaluddins far rundt. – At jeg kunne få en slik sønn, som kaster skam på hele familien. Hva har jeg gjort galt?

Eldste sønnen, tjuvradden, sitter på en matte i det ene rommet. Han kan ikke ligge, for ryggen er full av røde striper etter at faren hadde slått ham med en tykk grein. De hadde begge dratt hjem etter slagene i bokhandelen. Først faren på sykkel, deretter sønnen, gående fra byen. Faren hadde fortsatt der han slapp i butikken, og sønnen hadde ikke gjort motstand. Mens piskingen sved ham i ryggen og skjellsordene haglet, hadde familien skekkslagen sett på. Kvinnene forsøkte å få unna barna, men det var ikke noen steder å gå.

Huset var bygd rundt et tun, en vegg var muren mot stien utenfor. Langs to av veggene var det murplatting, og bak den lå rommene med store vinduer dekket av en plastduk ut mot tunet – et rom til snekkeren, hans kone og deres sju barn, et til moren og faren og bestemoren, et rom til søsteren og mannen og deres fem barn, et spiserom og et kjøkken med jordovn, primus og noen hyller.

Mattene snekkerens barn krøp sammen på, var et sammen-surium av filler og tøyrester. Noen steder lå det papp, noen steder plast og andre steder lag på lag med strie. De to jentene med polio hadde skinner på den ene foten og hver sin krykke ved siden av seg. To andre hadde hissig eksem over hele krop-pen, med skorper de skrapte opp, og som blødde.

Ikke før kameratene til Mansur hadde vært oppe og spydd et par ganger hver, sovnet barna i snekkerfamilien på den andre siden av byen.

Da Mansur våknet, ble han overmannet av en berusende frihetsfølelse. Han var fri! Sultan var borte. Snekkeren var glemt. Mansur tok på seg solbrillene fra Mazar og suste i hundre bortover Kabuls gater, forbi fullpakkede eseler og skitne geiter, forbi tiggere og veltrente soldater fra Tyskland. Han viste fingeren til tyskerne, mens han dumpet og skrapte over de utallige asfalthullene, han bannet og svertet og fikk fotgjengerne til å skvette til side. Mansur la kvartal etter kvartal av Kabuls forvirrede mosaikk av gjennomhullete ruiner og falleferdige hus bak seg.

– Han må få ansvar, det er bra for karakteren hans, hadde Sultan sagt. Mansur sitter og geiper i bilen. Fra og med nå blir det Rasul som må hente kasser og levere beskjeder, nå skal Mansur bare ha det gøy til faren kommer hjem. Bortsett fra butikkskyssen hver morgen, så ingen av brødrene kan sladre, skal han ikke gjøre noen ting. Faren er den eneste Mansur er redd for. Mot Sultan tør han aldri protestere, han er den eneste han respekterer, i alle fall ansikt til ansikt.

Mansurs mål er å bli kjent med jenter. Det er ikke så lett i Kabul, der de fleste familiene passer på døtrene som gullskatter. Han får en lys idé og begynner på et engelskkurs for nybegynnere. Mansur er flink i engelsk etter skoleårene i Pakistan, men han tenker at i nybegynnerklassene finner han de yngste og peneste jentene. Han tar ikke feil. Etter første time har han funnet sin favoritt. Forsiktig prøver han å prate med henne. En gang får han til og med lov til å kjøre henne hjem. Han ber henne komme til butikken, men hun kommer aldri. Han ser henne bare på kurset. Han kjøper en mobiltelefon slik at de kan ringes, og han lærer henne å sette den på vibrering, i stedet for ringing, slik at ingen i familien hennes merker at hun har den. Han lover henne ekteskap og fine gaver. En gang forteller han henne at han ikke kan møte henne fordi han skal være sjåfør for en av farens utenlandske venner. Det med utenlandsk finner han på for å virke viktig. Samme ettermiddag ser hun ham kjøre en annen jente rundt i byen. Da er det ingen nåde. Hun kaller ham en skurk og en slyngel og sier at hun aldri mer vil se ham. Jenta kommer aldri mer tilbake på kurset. Mansur får ikke tak i henne fordi han ikke vet hvor hun bor. Telefonen tar hun ikke mer. Han savner henne, men først og fremst synes han det er synd for hennes del, at hun sluttet på kurset, hun som så gjerne ville lære engelsk.

Engelskstudinen er fort glemt. For i Mansurs liv denne våren er ingenting evig og ingenting ekte. En gang blir han invitert til en fest i utkanten av byen. Noen bekjente av ham leier et hus, mens innehaveren holder vakt i hagen. Dit smugler de inn kasser med drikkevarer og to-tre prostituerte. Mansur holder seg unna damene.

– Vi røkte tørket skorpion, forteller Mansur entusiastisk til en kamerat neste dag. – Vi smuldret den opp så den blir som pulver og blandet med tobakk. Ble helt susete av det. Litt sint også. Jeg var den siste som sovnet. Kul fest, skryter Mansur.

Vaskemannen, Abdur, har skjønt at Mansur er på jentejakt og tilbyr ham å bli kjent med en av slektningene sine. Neste dag sitter en hazarapike med skrå øyne i sofaen i butikken. Men før Mansur rekker å bli kjent med henne, sender faren beskjed om at han kommer hjem neste dag. Mansur våkner momentant av rusen. Han har ikke gjort en ting av det faren hadde bedt ham om. Ikke registrert bøkene, ikke ryddet bakrommet, ikke lagd nye bestillingslister, ikke hentet bokpakke-

226

ne som har hopet seg opp på transportlageret. Snekkersaken og etterforskningen han skulle sette i gang har han ikke ofret en tanke.

Sharifa tripper rundt ham. – Hva er det, gutten min? Er du syk?

– Ingenting! hveser han.

Hun fortsetter å mase. – Dra hjem til Pakistan med den snavla di, roper Mansur. – Etter at du kom, er det bare blitt mas her.

Sharifa begynner å gråte. – Hvordan kunne jeg få slike gutter, hva galt har jeg gjort, de vil jo ikke engang ha moren sin rundt seg!

Sharifa hyler og kjefter på alle barna sine, Latifa begynner å gråte. Bibi Gul sitter og vagger. Bulbula ser tomt ut i luften. Sonya forsøker å trøste Latifa, mens Leila tar oppvasken. Mansur slenger igjen døren til rommet han deler med Yunus. Der ligger Yunus allerede og snorker. Han har fått hepatitt B og ligger i sengen hele dagen og spiser medisiner. Øynene er gule, og blikket enda mattere og tristere enn ellers.

Når Sultan kommer tilbake neste dag, er Mansur så nervøs at han unnviker blikket hans. Men han hadde ikke trengt å være så nervøs, for Sultan er mest interessert i Sonya. Først neste dag, i butikken, spør han om sønnen har gjort alt han fikk beskjed om. Før han rekker å svare, er faren allerede i ferd med å gi nye beskjeder. Sultan har hatt en svært vellykket tur til Iran, han har funnet tilbake til de gamle samarbeidspartnerne sine, og snart vil det komme kasser på kasser med persiske bøker. Men det var én ting han ikke hadde glemt. Snekkeren.

– Har du ikke funnet ut noen ting? Sultan ser undrende på sønnen. – Undergraver du virksomheten min? I morgen går du til politiet og anmelder ham. Faren hans skulle gi meg tilståelsen etter en dag, og nå har det gått en måned! Og dersom han ikke sitter bak lås og slå når jeg kommer tilbake fra Pakistan, er ikke du min sønn, truer han. – Den som spiser av min eiendom, vil aldri bli lykkelig, sier han med trykk.

Sultan skulle videre til Pakistan allerede neste morgen. Mansur pustet lettet ut. Han hadde vært redd for at noen av jentevennene hans skulle komme innom mens faren var borte. Tenk om de hadde gått bort til ham og sagt noe mens faren var i butikken. Han måtte beskrive for dem hvordan faren så ut. Da kunne de bare se litt i hyllene og gå rolig ut dersom han var der. Faren henvendte seg uansett aldri til kvinnelige kunder i burkha.

Neste dag dro Mansur til innenriksministeriet for å anmelde snekkeren, og med hjelp av Mirdzjan fikk han stemplene han trengte på få timer. Dem tok han med til den lokale politistasjonen i Deh Khudaidad, en leirrønne med en del væpnede politimenn utenfor. Derfra tok han med en politioffiser kledd i sivil for å vise ham snekkerens hus, samme kveld skulle de gå og arrestere ham.

Neste morgen, mens det ennå er mørkt, står det to kvinner med to barn og hamrer på døren til familien Khan. Leila åpner søvndrukkent. Kvinnene gråter og bærer seg, og det går en stund før Leila forstår at det er snekkerens bestemor og tante som står der med barna hans.

– Vær så snill, tilgi ham, tilgi ham, sier de. – Vær så snill, ved Gud, roper de. Den gamle bestemoren er nærmere nitti år, liten og inntørket, med et ansikt som minner om en mus. Hun har spiss hake med masse hår på. Hun er mor til snekkerens far, som har brukt de siste ukene til å prøve å banke sannheten ut av ham.

– Vi har ikke noe å spise, vi sulter, se på barna. Men vi skal betale tilbake postkortene.

Leila kan ikke annet enn å be dem inn. Den lille musebestemoren kaster seg over føttene til kvinnene i familien som blir vekket opp av klageropene og kommer inn i rommet. De ser alle brydd ut over den dype elendigheten som med et gufs fyller stua. Med seg har kvinnene en toårig gutt og en av de poliorammede jentene. Jenta setter seg med stor møye ned på gulvet. Det stive poliobeinet med skinnen ligger rett ut. Hun sitter alvorlig og hører på det som blir sagt.

Jalaluddin var ikke hjemme da politiet kom, så de tok faren og onkelen i stedet. De sa de skulle komme og hente ham neste morgen. Ingen sov hele natten. Tidlig om morgenen, før politiet kom, gikk de to gamle kvinnene for å be Sultan om nåde og tilgivelse for slektningen sin.

– Hvis han har stjålet noe, er det for å redde familien sin, se på dem, se på barna, tynne som staker. Ingen ordentlige klær, ingenting å spise.

Hjertene i Mikrorayon myknes, men besøket fører ikke til annet enn medlidenhet. Det er ingenting kvinnene i familien Khan kan gjøre når Sultan har satt seg noe i hodet. Aller minst når det gjelder forhold i butikken.

– Vi skulle så gjerne hjelpe, men det er ingenting vi kan gjøre. Det er Sultan som bestemmer, sier de. – Og Sultan er ikke hjemme.

Kvinnene forsetter å gråte og hyle. De vet det er sant, men kan ikke gi opp håpet. Leila kommer inn med stekte egg og ferskt brød. Til de to barna har hun kokt melk. Når Mansur kommer inn i rommet, løper de to kvinnene bort til ham og kysser ham på føttene. Han sparker dem bort. De vet at han, som den eldste sønnen, har makt i farens fravær.

229

Men Mansur har bestemt seg for å gjøre som faren har bedt ham.

– Etter at Sultan konfiskerte snekkersakene hans, har han ikke kunnet jobbe. Det er flere uker siden vi har spist ordentlig. Vi har glemt smaken av sukker, gråter bestemoren. – Risen vi kjøper, er nesten råtten. Barna hans blir stadig tynnere. Se, de er bare skinn og bein. Hver dag blir Jalaluddin slått av faren sin. Jeg hadde aldri trodd jeg skulle oppdra en tyv, sier bestemoren. Kvinnene i Mikrorayon lover å gjøre sitt beste for å overtale Sultan, selv om de vet det ikke har noen hensikt.

Når bestemoren og tanten har stavret seg hjem til landsbyen med de to barna, har politiet allerede vært og hentet Jalaluddin.

Om ettermiddagen må Mansur komme for å vitne. Mansur sitter på en stol ved politisjefens bord, med beina i kors. Sju menn hører på politisjefens avhør. Det er for få stoler, og to må dele en. Snekkeren sitter på huk på gulvet. Det er en broket forsamling politimenn, noen har varme, grå vinteruniformer, noen tradisjonelle klær, andre grønne politisoldatuniformer. Det er lite som skjer ved denne stasjonen, så postkorttyveriet er en stor sak. En av politimennene blir stående i døråpningen uten helt å bestemme seg om han skal følge med eller ikke.

– Du må si hvem du har solgt til, ellers havner du i sentralfengselet, sier politisjefen. Det følger et kaldt gufs med ordet sentralfengselet, det er dit de virkelig kriminelle kommer. Snekkeren huker seg sammen på gulvet og ser hjelpeløs ut. Han sitter og knyter snekkerhendene sine. De har tusenvis av små og store kutt, arrene går i sikksakk over håndflatene. I det sterke sollyset fra vinduet over ham ser man hvordan kniver, sager og syler har snittet opp huden. Det er som om det er hendene som er ham, snekkeren, ikke ansiktet hans, som nå ser

230

slapt på de sju mennene i rommet. Som om saken ikke angår ham. Etter hvert sender de ham ut igjen – tilbake til den kvadratmeterstore cella. Et rom han ikke kan ligge strak i, han kan enten stå, sitte eller ligge krokbøyd.

Det er opp til Mansurs familie hva som skal skje med Jalaluddin. De kan frafalle eller opprettholde anmeldelsen. Dersom de velger å opprettholde anmeldelsen, går han videre i systemet, og da er det for sent å få ham frikjent. Da er det politiet som avgjør. – Vi kan holde ham her i 72 timer, så må dere bestemme dere, sier politisjefen. Han mener Jalaluddin må få sin straff. For ham er ikke fattigdom noen grunn til å stjele.

– Mange mennesker er fattige. Dersom de ikke blir straffet når de stjeler, får vi et totalt umoralsk samfunn. Det er viktig at vi setter et eksempel når reglene er overtrådt. Den høylytte politisjefen sitter og diskuterer med Mansur, som har begynt å tvile på hele saken. Når han skjønner at Jalaluddin kan få seks år fengsel for postkorttyveriet, tenker han på barna hans, de sultne blikkene, de dårlige klærne. Han tenker på sitt eget liv, hvor enkelt det er, hvordan han på få dager kan bruke opp like mange penger som snekkerfamilien på en hel måned.

En enorm bukett plastblomster tar opp nesten halve skrivebordet. Blomstene har for lengst fått en tykk støvrand, men lyser likevel opp i rommet. Politimennene på Deh Khudaidads politistasjon liker tydeligvis farger, veggene er mintgrønne, lampen er rød, veldig rød. På veggen henger et stort bilde av krigshelten Massoud, som i alle offisielle kontorer i Kabul.

– Glem ikke! Under Taliban ville han ha fått kuttet over hånden, sier politisjefen med ettertrykk. – Det skjedde med folk som hadde begått mindre forbrytelser enn dette. Politisjefen forteller om en kvinne fra landsbyen som ble alenemor etter at mannen døde. – Hun var veldig fattig. Den minste sønnen hadde ikke sko og frøs på føttene. Det var vinter og han kunne ikke gå ut. Den eldste sønnen, knapt tenåring, stjal et par sko til lillebroren. Han ble tatt på fersk gjerning og fikk kuttet av høyrehånden. Det var for grovt, mener politisjefen. – Men denne snekkeren, han har vist sin skurkementalitet ved å stjele flere ganger. Dersom du stjeler for å gi barna dine mat, stjeler du bare én gang, slår han fast.

Politisjefen viser Mansur alle de konfiskerte bevisene i skapet bak seg. Springkniver, kjøkkenkniver, lommekniver, kniver med slaghåndtak, pistoler, lommelykter, til og med en kortstokk, er samlet inn. Å spille om penger gir seks måneders fengsel. – Den kortstokken ble konfiskert fordi den tapende spilleren slo ned vinneren og stakk ham med denne kniven her. De hadde drukket, så da fikk han straff både for knivstikking, drikking og kortspilling, ler han. – Den andre kortspilleren slapp straff, for han ble invalid, og det er vel straff god nok!

– Hva er straffen for drikking? spør Mansur, litt nervøst. Han vet at det etter sharialovene er grov synd og straffes strengt. Ifølge Koranen er straffen åtti piskeslag.

– For å være ærlig, pleier jeg å lukke øynene for den slags. Når det er bryllup, sier jeg at dette er en fridag, men at alt må skje med måte og innenfor familien, sier politisjefen.

– Hva med utroskap?

– Dersom de er gift, blir de drept ved steining. Dersom de er ugift, er straffen hundre piskeslag og at de må gifte seg. Dersom den ene er gift, og det er mannen, og kvinnen er ugift, må han ta henne som sin andre hustru. Dersom hun er gift og han er ugift, vil kvinnen bli drept og mannen pisket og satt i fengsel, sier politisjefen. – Men jeg pleier å se gjennom fingrene med det også, jeg. Det kan være kvinner, enker som trenger pengene. Da prøver jeg å hjelpe dem. Få dem inn på rett kurs igjen.

– Ja, du mener de prostituerte, hva med vanlige folk?

– En gang tok vi et par i en bil. Vi, eller rettere sagt foreldrene, tvang dem til å gifte seg, forteller han. Det var jo greit nok, synes du ikke?

– Hm, mumler Mansur. Han kunne ikke tenke seg å gifte seg med noen av venninnene sine.

– Vi er da ikke Taliban heller, sier politisjefen, vi må da prøve å unngå å steine folk. Afghanerne har lidd nok.

Politisjefen gir Mansur tre dagers frist. De kan fremdeles benåde synderen, men dersom de tar ham videre i politisystemet, er det for sent.

Mansur går tenksom ut av stasjonen. Han er ikke i humør til å dra tilbake til butikken, men går hjem til lunsj, noe han nesten aldri gjør lenger. Han slenger seg ned på en matte, og heldigvis for husfreden er maten ferdig.

– Ta av deg skoene, Mansur, sier moren.

– I helvete heller, svarer Mansur.

– Mansur, du skal lyde din mor, fortsetter Sharifa. Mansur svarer ikke og legger seg til rette på gulvet med den ene foten i luften, i kors over den andre. Han beholder skoene på. Moren kniper munnen sammen.

– Innen i morgen må vi bestemme hva vi skal gjøre med snekkeren, sier Mansur. Han tenner en røyk. Noe som får moren til å begynne å gråte. Mansur kunne aldri tent en røyk foran faren sin, aldri. Men så fort faren er ute av huset, nyter han både sigarettene og å hisse opp moren med å røyke både før, under og etter måltidene. Røyken står stinn i den lille stua. Bibi Gul har lenge klagd over hvor uhøflig han er mot moren, at han skulle lyde henne og ikke røyke. Men denne dagen tar lysten overhånd, og hun strekker ut hånden og nærmest hvisker: – Kan jeg få en?

Det blir dørgende stille. Skal bestemor begynne å røyke?

– Mamma, roper Leila og river sigaretten ut av fingrene hennes. Mansur gir henne en ny, Leila forlater rommet i protest. Bibi Gul sitter lykkelig og damper sigaretter, mens hun ler stille. Hun stopper til og med vaggingen sin når hun sitter slik med sigaretten høyt i luften og haler inn røyken i dype drag. – Så spiser jeg mindre, forklarer Bibi Gul.

– Løslat ham, sier hun etter at hun har nytt sigaretten.

– Han har fått sin straff, slagene fra faren, skammen, dessuten har han jo levert tilbake postkortene.

– Så du barna hans, hvordan skal de klare seg uten farens inntekt? støtter Sharifa henne.

– Vi kan bli ansvarlige for at barna hans dør, sier Leila, som har kommet tilbake etter at moren stumpet røyken. – Tenk om de blir syke og de ikke har råd til lege, så dør de på grunn av oss, eller de kan dø fordi de ikke får nok mat, sier hun. – Dessuten kan snekkeren selv dø i fengselet. Seks år er det mange som ikke overlever, det kryr av smitte, tuberkulose, og masse andre sykdommer.

– Vis medynk, sier Bibi Gul.

Mansur ringer Sultan i Pakistan på sin nyinnkjøpte mobiltelefon. Han ber om tillatelse til å løslate snekkeren. Det er helt stille i rommet, alle følger med på samtalen. De hører Sultans stemme rope fra Pakistan:

– Han ville ødelegge forretningene mine, underminere prisene. Han fikk god lønn hos meg. Han trengte ikke stjele. Han er en skurk. Han er skyldig, og sannheten må bankes ut av ham. Ingen skal få ødelegge min forretning.

– Han kan få seks års fengsel! Barna hans kan være døde når han kommer ut, roper Mansur tilbake.

– Om han så får seksti år fengsel! Jeg bryr meg ikke. Han skal bankes til han forteller hvem han har solgt kortene til.

– Det sier du fordi magen din er full! roper Mansur. – Jeg gråter bare jeg tenker på de skinnmagre barna hans. Familien hans er helt ferdig.

– Hvordan våger du å motsi din far! Sultan skriker i røret. Alle i rommet kjenner igjen stemmen hans, og vet at han nå er helt rød i ansiktet og at hele kroppen dirrer. – Hva slags sønn er du? Du skal gjøre alt jeg sier til deg, alt! Hva er det med deg? Hvorfor er du uhøflig mot din far?

Den indre kampen han kjemper, vises på Mansurs ansikt. Han har aldri gjort annet enn det faren befaler ham. Det vil si, av ting faren vet om. Han har aldri tatt et åpent oppgjør med ham, og han tør ikke, han tør ikke risikere å få farens vrede vendt mot seg.

– Ja vel, far, sier Mansur til slutt og legger på. Hele familien sitter taus. Mansur banner.

– Han har et hjerte av stein, sukker Sharifa. Sonya tier.

Hver morgen og hver kveld kommer snekkerens familie til dem. Noen ganger bestemoren, andre ganger moren, tanten eller kona. De har alltid med seg noen av barna sine. Hver gang får de samme svar. Det er Sultan som bestemmer. Når han kommer hjem, ordner det seg nok. Men de vet det ikke er sant, for Sultan har allerede felt sin dom.

Til slutt orker de ikke lenger åpne når den arme familien kommer. De sitter stille og later som om ingen er hjemme. Mansur går til den lokale politistasjonen og ber om utsettelse, han vil vente til faren kommer hjem, så får han ta seg av det selv. Men politisjefen kan ikke vente lenger. Det kvadratmeter lille rommet kan ikke huse fanger mer enn i noen dager. De ber snekkeren nok en gang om å tilstå at han har tatt flere postkort og hvem han har solgt til, men han nekter som før. Jalaluddin får på seg håndjern og blir ført ut av det lille leirhuset.

Fordi den lokale politistasjonen ikke har noen bil, er det Mansur som må kjøre snekkeren til den sentrale politistasjonen inne i Kabul.

Utenfor står snekkerens far, sønn og bestemor. Når Mansur kommer, nærmer de seg nølende. Mansur synes situasjonen er forferdelig. I Sultans fravær har han fått rollen som den hjerteløse overfor snekkerfamilien.

– Jeg må bare gjøre som faren min sier, unnskylder han seg, tar på solbrillene og setter seg i bilen. Bestemoren og den lille sønnen går hjem. Faren setter seg på sin skranglete sykkel og sykler etter Mansurs bil. Han gir ikke opp, og vil følge sønnen sin så langt han kan. De ser den rette silhuetten hans forsvinne bak dem.

Mansur kjører roligere enn han pleier. Det kan være siste gang på mange år at snekkeren ser disse gatene.

De kommer til den sentrale politistasjonen. Dette var en av de mest forhatte bygningene under Taliban. Her holdt det religiøse politiet til, i sedelighetsministeriet. Hit inn tok de menn som hadde for kort skjegg eller for korte bukser. Kvinner som hadde gått på gaten med andre menn enn sine slektninger, kvinner som hadde gått alene, kvinner som hadde sminke under burkhaen. I ukevis kunne de sitte i kjelleren før de ble forflyttet til andre fengsler, eller frikjent. Da Taliban dro, varetektsfengselet ble åpnet og fangene ble sluppet ut, fant man kabler og stokker som var blitt brukt til torturredskaper. Mennene ble slått nakne, kvinnene fikk ha et laken rundt seg under torturen. Før Taliban hadde Sovjetregimets nådeløse

etterretningstjeneste og deretter mujahedins kaotiske politi-
styrker holdt til i bygningen.

Snekkeren går opp de tunge trappene til femte etasje. Han
forsøker å få Mansur på siden av seg og ber med dirrende blikk.
Det er som om øynene hans har blitt enda større i løpet av den
lille uken i fangenskap. De bedende kulene spretter nesten ut
av ansiktet hans: – Tilgi meg, tilgi meg. Jeg skal arbeide gratis
for dere resten av livet. Tilgi meg!

Mansur ser rett fram, han må ikke bli myk nå. Sultan har
gjort sitt valg og han kan ikke motsi Sultan. Han kan bli gjort
arveløs, bli kastet ut hjemmefra. Han føler allerede at det er
broren som er blitt Sultans favoritt. Det er Eqbal som får gå på
datakurs, Eqbal som Sultan har lovet en sykkel. Dersom han
motsier ham nå, kan Sultan komme til å kutte alle bånd til
ham. Det vil han ikke risikere for snekkerens skyld, om han sy-
nes aldri så synd på ham.

De sitter og venter på avhøret og registreringen av anmel-
delsen. Systemet er slik at den anmeldte sitter i fengsel til
uskyld eller skyld er bevist. Hvem som helst kan anmelde noen
og få vedkommende fengslet.

Mansur legger fram saken. Snekkeren sitter igjen på huk på
gulvet. Han har lange krokete tær. Neglene har tykke, svarte
render. Vesten og genseren hans henger i laser nedover ryggen.
Buksen slenger vid rundt hoftene.

Avhøreren bak bordet skriver nøyaktig ned de to uttalelse-
ne. Han skriver med sirlig skrift på et papir med blåpapir
under,

– Hvorfor er du så glad i postkort fra Afghanistan? Politi-
mannen ler og finner hele saken litt kuriøs. Men før snekkeren
får svart, fortsetter han. – Fortell nå hvem du har solgt til, vi
skjønner jo alle at du ikke stjal dem for å sende til slektninger.

– Jeg tok bare to hundre, og Rasul ga meg noen, prøver snekkeren seg.

– Rasul har ikke gitt deg noen postkort, det er ren løgn, sier Mansur.

– Du vil huske dette rommet som der du hadde sjansen til å si sannheten, sier politimannen. Jalaluddin sitter og svelger og knekker knoker og puster lettet ut når politimannen fortsetter å forhøre Mansur, om når, hvor og hvordan det hele skjedde. Bak avhøreren ligger en av Kabuls høyder. Den er dekket av små hus som klamrer seg til fjellsiden. I sikksakk går stiene nedover. Gjennom vinduet kan snekkeren se mennesker, de likner små maur som går opp og ned. Husene er satt sammen av det man kan finne i et krigsherjet Kabul. Noen plater av bølgeblikk, et stykke strie, litt plast, noen murstein, biter fra andre ruiner.

Plutselig setter politiavhøreren seg ved siden av ham, også han på huk på gulvet. – Jeg vet at du har sultne barn, og jeg vet at du ikke er en kriminell. Jeg gir deg nå en siste sjanse. Den sjansen bør du ikke miste. Dersom du forteller hvem du solgte kortene til, skal jeg slippe deg fri. Dersom du ikke sier det, får du flere års fengsel.

Mansur lytter uinteressert, det er hundrede gangen snekkeren er blitt bedt om å tilstå hvem han har solgt til. Kanskje han snakker sant, kanskje har han ikke solgt til noen. Mansur ser på klokken og gjesper.

Plutselig kommer det et navn fra Jalaluddins lepper. Så svakt at det knapt er hørbart.

Mansur spretter opp.

Mannen Jalaluddin sa navnet til, har en kiosk på markedet der han selger kalendere, penner og kort. Kort til de religiøse høytidene, til bryllup, forlovelser og fødselsdager – og postkort med motiver fra Afghanistan. Disse kortene hadde han alltid pleid å kjøpe i Sultans bokhandel, men han har ikke kommet på en stund. Mansur husker ham godt fordi han alltid klagde høylytt på prisen.

Det er som om en propp har løsnet, men Jalaluddin skjelver fremdeles når han snakker.

– Han kom bort til meg en ettermiddag jeg skulle gå fra jobben. Vi pratet litt, og så spurte han om jeg trengte penger. Det gjorde jeg jo. Så spurte han om jeg kunne hente noen postkort til ham. Først nektet jeg, men så fortalte han om pengene jeg skulle få for dem. Jeg tenkte på barna mine hjemme. Jeg klarer ikke fø familien min med snekkerlønnen. Jeg tenkte på kona mi som begynner å miste tennene, hun er bare tretti år. Jeg tenkte på alle de bebreidende blikkene jeg fikk hjemme fordi jeg ikke klarer å tjene nok. Jeg tenkte på klærne og skoene barna mine aldri fikk, på legen til de syke som vi ikke har råd til, på den dårlige maten de spiser. Så tenkte jeg at dersom jeg bare tar noen, så lenge jeg jobber i bokhandelen, kan jeg løse noen av problemene mine. Sultan ville ikke merke det. Han har så mange postkort, og han har så mange penger. Og så tok jeg noen kort, som jeg solgte.

– Vi må dra dit og sikre bevisene, sier politimannen, reiser seg og beordrer snekkeren, Mansur og en politimann til å bli med. De kjører til markedet og postkortkiosken. Det står en ung gutt i den lille luken.

– Hvor er Mahmoud? spør politimannen som er i sivil. Mahmoud er til lunsj. Politimannen viser gutten politiskiltet og sier han vil se på postkortene hans. Gutten slipper dem inn på siden av kiosken, inn i den smale tarmen mellom veggen, stablene med varer og disken. Mansur og en politimann river postkortene ut av hyllene, alle som er trykt av Sultan blir lagt i en pose. Til slutt har de flere tusen postkort. Men hvilke Mahmoud har kjøpt lovlig, og hvilke han har kjøpt av Jalaluddin, er vanskelig å vite. De tar med seg gutten og postkortene til politistasjonen.

En politimann blir igjen for å vente på Mahmoud. Kiosken hans er låst. Ingen får kjøpt verken takkekort eller heltebilder av stolte krigere fra Mahmoud denne dagen.

Når Mahmoud endelig blir brakt til politistasjonen, fremdeles med lukten av kebab på hendene, blir det nye avhør. Mahmoud nekter først for noen gang å ha sett snekkeren. Han sier han har kjøpt alt på lovlig vis av Sultan, av Yunus, av Eqbal, av Mansur. Etterpå skifter han forklaring og sier at jo da, en dag kom snekkeren til ham, men at han ikke kjøpte noe.

Også kioskeieren må tilbringe natten i varetektsfengselet. Mansur kan endelig gå. På gangen står snekkerens far, onkel, nevø og sønn. De går mot ham, tar etter ham og ser med skrekkslagne øyne på hvordan han strener forbi. Han orker ikke mer av dem. Jalaluddin har tilstått, Sultan kommer til å bli fornøyd, saken er løst. Nå som tyveriet og videresalget bevist, kan straffesaken begynne.

Han tenker på det politisjefen hadde sagt. – Dette er din siste sjanse. Dersom du tilstår, slipper vi deg fri og du kan dra tilbake til familien din.

Mansur føler seg dårlig. Han skynder seg ut. Han tenker på det siste Sultan hadde sagt til ham før han reiste. – Her har jeg risikert livet for å bygge opp butikkene mine, jeg har blitt fengslet, jeg har blitt slått. Jeg jobber livet av meg for å skape noe for Afghanistan, så kommer det en jævla snekker og spiser av verket mitt. Da skal han ha sin straff. Ikke vær myk, du heller, Mansur, ikke vær myk.

I et nedslitt leirhus i Deh Khudaidad sitter en kvinne og stirrer ut i luften. De minste barna hennes gråter, de har ikke fått noe å spise ennå, og venter på at bestefaren skal komme tilbake fra byen. Kanskje han har kjøpt noe å spise. De kommer løpende mot bestefaren når han kommer inn porten med sykkelen sin. Han har ingenting i hendene. Ingenting på bagasjebrettet. De stopper opp når de ser det mørke ansiktet hans. De er stille en kort stund, før de begynner å gråte mens de klenger seg til ham: – Hvor er pappa? Når kommer pappa?

Min mor, Osama

Tajmir holder Koranen opp mot pannen, kysser den og leser et tilfeldig vers. Han kysser den igjen, legger den i jakkelommen og ser ut av vinduet. Bilen er på vei ut av Kabul. Den kjører mot øst, mot de urolige grenseområdene mellom Afghanistan og Pakistan, der Taliban og al-Qaida fremdeles har stor støtte, og der amerikanerne mener det gjemmer seg terrorister i det utilgjengelige fjellandskapet. Her tråler de terrenget, forhører lokalbefolkningen, sprenger huler, leter etter våpenlagre, finner gjemmesteder, bomber og dreper noen sivile – i jakten på terrorister og det store trofeet de drømmer om – Osama bin Laden.

Det var i dette området vårens store offensiv mot al-Qaida, «Operasjon Anaconda», fant sted, da internasjonale spesialstyrker under amerikansk kommando kjempet harde kamper mot Osamas gjenlevende disipler i Afghanistan. Flere al-Qaida-soldater skal fremdeles befinne seg i disse grenseområdene, områder der lederne aldri har anerkjent en sentral regjering, men styrer etter stammeloven. I pasjtunerbeltet på begge sider av grensen er det vanskelig for amerikanerne og sentrale myndigheter å infiltrere landsbyene. Etterretningseksperter tror at dersom Osama bin Laden og talibanlederen Mulla

Omar fremdeles lever og befinner seg i Afghanistan, så er de her.

Det er dem Tajmir skal prøve å finne. Eller i hvert fall finne noen som har hørt om noen som har sett eller tror de har sett noen som likner. I motsetning til reisefølget sitt, håper Tajmir at de ikke finner noe som helst. Tajmir liker ikke fare. Han liker ikke å reise inn i stammeområdene der det kan bryte ut kamper når som helst. I baksetet ligger skuddsikre vester og hjelmer klare.

– Hva leste du, Tajmir?

– Den hellige Koranen.

– Ja, jeg så det, men var det noe spesielt sted? Jeg mener en «traveller-section» eller noe?

– Nei jeg slår aldri opp etter noe spesielt, jeg bare slår opp tilfeldig. Nå kom jeg til verset om at den som adlyder Gud og hans sendebud vil bli ført inn i paradisets hager der bekker sildrer, mens den som vender ryggen til vil bli hjemsøkt med en smertelig straff. Jeg leser litt i Koranen når jeg er redd for noe, eller er trist.

– Oh, yeah, sier Bob og hviler hodet mot vinduet. Mysende ser han Kabuls sotskitne gater forsvinne. De kjører mot morgensolen, som brenner slik at Bob må lukke øynene.

Tajmir sitter og tenker på oppdraget sitt. Han har fått jobb som tolk for et stort amerikansk blad. Tidligere, under Taliban, jobbet han for en hjelpeorganisasjon. Han hadde ansvaret for distribusjon av mel og ris til fattige. Da utlendingene i organisasjonen dro ut etter 11. september, fikk han ansvaret alene. Taliban blokkerte alle forsøkene hans. Utdelingen ble stanset, og en dag falt en bombe ned på stedet der distribusjonen vanligvis foregikk. Tajmir takket Gud for at han hadde stanset ut-

243

delingen. Tenk om stedet hadde vært fullt av kvinner og barn i desperat matkø.

Men det føles som det er lenge siden han arbeidet med nødhjelp. Da journalistene strømmet til Kabul, ble han plukket opp av det amerikanske bladet. De tilbød ham samme lønn per dag som han vanligvis fikk for en halv måned. Han tenkte på sin egen familie som trengte penger, hoppet av hjelpearbeidet og begynte å tolke, på et fantasifullt og underfundig engelsk.

Tajmir er eneforsørger for familien sin, som etter afghansk målestokk er liten. Han bor sammen med moren, faren, søsteren, kona og ettåringen Bahar i en liten leilighet i Mikrorayon, ikke langt fra Sultan og familien hans. Sultan er morens bror og Tajmirs onkel.

I alle fall utad. Det er nemlig ikke Tajmirs mor, som er hans egentlige mor. Moren er egentlig søsteren hans, og hans egentlige mor har han vokst opp med som bestemor.

Slik gikk det til: Feroza er Bibi Guls eldste datter, fem år eldre enn Sultan. Hun fikk aldri gå på skole, for familien var fattig og hun ble giftet bort til en framgangsrik forretningsmann. Etter bryllupet flyttet Feroza hjem til den tjue år eldre ektemannen.

Årene gikk, og hun fikk aldri barn. Hun prøvde alt hun kom over, hun lyttet til alle mulige råd, hun tok medisiner, hun ba til Gud, hun fortvilte. Mens hun prøvde, fødte moren hennes stadig nye barn. Hun fikk tre sønner på rad og flere døtre etter at Feroza giftet seg. En kvinne får verdi gjennom det å være mor, først og fremst til sønner. Ikke å føde barn betyr at en ikke er verdsatt. Da Feroza hadde vært barnløs i femten år og Bibi Gul ventet sitt tiende barn, ba Feroza om å få det.

Bibi Gul nektet. – Jeg kan ikke gi bort barnet mitt.

Feroza fortsatte å be, klynke og true. – Ha medynk med meg, du har allerede en stor barneflokk, og jeg har ingen. Gi meg

bare dette ene, gråt hun. – Jeg kan ikke leve uten et barn, snuf-
set hun.

Til slutt lovte Bibi Gul henne barnet sitt. Da Tajmir ble
født, beholdt hun ham i tjue dager. Hun ammet ham, kjælte
med ham og gråt over å måtte gi slipp på ham. Bibi Gul var
blitt en betydningsfull kvinne i kraft av barna sine, og ville
helst ha så mange som mulig. Utover dem hadde hun ingen-
ting, uten dem var hun ingenting. Etter de avtalte tjue dagene
ga hun ham til Feroza, og selv om melken strømmet, nektet
Feroza henne å amme ham mer. Han skulle ikke ha noen bånd
til moren, som fra nå av skulle være hans bestemor.

Feroza ble den strengeste av mødre. Fra Tajmir var liten fikk
han ikke lov til å være ute og leke sammen med de andre
barna. Han skulle leke stille og rolig i stua under Ferozas opp-
syn, og da han ble større, skulle han gjøre lekser. Han måtte
alltid rett hjem etter skolen, og fikk aldri lov til å bli med noen
hjem eller ta med noen hjem. Tajmir protesterte aldri, det gikk
ikke an å protestere mot Feroza. For Feroza slo, og Feroza slo
hardt.

– Hun er verre enn Osama bin Laden, forklarer Tajmir til
Bob, når han må begrunne hvorfor han kommer for sent, eller
hvorfor han plutselig må avbryte en jobb. Til de nye ame-
rikanske vennene sine forteller han skrekkhistorier om
«Osama». De forestiller seg en furie under burkhaen. Men da
de møtte henne, på besøk hos Tajmir, så de bare en blid, liten
kvinne, med forskende, mysende blikk. På brystet bar hun en
stor medaljong i gull med den islamske trosbekjennelsen. Den
gikk hun straks og kjøpte seg da Tajmir kom hjem med sin førs-
te amerikanske lønning. Feroza vet nøyaktig hva han tjener,
og Tajmir må levere alt til moren, så gir hun ham lommepen-
ger når han trenger det. Tajmir viser dem alle merkene i veg-

gen hjemme, der hun har kastet sko eller andre gjenstander etter ham. Nå ler han, tyrannen Feroza er blitt en morsom historie.

Feroza hadde et bankende ønske om at Tajmir skulle bli noe stort, og hver gang hun fikk tak i ekstra penger, meldte hun ham på et kurs, engelskkurs, ekstra mattetimer, datakurs. Analfabeten som ble giftet bort for å skaffe penger til familien, skulle bli en hedret og respektert mor. Det ville hun bli gjennom en vellykket sønn.

Faren så Tajmir mindre til. Han var en snill og litt forsagt mann, men drakk og var borte i lange perioder av gangen. I sine gode dager reiste han som handelsmann til India og Pakistan, iblant kom han hjem med penger, iblant ikke. Etter hvert ble han stort sett liggende og drikke.

Drikking er et lite utbredt problem i Afghanistan. Få tar risikoen med å smugle alkohol inn, og de dyrebare flaskene selges godt gjemt på bakrom. Men det har ikke alltid vært slik. Under de liberale tidene da Zahir Shah styrte landet, var det mulig å få servert en drink på restauranter og barer, og under sovjetokkupasjonen strømmet det inn vodka som soldatene solgte for en billig penge. Så kom borgerkrigen og mujahedinstyre, og islamistene innførte strenge straffer for salg, kjøp og bruk av alkohol. Taliban innførte enda strengere straffer.

Men uansett regime, Tajmirs far fikk alltid tak i det kroppen hans skrek etter, om det så var rødsprit eller møbelpolish han kom hjem med. Selv under Taliban drakk han seg full. Med Feroza rundt seg, skamfull og oppgitt over den elendige ektemannen Gud hadde skjenket henne. Om hun kunne slå Tajmir veggimellom, hadde hun aldri tatt hardt i mannen sin. Selv om det ikke var tvil om hvem som var den sterkeste av dem. Feroza var i løpet av årene blitt en ferm dame, rund som en liten bolle, med tykke briller balanserende på nesen eller hengende rundt halsen. Mannen, derimot, var blitt grå og avmagret, veik og sprø som en tørr grein.

Feroza ble familiens overhode etter hvert som mannen smuldret bort. Da Bibi Gul ventet et barn til, noen år etter at Tajmir var blitt født, krevde Feroza å få det også. Bibi Gul nektet. Feroza maste. Bibi Gul nektet igjen, Feroza maste igjen. – Det er ikke bra for Tajmir å være enebarn, vær så snill, du har så mange, ba hun, igjen med tårer og trusler om hverandre. Men denne gangen nektet Bibi Gul, og hun beholdt Leila da hun ble født.

Leila er ofte bitter for at hun ikke ble gitt bort. – Tenk om jeg kunne vært Tajmirs søster, tenker hun. – Da ville jeg blitt sendt på datakurs og engelskkurs, da ville jeg gått på universitetet nå. Jeg ville hatt fine klær, jeg ville ha sluppet å slave. Leila er glad i moren sin, det er ikke det, men hun føler at ingen egentlig har brydd seg om *henne*. Hun har alltid følt seg som den siste i rekken. Noe hun også er forblitt, etter henne fikk ikke Bibi Gul flere barn. Så i stedet for å være Tajmirs søster, er hun hans fem år yngre tante.

Men Feroza klarte ikke gi slipp på ønsket om flere barn. Etter at hun ga opp moren, gikk hun til et av Kabuls barnehjem. Her fant hun Kheshmesh som noen hadde lagt fra seg utenfor hjemmet, inntullet i et skittent putevar. Hun tok henne til seg og oppdro henne som Tajmirs søster. Men om de som ser familien ikke tviler et sekund på at Feroza er Tajmirs mor – han ser ut som han er snytt ut av nesen hennes, det samme runde fjeset, den store magen, den vaggende gangen – er det annerledes med Kheshmesh.

Kheshmesh er en stresset og ustyrlig liten jentunge, tynn som en strek, og med langt mørkere hud enn de andre i familien. Kheshmesh har noe løpsk i blikket, som om livet inne i hodet hennes er mer spennende enn noe av det som foregår i den virkelige verden. Kheshmesh løper rundt som en sprelsk fole på familiefeiringer, til Ferozas store fortvilelse. Mens Tajmir lydig oppfylte morens ønsker da han var barn, blir Kheshmesh alltid skitten, alltid bustete og alltid oppskrapt. Men ingen er mer hengiven enn Kheshmesh når hun er i sitt rolige hjørne, ingen gir sin mor fuktigere kyss eller fastere klemmer. Hvor enn Feroza går, er Kheshmesh med. Som en tynn liten skygge ved den ferme moren.

Som andre barn, lærte Kheshmesh tidlig hva Taliban var. En dag ble Kheshmesh og en venn banket opp av en talibaner i oppgangen. De hadde lekt med sønnen hans, som hadde falt og slått seg stygt. Faren hadde tatt dem begge for seg og slått dem hardt med en stokk. Resultatet ble at de aldri mer ville leke med den lille gutten med taliban-far. Taliban var de som ikke lot henne begynne på skolen sammen med guttene i oppgangen, Taliban var de som ikke lot folk synge eller klappe i hendene, som ikke lot dem danse, Taliban var de som ikke lot henne ta med dokkene sine ut. Dokker og kosedyr var bannlyst fordi de var avbildninger av levende vesener. Når det religiøse politiet var på razzia hjemme hos folk og knuste TV og kassettspillerne deres, tok de gjerne med seg barnas leker dersom de fant dem. De rev av armer og hoder eller knuste dem, foran øynene på lamslåtte barn.

Det første Kheshmesh gjorde da Feroza sa at Taliban hadde flyktet, var å ta med seg yndlingsdokken og vise henne verden. Tajmir tok skjegget. Feroza lurte fram en støvete kassett og en gammel kassettspiller og vrikket seg rundt i leiligheten og sang: – Nå skal vil feste for fem tapte år!

Det ble ikke flere barn å ta seg av for Feroza. Rett etter at hun hadde tatt til seg Kheshmesh, begynte borgerkrigen, og Feroza flyktet til Pakistan med Sultans familie. Da hun kom tilbake fra flyktningtilværelsen, var det på tide å finne en kone til Tajmir og det var ingen tid til å lete etter bortlagte jentebabyer på sykehus.

Som alt annet i Tajmirs liv, bestemte moren også når det gjaldt å finne en kone. Tajmir selv var dypt forelsket i en jente på engelskkurset i Pakistan. De var en slags kjærester, selv om de aldri verken holdt hverandre i hånden eller kysset. De var knapt alene, men de var like fullt kjærester, som skrev lapper og lange kjærlighetsbrev. Tajmir torde aldri fortelle Feroza om denne jenta, som han drømte om å gifte seg med. Hun var en slektning av krigshelten Massoud, og Tajmir visste at moren ville være redd for alt bråket de kunne bli involvert i. Men uansett hvem det hadde vært, ville Tajmir aldri tort å betro seg til moren om sin forelskelse. Han var ikke opplært til å be om noe, han hadde aldri fortalt Feroza hva han følte. Han så på underdanigheten sin som respekt.

– Jeg har funnet jenta du skal gifte deg med, sa Feroza en dag.

– Ja vel, sa Tajmir. Det knøt seg i halsen hans, men ikke et ord av protest kom ut. Han visste at han bare måtte skrive et brev til bomullsskyen av en kjæreste om at det var slutt.

– Hvem er det? spurte han.

– Hun er tremenningen din, Khadija, du har ikke sett henne siden du var liten. Hun er flink og flittig og av god familie.

Tajmir bare nikket. To måneder senere møtte han Khadija for første gang. Det var på forlovelsesfesten. De satt ved siden av hverandre under hele festen uten å veksle et ord. Henne kan jeg elske, tenkte han.

Khadija ser ut som en parisisk jazzsangerinne fra 20-tallet.

Hun har svart, bølget hår i sideskill, klippet rett over skuldrene, hvit, pudret hud, og går alltid med sort sminke og rød leppestift. Hun har smale kinn og brede lepper, og ser ut som om hun hele livet har sittet og posert med en lang sigarett i hånden. Men etter afghanske standarder blir hun ikke ansett som pen, altfor tynn, altfor smal. I Afghanistan er det de runde kvinnene som er idealkvinnene, runde kinn, runde hofter, runde mager.

– Nå elsker jeg henne, forteller Tajmir. De nærmer seg Gardes, og Tajmir har fortalt hele livshistorien sin til Bob, den amerikanske journalisten.

– Wow, sier han. – What a story. So you really love your wife now? What about the other girl?

Tajmir har ingen anelse om hvordan det har gått med den andre jenta. Det tenker han heller ikke på. Nå lever han for sin lille familie. For et år siden fikk han og Khadija en datter.

– Khadija var så redd for å få en datter, forteller han til Bob. – Khadija er alltid redd for noe, og den gangen var det for å få en datter. Jeg fortalte henne og alle andre at jeg ønsket meg en datter. At jeg mest av alt ville ha en datter. Slik at dersom vi fikk en jente, ville ingen si, så synd, for det var jo det jeg hadde ønsket meg, og dersom vi fikk en gutt ville ingen si noe, for da ville jo alle være glade uansett.

– Hm, sier Bob og prøver å forstå logikken hans.

– Nå er Khadija redd for at hun ikke kan bli gravid igjen, fordi vi prøver, men får det ikke til. Så da sier jeg til henne at egentlig holder det med ett barn, det er fint med ett barn. I Vesten har mange bare ett barn. Så dersom vi ikke får flere, vil alle si at han ville jo ikke ha flere barn, og dersom vi får flere, er alle glade likevel.

– Hm.

De stopper i Gardes for å kjøpe drikke og sigaretter. Når Tajmir er på jobb røyker han i et sett. En pakke, to pakker. Men han må passe nøye på at moren ikke merker det, han kunne aldri tatt en røyk foran moren. Det hadde bare ikke vært mulig. De kjøper en kartong «hi-lite» sigaretter til en krone pakken, en kilo agurker, tjue egg og brød. De sitter akkurat og skreller agurkene og knekker skallet av eggene da Bob roper stopp.

Ved veikanten sitter et trettitall menn i en ring. De sitter med kalasjnikovene på bakken foran seg, og ammunisjonskjedene på skrå over brystet.

– Det er Padsja Khans menn! roper Bob. – Stans bilen!

Bob river med seg Tajmir og går bort til mennene. Midt blant dem sitter Padsja Khan selv, den største krigsherren i de østlige provinsene, og en av Hamid Karzais mest høylytte motstandere.

Da Taliban flyktet ble Padsja Khan utnevnt til guvernør i Paktia-provinsen, kjent som en av Afghanistans mest urolige. Som guvernør i området der al-Qaida-nettverkene fremdeles har støtte, ble Padsja Khan en viktig mann for amerikansk etterretning. De var avhengige av å ha noen å samarbeide med på bakken, og den ene krigsherren var ikke verre eller bedre enn den andre. Padsja Khans oppgave var å finne ut hvor Taliban og al-Qaida-soldater befant seg. Deretter skulle han peke ut stedene for amerikanerne. Til det var han blitt utstyrt med en satellittelefon. Den brukte han flittig. Han ringte stadig og fortalte amerikanerne om al-Qaidas forflytninger i området. Og amerikanerne skjøt. På en landsby her og en landsby der. På stammeledere som skulle til Kabul på innsettingsseremonien for Karzai. På et par bryllupsfester. På en gruppe menn i et hus, amerikanernes egne allierte. Ingen hadde noe med al-Qaida å gjøre, men de hadde det til felles at de var Padsja Khans fiender. De lokale protestene mot den egenrådige guvernøren, som plutselig var i besittelse av B52 bombefly og F16 jagerfly til sine lokale stammeoppgjør, ble så sterke at Karzai ikke fant noen annen løsning enn å avsette ham.

Da startet Padsja Khan like godt sin egen lille krig. Han sendte raketter mot landsbyene der fiendene hans befant seg, og det var åpne kamper mellom de ulike fraksjonene. Flere uskyldige ble drept da han forsøkte å vinne tilbake den tapte makten. Til slutt måtte han gi seg, inntil videre. Bob har lett etter ham lenge, og der, der sitter han i sanden, omringet av en gjeng skjeggete menn.

Padsja reiser seg når han ser dem. Han hilser kort på Bob, men omfavner Tajmir varmt og trykker ham ned ved siden av seg. – Hvordan går det, min venn? Har du det bra?

De møtte hverandre ofte under Anaconda-operasjonen, amerikanernes storoffensiv mot al-Qaida. Tajmir tolket, det var det. Padsja Khans venn hadde han aldri vært.

Padsja Khan er vant til å styre regionen som sin egen bakgård sammen med sine tre brødre. Det er bare en uke siden han lot det regne raketter over byen Gardes, nå står Khost for tur. Dit har det allerede kommet en ny guvernør, en sosiolog som har levd det siste tiåret i Australia. Han ligger i dekning i frykt for Padsja Khans menn.

– Mine menn er klare, sier Padsja Khan til Tajmir, som oversetter til Bob, som noterer febrilsk. – Nå sitter vi og diskuterer hva vi skal gjøre, fortsetter han og ser utover mennene sine. – Skal vi ta ham nå, eller skal vi vente? fortsetter Padsja Khan.

– Skal dere til Khost? Da må dere si til broren min at han

252

må bli kvitt den nye guvernøren raskere enn svint. Si til ham at ham må pakke ham sammen og sende ham tilbake til Karzai!

Padsja Khan pakker og sender med hendene. Alle mennene ser på lederen sin, deretter på Tajmir, og så på den blonde Bob, som noterer febrilsk.

– Hør, sier Padsja Kahn. Det er ingen tvil om hvem han mener er den rettmessige herren over de tre provinsene som amerikanerne følger med falkeblikk. Krigsherren bruker Tajmirs bein til å understreke meningene sine, han tegner kart, veier og fronter på låret hans. For hvert utsagn han er fornøyd med, klasker han ham hardt. Tajmir oversetter mekanisk. Over føttene hans kryper de største maurene han noen gang har sett.

– Karzai truer med å sende inn hæren neste uke. Hva vil du gjøre med det? spør Bob.

– Hvilken hær? Karzai har ingen hær! Han har et par hundre livvakter som trenes opp av britene. Ingen kan slå meg på mitt eget område, sier Padsja Khan og ser utover mennene sine. De sitter i slitte sandaler og gamle klær, og det eneste som er nypusset og skinnende er våpnene. Noen av skaftene er dekket med fargerike perlerader, andre har fått forseggjorte, broderte border. Noen av de yngre har pyntet kalasjnikoven sin med små klistremerker. På et rosa klistremerke står det «kiss» med røde bokstaver.

Mange av disse mennene kjempet på Talibans side bare et år tidligere. – Vi kan ikke eies, vi kan bare leies, sier afghanere selv om sine hyppige sideskift i krig. Nå er de Padsja Khans menn, iblant leies de ut til amerikanerne. Men det viktigste for dem er kampen mot den som Padsja Khan til enhver tid ser på som sin fiende. Så får amerikanernes al-Qaida-jakt komme i andre rekke.

– Han er gal, sier Tajmir når de er tilbake i bilen. – Det er menn som ham som gjør at det aldri blir fred i Afghanistan. For ham er makt viktigere enn fred. Han er gal nok til å sette tusenvis av menneskeliv på spill bare for å bli sittende ved makten. Tenk at amerikanerne samarbeider med en slik mann, sier han.

– Dersom de bare skulle jobbe med folk som ikke har blod på hendene, ville de ikke funnet mange i disse provinsene, sier Bob. – De har ikke noe valg.

– Men nå bryr de seg ikke lenger om å lete etter talibanere for USA, nå har de rettet våpnene mot hverandre, innvender Tajmir.

– Hm, mumler Bob. – I wonder if there will be any serious fighting, sier han, mer til seg selv enn til Tajmir.

Tajmir og Bob har helt forskjellige tanker om hva som vil bli en fin tur. Bob vil ha action, jo mer, jo bedre. Tajmir vil hjem så fort som mulig. Om noen dager feirer han og Khadija to års bryllupsdag, han håper han er tilbake til da. Da vil han overraske Khadija med en fin presang. Bob vil ha heftige saker på trykk. Som noen uker tidligere, da han og Tajmir var nær ved å bli drept av en granat. Den traff ikke dem, men bilen bak. Eller da de måtte løpe i dekning i mørket fordi de ble tatt for å være fienden på vei inn i Gardes, og kulene suste rundt dem. Slike ting får Bob et kick av, som å tilbringe natten i en skyttergrav, mens Tajmir forbanner at han har skiftet jobb. Det eneste som er bra med disse turene er krigstillegget: Det vet ikke Feroza om, så de pengene kan han beholde selv.

For Tajmir og de fleste i Kabul, er dette den delen av Afghanistan de identifiserer seg minst med. Disse områdene blir sett på som ville og voldelige. Her bor folk som ikke innordner seg et nasjonalt styre. Her kan Padsja Khan og brødrene styre en hel region. Slik har det alltid vært. Den sterkestes rett.

De kjører forbi golde ørkenlandskap. Her og der ser de noma-
der og kameler som rolige og stolte vugger over sanddynene.
Noen steder har nomadene satt opp de store, sandfargete teltene
sine. Kvinner i flagrende, fargerike skjørter går mellom teltene.
Kvinnene av kuchi-folket er kjent som de frieste i Afghanistan.
Selv ikke Taliban prøvde å få dem til å bære burkha, så lenge de
holdt seg utenfor byene. Også dette nomadefolket har lidd
enormt de siste årene. På grunn av krigen og minene har de måt-
tet legge om sine århundregamle ruter, og beveger seg på langt
mindre områder enn tidligere. De siste årenes tørke har ført til at
en stor del av geitene og kamelene deres har dødd av sult.

Landskapet blir stadig skrinnere. Nede er det ørken, oppe er
det fjell. Alt er variasjoner i brunt. Oppe i fjellsidene går det
svarte mønstre i sikksakk. Når man ser nøyere etter, ser man at
det er sauer, som tett i tett, i kø, prøver å finne mat på fjellhyl-
lene.

De nærmer seg Khost. Tajmir hater den byen. Her fant tali-
banlederen Mulla Omar sine mest trofaste tilhengere. Khost og
området rundt merket knapt at landet ble tatt over av Taliban.
For dem ble det liten forskjell. Her hadde kvinner likevel ikke
arbeidet ute, og jenter ikke gått på skole. Burkhaen hadde de
gått med så lenge de kunne huske, ikke påbudt av staten, men av
familien.

Khost er en by uten kvinner, i alle fall på overflaten. Mens
kvinnene i Kabul i løpet av denne første våren etter Talibans fall
begynte å ta av seg burkhaen, og man innimellom til og med
kunne se kvinner på restaurantene, er det knapt en kvinne å se i
Khost, ikke engang gjemt bak en burkha. De lever et liv lukket
inne i bakgårdene, de får ikke gå ut, ikke handle, sjelden besøke
noen. Her etterleves streng *purdah*, den totale segregeringen
mellom kvinner og menn.

Tajmir og Bob drar rett til Padsja Khans lillebror, Kamal Khan. Han har okkupert guvernørboligen, mens den nyutpekte guvernøren sitter i en slags selvvalgt husarrest hos politisjefen. Det kryr av Khan-klanens menn i guvernørens blomsterhage. Soldater i alle aldre, fra tynne smågutter til grånende menn, sitter, ligger eller går rundt. Atmosfæren er spent og litt oppmaset.

– Kamal Khan? spør Tajmir.

To soldater følger dem opp til kommandanten, som sitter omringet av menn. Han innvilger intervjuet og de setter seg. En liten gutt kommer inn med te.

– Vi er rede til kamp. Inntil den falske guvernøren forlater Khost, og broren min blir gjeninnsatt, blir det ingen fred, sier den unge mannen. Mennene nikker. En mann nikker kraftig, det er nestkommanderende under Kamal Khan. Han sitter på gulvet i skredderstilling, drikker te og lytter. Hele tiden kjæler han med en annen soldat. De har et godt tak i hverandre, og holder de to sammenfiltrede hendene i fanget på den ene. Mange av soldatene sender innsmigrende blikk mot Tajmir og Bob.

I deler av Afghanistan, spesielt i de sørøstlige delene av landet, er homoseksualitet utbredt, og stilltiende akseptert. Mange kommandanter har flere unge elskere, og man ser ofte eldre menn som går rundt med et knippe unge gutter. Guttene har gjerne pyntet seg med blomster i håret, bak øret eller i knapphullet. Homoseksualiteten blir gjerne forklart med den strenge etterfølgingen av *purdah* nettopp i de sørlige og østlige delene av landet. Ofte kan man se flere trippende og svaiende gutter i følge. De har tykke streker sort kajal rundt øynene, og bevegelsene minner om transvestitter i Vesten. De stirrer, de flørter, og de vrikker med hofter og skuldre.

Disse kommandantene lever ikke kun ut sin homoseksualitet, de fleste har en kone og en stor ungeflokk. Men de er sjelden hjemme, og livet leves ute blant menn. Det blir ofte store sjalusidramaer rundt disse unge elskerne, ikke få blodhevnkamper har blitt utkjempet i sjalusi over en ung elsker som har delt seg mellom to. Ved en anledning satte to kommandanter i gang et slag med to tanks i basaren i kampen om en elsker. Slaget endte med flere dusin drepte.

Kamal Khan, en vakker mann i tjueårene, hevder selvsikkert at det fremdeles er Khan-klanen som har rett til å styre provinsen.

– Folket er på vår side. Vi vil kjempe til siste mann. Det er ikke det at vi ønsker makt, sier Kamal Khan avvæpnende. – Det er folket, folket som vil ha oss. Og de fortjener oss. Vi følger bare deres ønsker.

To langbente edderkopper kryper oppetter veggen bak ham. Kamal Khan tar opp en liten skitten pose fra vestelommen. I den har han noen tabletter som han putter i munnen. – Jeg er litt syk, sier han med øyne som tigger om medlidenhet.

Dette er mennene som står steilt imot statsminister Hamid Karzai. Dette er mennene som fortsetter å styre etter krigsherrenes lov – og nekter å la seg diktere av Kabul. Om sivile liv går tapt, betyr lite. Det er makt det står om, og makt betyr to ting: ære, at Khans stamme beholder makten i provinsen, og penger, kontrollen over den blomstrende smuglertrafikken og tollinntektene på det som kommer lovlig inn.

Grunnen til at det amerikanske bladet er så interessert i den lokale konflikten i Khost, er ikke først og fremst at Karzai truer med å sette hæren inn mot krigsherrene. Det vil sannsynligvis heller ikke skje, for som Padsja Khan sa: – Dersom han setter inn hæren, vil folk bli drept og Karzai få skylden.

Nei, grunnen er de amerikanske styrkene i området. De hemmelige amerikanske spesialstyrkene som det så å si er umulig å komme i nærheten av. De hemmelige agentene, som kryper rundt i fjellene på jakt etter al-Qaida, det er dem bladet hans vil ha en sak på, en eksklusiv sak: *Jakten på al-Qaida*. Aller helst vil Bob finne Osama bin Laden. Eller i alle fall Mulla Omar. Amerikanerne helgarderer seg og samarbeider med begge sider i det lokale oppgjøret, det vil si både med Khan-brødrene og med fiendene deres. Begge sider får penger av amerikanerne, begge sider drar på tokt med dem, begge sider får våpen, kommunikasjonsutstyr, etterretningsutstyr. For på begge sider har de gode kontakter, på begge sider finnes Talibans tidligere støttespillere.

Khan-brødrenes hovedfiende heter Mustafa. Han er politisjef i Khost. Mustafa samarbeider både med Karzai og amerikanerne. Etter at Mustafas menn nylig drepte fire av Khan-klanens menn i en skuddveksling, måtte han barrikadere seg inne i politistasjonen i flere dager. De fire første som forlot stasjonen, ville bli drept, advarte Khanene. Da de slapp opp for mat og vann, ble de enige om å forhandle. Og de forhandlet seg til en utsettelse. Det betyr lite, fire av Mustafas menn har en dødsdom hengende over seg, den kan fullbyrdes når som helst. Blod skal hevnes med blod, og trusselen, før utførelsen av selve drapene, kan være tortur nok.

Etter at Kamal Khan og lillebroren Wasir Khan har beskrevet Mustafa som en kriminell som dreper kvinner og barn og som må vekk, takker Tajmir og Bob for seg og følges til porten av to unge gutter med et utseende som skjønne sydhavspiker. De har store, gule blomster i det bølgete håret og stramme, brede belter i livet, og ser intenst på Tajmir og Bob. De vet ikke hvem de skal feste blikket på, vevre, blonde Bob eller kraftige Tajmir med fløtepusansiktet.

– Pass dere for Mustafas menn, sier de. – De er ikke til å stole på, de forråder dere så fort dere snur dere. Og ikke gå ut etter at det er mørkt! Da vil de robbe dere!

De to reisende drar rett til fienden. Politistasjonen ligger noen kvartaler unna den okkuperte guvernørboligen og fungerer også som fengsel. Politistasjonen er en festning med metertykke vegger. Mustafas menn lukker opp de tunge jernportene for dem, og de kommer inn i en bakgård, også der blir de møtt av den skjønneste blomsterduft. Men hos Mustafa har ikke soldatene pyntet seg med dem, de blomstrer på buskene og trærne sine. Mustafas soldater er lette å skille fra Khanene: De har mørkebrune uniformer, små, firkantete skyggeluer og tunge støvler. Mange av dem har et skjerf over nese og munn, og mørke solbriller. Det at man ikke kan se ansiktene deres, gjør dem enda mer skremmende.

Tajmir og Bob blir ført opp smale trapper og trange ganger i festningen. I et rom innerst i bygningen sitter Mustafa. Som sin fiende Kamal Khan er han omgitt av menn med våpen. Våpnene er de samme, skjeggene er de samme, blikkene er de samme. Bildet av Mekka på veggen er det samme. Den eneste forskjellen er at politisjefen sitter i en stol bak et bord, og ikke på gulvet. Dessuten er det ingen gutter med blomster i håret der. De eneste blomstene er en bukett påskeliljer i plast på politisjefens bord, påskeliljer i fluorescerende farger, gult, rødt og grønt. Ved siden av vasen ligger Koranen pakket inn i et grønt klede, og det afghanske flagget i miniatyr står på en liten sokkel.

– Vi har Karzai på vår side, og vi skal kjempe, sier Mustafa.

– Khanene har herjet denne regionen lenge nok, nå skal det bli slutt på barbariet! Rundt ham sitter mennene og nikker.

Tajmir oversetter og oversetter, de samme truslene, de samme ordene. Om hvorfor Mustafa er bedre enn Padsja Khan, om hvordan Mustafa skal skape fred. Egentlig sitter han og oversetter grunnen til at det aldri vil bli helt fredelig i Afghanistan.

Mustafa har vært med på mange rekognoseringstokter med amerikanerne. Han forteller hvordan de har overvåket hus der de var sikre på at bin Laden og Mulla Omar oppholdt seg. Men de fant aldri noe. Amerikanernes rekogniseringer fortsetter, men disse er omgitt med masse hemmelighetskremmeri, og Bob og Tajmir får ikke vite mer. Bob spør om de kan få være med en natt. Mustafa bare ler. – Nei det er top secret, det er slik amerikanerne vil ha det. Det hjelper ikke hvor mye du maser, unge mann, sier han.

– Ikke gå ut etter skumringen, påbyr Mustafa strengt når de skal gå. – Da vil Khans menn overfalle dere.

Godt advart fra begge sider går de til byens kebabhus – et stort rom der det er lagt ut puter på lave benker. Tajmir bestiller pilau og kebab. Bob ber om kokte egg og brød. Han er redd for parasitter og bakterier. De spiser raskt og skynder seg tilbake til hotellet før det er antydning til skumring. I denne byen kan alt skje, og det er best å ta sine forholdsregler.

Et tungt gitter foran porten til byens eneste hotell lukkes opp og låses igjen bak dem. De ser ut på Khost, en by med stengte butikker, maskerte politimenn og al-Qaida-sympatisører. Et skulende blikk på Bob fra en forbipasserende er nok til at Tajmir føler seg uvel. I dette området er det satt hodepris på amerikanere. Femti tusen dollar skal betales til dem som dreper en amerikaner.

De går opp på taket for å sette opp Bobs satellittelefon. Over dem flyr et helikopter. Bob forsøker å gjette seg til hvor det skal. Et titall av hotellets soldater har samlet seg rundt dem, de ser storøyde på den trådløse telefonen Bob prater i.

– Snakker han til Amerika? spør han som ser ut som han er lederen, en lang tynn stake med turban, kjortel og sandaler. Tajmir nikker. Soldatene følger Bob med øynene. Tajmir blir stående og småprate med dem. De er bare opptatt av telefonen og hvordan den virker. De har knapt sett en telefon før. En av dem utbryter trist: – Vet du hva som er vårt problem her? Vi vet alt om hvordan vi skal bruke et våpen, men vi vet ingenting om hvordan vi skal bruke en telefon.

Etter samtalen med Amerika går de ned. Soldatene følger etter dem.

– Er det disse som skal overfalle oss bare vi snur ryggen til? hvisker Bob.

Soldatene går rundt med hver sin kalasjnikov. Noen av dem har festet lange bajonetter til våpnene. Tajmir og Bob setter seg i en sofa i lobbyen. Over dem henger et forunderlig bilde. Det er en stor, innrammet plakat fra New York, med begge tårnene på World Trade Center fremdeles stående. Men det er ikke New Yorks virkelig skyline, for bak husene rager enorme fjell. I forgrunnen er det limt inn en stor grønn park med røde blomster. New York ser ut som en liten by av klosser, under et enormt fjellmassiv.

Bildet ser ut som om det har hengt der lenge, det er falmet og litt bølgete. Det må ha hengt der før man ante at akkurat dette motivet på en grotesk måte skulle forbindes med Afghanistan og den støvete byen Khost, og gi landet enda mer av det det ikke trengte: Flere bomber.

– Vet dere hvilken by det er? spør Bob.

Soldatene rister på hodet. Når de knapt har sett annet enn en og to etasjers leirhus, kan de vanskelig forestille seg at bildet forestiller en virkelig by.

– Det er New York, forklarer Bob. – Amerika. De to husene der var det Osama bin Laden sendte to fly inn i.

Soldatene spretter opp. De to husene har de hørt om. Der er de! De peker og viser. Slik så de ut! Tenk at de hadde gått forbi bildet hver dag, uten å vite det!

Bob har med et av bladene sine og viser dem bildet av en mann enhver amerikaner vet hvem er.

– Vet dere hvem det er? spør han. De rister på hodet.

– Det er Osama bin Laden.

Soldatene sperrer opp øynene og river bladet til seg. De samler seg rundt det. Alle vil se.

– Er det slik han ser ut?

De er fascinert av både mannen og bladet.

– Terrorist, sier de, peker og skrattler. I Khost finnes ikke aviser og blader, og de har aldri sett noe bilde av Osama bin Laden, mannen som er grunnen til at amerikanerne og Tajmir og Bob i det hele tatt er i byen deres.

Soldatene setter seg igjen og tar fram en stor hasjklump som de byr Bob og Tajmir. Tajmir lukter på den og avslår: – For sterk, smiler han.

De to reisende legger seg. Hele natten smatrer det i maskingevær. Neste dag lurer de på hvordan de skal komme seg rundt og hva slags sak de skal lage.

De blir gående i Khost og skule. Ingen tar dem med på viktige operasjoner eller på hulejakt etter al-Qaida. Hver dag stikker de innom erkefiendene Mustafa og Kamal Khan for å høre om det er noe nytt.

– Dere får vente til Kamal Khan blir frisk, er beskjeden de

får i den okkuperte guvernørboligen.

– Ikke noe nytt i dag, er ekkoet fra politistasjonen.

Padsja Khan er sunket i jorden. Mustafa sitter forsteinet bak de fluorescerende blomstene. De amerikanske spesialstyrkene ser de ikke snurten av. Ingenting skjer. Ingenting annet enn den smatrende skytingen hver natt, og helikoptrene som sirkler over dem. De er i et av verdens mest lovløse områder, og de kjeder seg. Til slutt bestemmer Bob at de skal dra tilbake til Kabul. Tajmir jubler stille, vekk fra Khost, tilbake til Mikrorayon. Han skal kjøpe en stor kake til bryllupsdagen.

Han reiser lykkelig tilbake til sin egen Osama – den lille, runde med nærsynte øyne. Moren han elsker over alt på jorden.

Knust hjerte

I flere dager har Leila mottatt brev. Brev som har fått henne til
å fryse av skrekk, hjertet til å slå hurtigere, og hodet til å
glemme alt annet. Etter at hun har lest dem, river hun dem i
småbiter og kaster dem i ovnen.

Brevene får henne også til å drømme. Om et annet liv.
Skribleriene gir tankene hennes et lite løft, og livet hennes
litt sitrende spenning. Begge deler er nytt for Leila. Hun har
plutselig fått en verden inne i hodet sitt som hun ikke ante
fantes.

– Jeg vil fly! Jeg vil vekk! skriker hun en dag mens hun feier
gulvet. – Ut! roper hun og svinger kosten rundt i rommet.

– Hva sa du? spør Sonya og ser opp fra gulvet, der hun med
fraværende blikk sitter og fører fingeren over mønsteret på tep-
pet.

– Ingenting, svarer Leila. Inni seg tenker hun at hun ikke
orker lenger. At huset er et fengsel. – Hvorfor er alt så vanske-
lig? klager hun. Hun som vanligvis misliker å gå ut, føler hun
må ut. Hun går til markedet. Et kvarter senere kommer hun
hjem med en bunt løk, og blir møtt med mistenksomhet.

– Du går ut bare for å kjøpe løk? Er du så glad i å vise deg
fram at du går i basaren når vi egentlig ikke trenger noe? Sha-

rifa er i beskt humør. – Neste gang får du spørre en av smågut-tene om å gå.

Innkjøp er egentlig mennenes eller gamle kvinners jobb. Det er ikke bra for unge kvinner å stoppe og forhandle med mannlige butikkeiere eller med menn på markedet. Alle som har en bod eller en butikk er menn, og under Taliban var det myndighetene som forbød kvinner å gå alene til markedet – nå er det Sharifa som i sin dunkle utilfredshet forbyr henne det.

Leila svarer ikke. Som om hun er interessert i å prate med en løkselger? Hun bruker alt i maten, bare for å vise Sharifa at hun virkelig trengte løkbunten.

Hun står på kjøkkenet når guttene kommer hjem. Hun hører Aimal klukke bak henne og krymper seg. Hjertet banker raskere. Hun har bedt ham om ikke å ta med flere brev. Men Aimal stikker igjen til henne et brev – og en hard pakke. Hun gjemmer begge deler under kjolen og haster inn til kisten sin og låser det ned. Mens de andre spiser, sniker hun seg ut og går inn på rommet der hun har skattene sine. Med skjelvende hender låser hun opp kisten og bretter opp papirlappen.

– Kjære L. Du må svare meg nå. Mitt hjerte brenner for deg. Du er så vakker, vil du ta bort min tristhet eller skal jeg leve i mørke for alltid? Mitt liv er i dine hender. Vær så snill, send meg et tegn. Jeg vil treffe deg, gi meg et svar. Jeg vil dele livet mitt med deg. Hilsen K.

I pakken ligger det en klokke. Med blått glass og sølvfarget rem. Hun tar den på, men legger den fort ned igjen. Den kan hun jo aldri bruke. Hva skulle hun svare dersom de andre spurte hvem hun hadde fått den av? Hun rødmer for seg selv, tenk om brødrene skulle få vite om det, eller moren. Skrekk og gru, for en skam. Både Sultan og Yunus ville fordømme henne. Ved å motta brevene begår hun en totalt umoralsk handling.

– Føler du det samme som jeg? hadde han skrevet. Hun føler egentlig ingenting. Hun er livredd. Det er som om en ny virkelighet er tredd ned over hodet hennes. For første gang i livet krever noen et svar av henne. Han vil vite hva hun føler, hva hun mener. Men hun mener ingenting, hun er ikke vant til å mene noe. Og hun sier til seg selv at hun ikke føler noen ting fordi hun vet at hun ikke skal føle noe. Følelser er en skam, har Leila lært.

Karim føler. Karim hadde sett henne én gang. Det var den ene gangen hun og Sonya leverte lunsj til Sultan og guttene på hotellet. Karim hadde bare fått et kort glimt av henne, men det var noe ved henne som gjorde at han visste hun var den rette. Det runde, bleke ansiktet, den vakre huden, øynene.

Karim bor alene på et rom og jobbet for et japansk TV-selskap. Han er en ensom gutt. Moren ble drept av en granatsplint som landet i bakgården deres under borgerkrigen. Faren giftet seg raskt med en ny kvinne, som Karim ikke likte, og som ikke likte Karim. Hun brydde seg ikke om barna fra den første kona og slo dem når faren ikke så det. Karim klaget aldri. Faren hadde valgt henne, ikke dem. Etter at han var ferdig med skolen, jobbet han i noen år sammen med faren i apoteket han drev i Jalalabad, men etter hvert orket han ikke bo med den nye familien hans. Den yngre søsteren hans ble giftet bort til en mann i Kabul, og Karim flyttet etter, for å bo hos dem. Han studerte noen fag på universitetet, og da Taliban flyktet og horder av journalister fylte Kabuls hoteller og pensjonater, møtte Karim opp og tilbød sine engelskferdigheter til høystbydende. Han hadde vært heldig og fått jobb i et selskap som opprettet et kontor i Kabul, og ga Karim en lang kontrakt med god lønn. De betalte et rom for ham på et hotell. Der ble Karim kjent med Mansur og resten av familien Khan. Han likte familien, bokhandelen deres, kunnskapene deres, nøkternheten deres. En god familie, tenkte han.

Da Karim så et glimt av Leila, var det gjort. Men Leila kom aldri tilbake til hotellet, faktisk hadde hun mislikt å være der den ene gangen. Ikke noe bra sted for en ung kvinne, tenkte han.

Karim kunne ikke snakke om besettelsen til noen, Mansur ville bare le, i verste fall ville han ødelegge. For Mansur var ingenting hellig, og han brydde seg ikke noe særlig om tanten. Bare Aimal visste om det, og Aimal holdt tett. Aimal var Karims sendebud.

Dersom han ble bedre venner med Mansur, tenkte Karim, kunne han komme inn i familien gjennom han. Han var heldig, en dag inviterte Mansur ham hjem til middag. Det er vanlig at venner blir presentert for familien, og Karim var en av Mansurs mest respektable venner. Karim gjorde sitt ytterste for å bli likt, han var sjarmerende, lyttende, og overøste dem med komplimenter for maten. Særlig var det viktig at bestemoren likte ham, for det er hun som har det siste ordet når det gjelder Leila. Men henne han egentlig kom for, Leila, viste seg aldri. Hun sto på kjøkkenet og lagde maten. Sharifa eller Bulbula bar den inn. En ung mann utenom familien får sjelden se de ugifte døtrene. Da maten var spist, teen drukket og de skulle legge seg, fikk han et nytt glimt av henne. På grunn av portforbudet, blir middagsgjester ofte værende over natten, og det var Leila som skulle gjøre om spiserommet til soverom. Hun la ut mattene, fant fram tepper og puter og redde opp en ekstra matte til Karim. Hun klarte ikke tenke på annet enn at brevskriveren var i leiligheten.

Han trodde hun var ferdig, og skulle inn for å be før de andre la seg. Der sto hun fremdeles, bøyd over matten, med det lange håret i en flette på ryggen, dekket av et enkelt lite sjal. Han snudde i døren, forundret og opphisset. Leila merket ikke engang at han hadde stått der. Karim bevarte synet av henne bøyd over mattene hele natten. Neste morgen så han ikke snurten av henne, selv om det var hun som hadde gjort klart vaskevann til ham, stekt egg til ham, laget teen hans. Hun hadde til og med pusset skoene hans mens han sov.

Neste dag sendte han søsteren sin til kvinnene i familien Khan. Hun fikk møte Leila. Når noen får nye venner, blir ikke bare vennene presentert for familien, men gjerne slektningene også, og det er søsteren som er Karims nærmeste slektning. Hun visste om Karims fascinasjon for Leila, nå skulle hun titte på henne og bli bedre kjent med familien. Da hun kom hjem, fortalte hun Karim alt det han allerede visste.

– Hun er flink og flittig. Hun er pen og sunn. Familien er rolig og ordentlig. Hun er et godt parti.

– Men hva sa hun? Hvordan var hun? Hvordan så hun ut? Karim kunne ikke høre svarene mange nok ganger, selv ikke det han mente var søsterens altfor tamme beskrivelser av Leila.

– Hun er en ordentlig jente, sier jeg jo, sa hun til slutt.

I og med at Karim ikke lenger hadde noen mor, var det den yngre søsteren som måtte ta på seg rollen som frier for ham. Men det var for tidlig ennå, hun måtte bli bedre kjent med familien først, i og med at det ikke var noen slektsbånd mellom dem. Hvis ikke, ville de sikkert si nei med en gang.

Etter at søsteren hans hadde vært på besøk, begynte alle i familien å spøke med Leila om Karim. Leila lot som ingenting når de ertet henne. Hun lot som om hun ikke brydde seg, selv om hun brant innvendig. Bare de ikke fikk vite om brevene. Hun var sint fordi Karim hadde satt henne i fare. Hun knuste klokken med en stein og kastet den.

Først og fremst var hun livredd for at Yunus skulle finne det ut. Yunus var den som forfektet den strengeste muslimske levemåte i familien, selv om heller ikke han fulgte den. Han var også den i familien hun var mest glad i. Hun var redd for at han skulle tro dårlige ting om henne, dersom han fikk vite at hun hadde mottatt brev. Da hun en gang ble tilbudt en deltidsjobb på grunn av engelskkunnskapene sine, nektet Yunus henne å ta den. Han kunne ikke akseptere at hun skulle jobbe på et kontor der det også var menn.

Leila husket samtalen de hadde hatt om Jamila. Sharifa hadde fortalt henne om kvelningen av den unge jenta.

– Hva med henne? utbrøt Yunus. – Du mener hun som døde da en elektrisk vifte kortsluttet?

Yunus visste ikke at den elektriske viften var en løgn, at Jamila ble drept fordi hun hadde fått besøk av en elsker om natten. Leila rullet opp historien for ham.

– Grusomt, grusomt, grusomt. Leila nikker.

– Hvordan kunne hun??? legger han til.

– Hun? utbryter Leila. Hun hadde misforstått uttrykket i ansiktet hans og trodde det var sjokk, sinne og sorg over at Jamila ble kvalt av sine egne brødre. Men det var sjokk og sinne over at hun kunne ta seg en elsker.

– Mannen hennes var jo rik og vakker, sier han, fremdeles dirrende av opphisselse etter avsløringen. – For en skam, sier han. – Og så med en pakistaner. Dette gjør meg enda sikrere på at jeg må ha en helt ung kone. Ung, og urørt. Og at jeg må holde henne i stramme tøyler, sier han innbitt.

– Men hva med drapet? spør Leila.

– *Hennes* forbrytelse kom først.

Leila vil også være ung og urørt. Hun er livredd for å bli avslørt. Hun ser ikke gradsforskjellen mellom å være utro mot mannen sin og motta brev fra en gutt. Begge deler er ulovlig, begge deler er ille, begge deler er en skam dersom det oppdages. Nå som hun har begynt å se på Karim som redningen, bort fra familien, er hun redd for at Yunus ikke vil støtte henne, dersom Karim frir.

Forelskelse var det ikke snakk om fra hennes side. Hun hadde jo knapt sett ham, bare tittet på ham bak et forheng, og sett ham fra vinduet da han kom med Mansur. Og det lille hun hadde sett, hadde hun likt sånn tålelig.

– Han ser ut som en unge, sa hun til Sonya litt senere.
– Han er liten og tynn, og barnslig i fjeset.

Men han var dannet, han virket snill og han hadde ingen familie. Derfor var han redningen, fordi han kanskje kunne få henne bort fra det livet som ellers ville bli hennes. Det beste av alt var at han ikke hadde noen stor familie, så hun risikerte ikke å bli tjenestepike. Han ville la henne studere, eller jobbe. Det skulle bare være de to, kanskje de kunne reise et sted, kanskje til utlandet.

Det var ikke det at Leila ikke hadde friere, hun hadde allerede tre. Alle var slektninger, slektninger hun ikke ville ha. En var en tantes sønn, analfabet og arbeidsledig, lat og ubrukelig.

Den andre frieren var Wakils sønn, en lang slamp av en sønn. Han hadde ingen jobb, bare innimellom hjalp han Wakil på kjøreturene.

– Så heldig du er, du får en mann med to fingre, pleide Mansur å erte henne. Wakils sønn, som fikk sprengt bort tre fingre da han feiltuklet med motoren, var heller ikke en Leila ville ha. Storesøsteren Shakila presset på for dette ekteskapet. Hun ville gjerne ha Leila rundt seg i bakgården. Men Leila visste at da ville hun fortsatt være tjener. Hun ville alltid være under storesøsterens kommando, og Wakils sønn ville alltid måtte godta det faren befalte.

– Da blir det ikke bare tretten menneskers klesvask som nå, men tjue, tenkte hun. Shakila kom til å bli den verdige husfruen, hun ville bli tjenestepiken. Igjen. Dessuten, hun kom ikke vekk, igjen ble hun fanget i familien, gående som Shakila, med kyllinger, høner og barn løpende i skjørtene til enhver tid.

Den tredje var Khaled. Khaled var fetteren hennes – en pen, rolig, ung mann. En gutt hun hadde vokst opp sammen med, og som hun for så vidt likte. Han var snill og hadde varme, vakre øyne. Men så var det familien hans, han hadde en forferdelig familie. En stor familie på rundt tretti mennesker. Faren hans, en streng gammel mann, hadde nettopp sluppet ut av fengselet etter at han var blitt anklaget for å ha samarbeidet med Taliban. Huset deres hadde blitt plyndret under borgerkrigen, som de fleste andre hus i Kabul, og da Taliban kom og innførte lov og orden, klaget Khaleds far på noen mujahedinere i landsbyen sin. De ble arrestert, og satt lenge fengslet. Da Taliban flyktet, fikk disse mennene tilbake makten i landsbyen, og som hevn sendte de Khaleds far i fengsel. – Til pass for ham, sa noen. – Som var så dum å klage.

Khaleds far var kjent for å ha et ustyrlig sinne. Dessuten hadde han to koner som kranglet i et sett, og som knapt kunne oppholde seg i samme rom. Nå vurderte han å finne seg en tredje kone. – De er blitt for gamle for meg, jeg må ha en som kan holde meg ung, hadde søttiåringen sagt. Leila orket ikke tanken på å komme inn i dette kaoset av en familie, dessuten hadde ikke Khaled penger, så de ville aldri kunne flytte for seg selv.

Men nå hadde skjebnen så gavmildt skjenket henne Karim. Det nye, litt farlige livet gir henne løftet hun trenger, og grunn til å håpe. Hun nekter å gi opp og fortsetter å lete etter en mulighet til å komme seg til undervisningsministeriet for å bli registrert som lærer. Når det er klart at ingen av mennene i familien vil hjelpe henne, forbarmer Sharifa seg over henne. Hun lover å dra sammen med henne til ministeriet. Men tiden går, og de får aldri dratt. De mangler en avtale. Leila mister motet igjen, men så ser det ut som det lysner, på en merkverdig måte.

Karims søster hadde fortalt ham om problemene Leila hadde med å få registrert seg som lærer. Etter flere ukers strev, og fordi Karim kjenner undervisningsministerens høyre hånd, ordner han et møte mellom Leila og den nye undervisningsministeren, Rasul Amin. Leila får tillatelse av moren til å gå fordi hun nå endelig kan få den lærerjobben hun ønsker seg. Sultan er heldigvis i utlandet, og heller ikke Yunus stikker kjepper i hjulene for henne. Det er som om alt går hennes vei. Hun ligger hele natten og takker Gud og ber om at alt skal gå bra, både møtet med Karim og ministeren.

Karim skal hente henne klokken ni. Leila prøver og forkaster alle klærne sine. Hun prøver Sonyas klær, Sharifas, sine egne. Etter at familiens menn har forlatt huset, setter husets kvinner seg til rette på gulvet, mens Leila kommer inn med nye antrekk.

– For trang!
– For mye mønster!
– For mye glitter!
– Gjennomsiktig!
– Den er jo skitten!

Det er noe feil med alt. Leila har dårlig med klær i spektret mellom gamle, slitne, loete gensere og glitrende bluser med gullimitasjoner. Hun har ikke noe som er vanlig. Når hun en sjelden gang kjøper klær, er det til et bryllup eller en forlovelsesfest, og da velger hun alltid det mest glitrende hun kan finne. Til slutt ender hun opp med en av Sonyas hvite bluser og et stort svart skjørt. Det har ikke så mye å si, hun ruller seg uansett inn i et langt sjal som dekker hodet og overkroppen, langt nedover hoftene. Men hun lar ansiktet være bart. For Leila har sluttet med burkha. Hun ga seg selv løftet om at når kongen kom tilbake, skulle hun ta av seg sløret, da hadde Afghanistan blitt et moderne land. Den aprilmorgenen eks-kongen Zahir Shah satte foten på afghansk jord, etter tre tiår i landflyktighet, hengte hun burkhaen på spikeren for godt og sa til seg selv at hun aldri mer skulle bruke den stinkende gevanten. Både Sonya og Sharifa fulgte etter. For Sharifa var det enkelt, hun hadde levd det meste av sitt voksne liv med ansiktet bart. For Sonya var det verre, hun hadde gått fra barn til kvinne under burkhaen, og kvidde seg. Til slutt var det Sultan som nektet henne å bruke den. – Jeg vil ikke ha en forhistorisk kone, du er kona til en liberal mann, ikke en fundamentalist.

På mange områder var Sultan en liberaler. Da han var i Iran, hadde han kjøpt vestlige klær til seg og Sonya. Han snakket gjerne om burkhaen som et undertrykkende bur, og han gledet seg over at den nye regjeringen fikk kvinnelige ministre. I hjertet ønsket han at Afghanistan skulle bli et moderne land, og han kunne snakke varmt om kvinnefrigjøring. Men innen familien forble han den autoritære patriarken.

Når Karim endelig kommer, står Leila i sjalet sitt foran speilet, med et lys i øynene hun ikke har hatt før. Sharifa går foran henne ut. Leila er nervøs, og går med bøyd hode. Sharifa setter seg foran, Leila bak. Hun hilser kort. Det gikk helt greit, hun er fremdeles spent, men noe av nervøsiteten er borte. Han virker helt ufarlig. Ser snill og litt rar ut.

Karim snakker med Sharifa om løst og fast, sønnene, jobben, været. Hun spør ham om familien hans, jobben hans. Sharifa vil også gjenoppta jobben som lærer. I motsetning til Leila har hun papirene i orden og skal bare registrere seg på nytt. Leila har en broket samling papirer, noen fra skolen i Pakistan, noen fra engelskkurs hun har tatt. Hun har ingen lærerutdannelse, ikke engang fullført gymnas, men skolen hun søker på vil aldri få seg engelsklærer om ikke hun drar dit og underviser.

Framme ved ministeriet må de vente i flere timer på øyeblikket med ministeren. Rundt dem sitter en mengde kvinner. De sitter i krokene, langs veggene, i burkhaer, uten burkhaer. De står i køene foran mengden av skranker. Skjemaer blir kastet til dem, og de kaster dem ferdig utfylt tilbake. Noen av de ansatte slår dem som ikke er raske nok til å flytte seg. De i køen kjefter på dem bak skranken, og de bak skranken kjefter på dem i køen. Det råder faktisk en slags likestilling, menn kjefter på kvinner og kvinner kjefter på menn. Noen menn, tydeligvis ansatt i ministeriet, løper rundt med bunker av papirer, mens det ser ut som om de løper i ring. Alle roper. En eldgammel, inntørket kvinne virrer rundt, hun har tydeligvis gått seg vill, men ingen hjelper henne, så hun setter seg utslitt ned i en krok og sovner. En annen sitter og gråter.

Karim utnytter ventetiden godt. På et tidspunkt får han til og med Leila på tomannshånd når Sharifa forsvinner for å forhøre seg om noe ved en skranke med lang kø.

– Hva er svaret ditt? spør han.

– Du vet at jeg ikke kan svare deg, sier hun.

– Men hva vil du?

– Du vet jeg ikke kan ha noen vilje.

– Men liker du meg?

– Du vet at jeg ikke kan mene noe om det.

274

– Vil du svare ja hvis jeg frir?

– Du vet at det ikke er jeg som svarer.

– Vil du møte meg igjen?

– Det kan jeg ikke.

– Hvorfor kan du ikke være hyggelig? Liker du meg ikke?

– Familien min vil bestemme om jeg liker deg eller ikke.

Leila blir irritert over at han kan våge å spørre henne om disse tingene. Uansett er det moren og Sultan som bestemmer. Men det er klart hun liker ham. Hun liker ham fordi han er redningen. Men hun har ingen følelser for ham. Hvordan kan hun svare på Karims spørsmål?

De venter i timevis. Endelig får de komme inn. Bak et forheng sitter ministeren. Han hilser kort. Så tar han papirene Leila rekker ham, og setter på underskriften sin uten å se på dem. Sju papirer signerer han, før de skysses ut.

Slik fungerer det afghanske samfunnet, du må kjenne noen for å komme deg fram, et lammende system. Ingenting skjer uten de rette underskriftene og godkjenningene. Leila slapp til hos ministeren, en annen må klare seg med signaturen til en mindre prominent person. Men fordi ministrene bruker store deler av dagen på å signere papirene til folk som har bestukket seg inn for å møte dem, blir signaturene deres stadig mindre verdt.

Leila tenker at etter å ha fått ministerens signatur, burde veien inn i undervisningens verden gå lett. Men hun må innom et vell av nye kontorer, skranker og avlukker. Det er Sharifa som stort sett fører ordet, mens Leila sitter og ser ned. At det skal være så vanskelig å bli registrert som lærer, når Afghanistan skriker etter lærere? Mange steder finnes det både skolehus og bøker, men ingen til å undervise, hadde ministeren sagt. Når Leila kommer fram til kontoret der det avholdes eksamen for nye lærere, er papirene hennes i en krøll, etter alle hendene de har vært innom.

Det skal en muntlig eksamen til for å vise om hun er egnet som lærer. I et rom sitter to menn og en kvinne bak et bord. Etter at navn, alder og utdannelse er notert, kommer spørsmålene.

– Kan du den islamske trosbekjennelsen?

– Det finnes ingen gud uten Gud, og Muhammad er hans profet, ramser Leila opp.

– Hvor mange ganger om dagen skal en muslim be?

– Fem ganger.

– Det er vel seks ganger som er riktig? spør kvinnen bak bordet. Men Leila lar seg ikke vippe av pinnen.

– Det er kanskje det for dere, men for meg er det fem ganger.

– Og hvor mange ganger ber du?

– Fem ganger om dagen, lyver Leila.

Så er det et matematisk spørsmål. Som hun løser. Deretter en fysikkformel hun aldri har hørt om.

– Skal dere ikke høre meg i engelsk, da?

De rister på hodet. – Da kan du jo si hva du vil, ler de spydig. Ingen av dem kan nemlig engelsk. Leila føler at det er som om de håper at verken hun eller noen av de andre lærerkandidatene får noen jobb. Etter endt eksamen og lange diskusjoner seg imellom, finner de ut at hun mangler et papir. – Kom tilbake når du har med det papiret, sier de.

Etter åtte timer på ministeriet kjører de mismodige hjem. Overfor disse byråkratene hjalp ikke en gang en underskrift fra en minister.

– Jeg gir opp, kanskje jeg egentlig ikke har lyst til å bli lærer, sier Leila.

– Jeg skal hjelpe deg, sier Karim og smiler. – Når jeg først har startet på dette, skal jeg fullføre det, lover han. Leila blir bittelite grann varm om hjertet.

Neste dag reiser Karim til Jalalabad for å prate med familien sin. Han forteller dem om Leila, hva slags familie hun kommer fra og at han gjerne vil fri. De samtykker, og nå er det eneste som står igjen å sende søsteren. Det drøyer litt. Karim er redd for å få nei, og han trenger mange penger til bryllupet, til utstyret, til et hus. Dessuten begynner forholdet til Mansur å kjølne. Mansur har ignorert ham de siste dagene og hilser kort med en sleng med nakken når de møtes. Karim spør en dag om han har gjort noe galt.

– Det er noe jeg må fortelle deg om Leila, svarer Mansur.

– Hva da? spør Karim.

– Nei, forresten, jeg kan ikke si det, sier Mansur. – Beklager.

– Hva er det? Karim blir stående og måpe. – Er hun syk? Har hun en annen kjæreste, er det noe galt med henne?

– Jeg kan ikke si hva det er, men dersom du visste det, ville du aldri gifte deg med henne, sier Mansur. – Nå må jeg gå.

Hver dag maser Karim på Mansur om hva som er galt med Leila. Mansur trekker seg alltid unna. Karim bønnfaller og ber, han blir sint, han blir sur, men Mansur vil aldri svare.

Mansur hadde fått vite om brevene av Aimal. I utgangspunktet ville han ikke hatt noe imot at Karim fikk Leila, tvert om, men Wakil hadde også fått teften av Karims beiling. Han ba Mansur om å holde Karim unna Leila. Mansur måtte gjøre som tantens mann sa. Wakil var familie, ikke Karim.

Wakil truet også Karim direkte. – Jeg har valgt henne til min sønn, sa han. – Leila hører til i vår familie, og min kone vil gjerne at hun gifter seg med min sønn, det vil jeg også, og det kommer også Sultan og moren hennes til å like, det er best for deg om du holder deg unna.

Det var lite Karim kunne si til den eldre Wakil. Hans eneste sjanse var om Leila kjempet for å få ham. Men var det noe galt med Leila? Var det sant, det Mansur sa?

Karim begynner å tvile på hele frieriet.

I mellomtiden kommer Wakil og Shakila på besøk i Mikrorayon. Leila forsvinner ut på kjøkkenet for å lage mat. Etter at de er gått, sier Bibi Gul:

– De har fridd til deg fra Said.

Leila blir stående som forsteinet.

– Jeg sa at det var greit for meg, men at jeg skulle høre med deg, sier Bibi Gul.

Leila har alltid gjort som moren anbefaler. Nå sier hun ikke et ord. Wakils sønn. Med ham vil hun få et liv nøyaktig som det hun har nå – bare med enda flere arbeidsoppgaver og arbeidsgivere. Hun vil i tillegg få en mann med to fingre, en som aldri har åpnet en bok.

Bibi Gul dypper en brødbit i oljen på tallerkenen og putter den i munnen. Hun finner et bein fra Shakilas tallerken, og suger margen i seg mens hun ser opp på datteren.

Leila kjenner hvordan livet, ungdommen, håpet unnslipper henne – uten at hun kan redde seg. Hun føler at hjertet hennes er en tung og ensom stein, som er dømt til å knuses en gang for alle.

Leila snur seg, tar de tre skrittene fram mot døren, lukker den stille bak seg og går. Det knuste hjertet ligger igjen etter henne. Snart blander det seg med støvet som fyker inn vinduet, støvet som bor i teppene. Samme kveld er det hun selv som skal feie det opp og kaste det ut på gårdsplassen.

Etterord

Alle lykkelige familier ligner hverandre
Hver ulykkelige familie er ulykkelig på sin måte

Lev Tolstoj i «Anna Karenina»

Noen uker etter at jeg dro fra Kabul, ble familien splittet. En krangel endte med slagsmål og ordene som falt mellom Sultan og de to konene på den ene siden, og Leila og Bibi Gul på den andre, var så uforsonlige at det ville vært vanskelig å forsette å leve sammen. Da Yunus kom hjem etter slåsskampen, tok Sultan ham til side og sa at han, søstrene og moren måtte respektere ham slik han fortjente, fordi Sultan var eldst og fordi de spiste hans brød.

Dagen etter, før det lysnet, dro Bibi Gul, Yunus, Leila og Bulbula fra leiligheten uten å ta med seg annet enn det de gikk og sto i. Ingen av dem har vært tilbake siden. De flyttet inn til Farid, Sultans andre utstøtte bror, hans høygravide kone og tre barn. Nå leter de etter et eget sted å bo.

– Afghanske brødre er ikke snille mot hverandre, konkluderte Sultan på telefon fra Kabul. – Det er på tide at vi lever selvstendige liv.

Leila har ikke hørt mer fra Karim. Da forholdet til Mansur

kjølnet, var det vanskelig for Karim å ta kontakt med familien. Dessuten ble han usikker på hva han ville selv. Han fikk et egyptisk stipend for å studere islam ved al-Azhar universitetet i Kairo.

– Han skal bli mulla, skrattet Mansur på en sprakete linje fra Kabul.

Snekkeren fikk tre års fengsel. Sultan var nådeløs. – Kjeltringer kan ikke gå løs ute i samfunnet. Jeg er sikker på at han stjal minst tjue tusen postkort. Det han sa om den fattige familien sin, er bare løgn. Jeg har regnet ut at han må ha tjent masse, men har gjemt pengene.

Mariam som var så livredd for å få en datter, hadde Allah med seg og fødte en sønn.

Sultans enorme skolebokkontrakt gikk i vasken, Oxford University trakk det lengste strået. Sultan er glad til. – Det ville tatt all min kraft, ordren var nok for stor.

Ellers går bokhandelen strålende. Sultan har fått gullkantede kontrakter i Iran, han selger bøker til de vestlige ambassadenes biblioteker. Han prøver å kjøpe en av de ubrukte kinoene i Kabul for å lage et senter med bokhandel, forelesningssaler og bibliotek, et sted der forskere kan få tilgang til den store boksamlingen hans. Neste år lover han å sende Mansur på forretningsreise til India. – Han må lære hva ansvar er, det er bra for karakteren hans, sa han igjen. – Kanskje sender jeg de andre guttene på skolen.

Sultan har innvilget fri på fredager for de tre sønnene sine, som da kan gjøre hva de vil. Mansur fortsetter å gå på festene sine, og kommer hjem med stadig nye fortellinger om hvor han har vært. Hans nye flamme er nabojenta i tredje.

Men Sultan er bekymret for den politiske situasjonen. – Veldig farlig, Nordalliansen fikk altfor mye makt av Loya

Jirga, det er ingen balanse. Karzai er for svak, han klarer ikke styre landet. Det beste ville være om vi fikk en regjering med teknokrater utpekt av europeerne. Når vi afghanere skal velge våre egne ledere, går det galt. Ingen samarbeider, og folket lider. Dessuten har vi ennå ikke fått tilbake våre tenkende hoder, der de intellektuelle skulle vært, er det bare tomhet.

Ellers har Mansur forbudt moren sin å arbeide som lærer. – Ikke bra, er alt han har å si. Det var greit for Sultan at hun ville begynne å jobbe igjen, men så lenge Mansur, den eldste sønnen hennes, forbød henne det, ble det ikke noe av. Det har heller ikke blitt noe mer av Leilas forsøk på å registrere seg som lærer.

Bulbula fikk tilslutt sin Rasul. Sultan valgte å holde seg hjemme, og nektet også sine koner og sønner å gå i bryllupet.

Sonya og Sharifa er de eneste kvinnene tilbake i Sultans hus. Når Sultan og sønnene er på jobb, er de alene i leiligheten. Iblant som mor og datter, iblant som rivalinner. Om noen måneder skal Sonya føde. Hun ber til Allah om at det må bli en sønn. Hun spurte meg om jeg også kunne be for henne. – Tenk om jeg skulle få en datter til!

En ny liten katastrofe i familien Khan.